POCHE

BIEN MANGER : VRAIS ET FAUX DANGERS

DU MÊME AUTEUR
CHEZ ODILE JACOB

La Diététique du cerveau, 1990 ; « Poches Odile Jacob », 2000.

Les Bonnes Graisses, 1991 ; « Poches Odile Jacob », 1996.

De l'animal à l'assiette, 1993.

La Diététique de la performance, 1995 ; « Poches Odile Jacob », 2003.

Les Aliments de l'intelligence et du plaisir, 2001.

Diététique du cerveau : la nouvelle donne, 2003.

La Vérité sur les oméga-3, 2004 ; « Poches Odile Jacob », 2007.

La Nouvelle Diététique du cerveau ; « Poches Odile Jacob », 2006.

Dr JEAN-MARIE BOURRE

BIEN MANGER : VRAIS ET FAUX DANGERS

15, rue Soufflot, 75005 Paris

www.odilejacob.fr

ISBN : 978-2-7381-2436-4
ISSN : 1621-0654

À :
Lui ou elle, présenté par son frère Eliott,
Thaïs et Vanille,
Benoît, Célia et Lucie,
Blanche, Charlotte et Victor,
Jean-Cyril et Caroline, Jean-Xavier et Camille,
Marie-Blandine et Patrice, Jean-Christophe et Jacqueline,
leurs parents,
Et Marie-Laure, leur grand-mère et mère.

« Avoir l'esprit ouvert ne signifie pas l'avoir
béant à toutes les sottises. »
Jean Rostand

« "Le principe de précaution, c'est l'arme
contre le progrès." On a voulu théoriser,
trouver un juste milieu entre les adages populaires
"On ne prend jamais trop de précautions"
et "trop de précautions nuit", si bien que
l'on a accouché de ce que j'appelle un "piège
à cons" ! Chemin faisant, on a éliminé la notion de
risque, c'est-à-dire la notion de vie. La vie,
c'est le risque, le risque zéro n'existe pas,
sauf quand on est mort ! »
Claude Allègre

« Il est dans l'ordre des choses que jamais
on ne cherche à éviter un inconvénient
sans tomber dans un autre. »
Machiavel

Introduction

> *La notion de risque encouru que chacun assumait autrefois, conscient qu'il était de la fragilité et de la précarité de la condition humaine concentrée en sa seule et périssable existence, semble désormais devoir être partagée par le milieu qui l'entoure, la société qui le protège, les hommes qu'il rencontre, cherchant pour tous ses maux un responsable, que ce soit l'air qu'il respire, le fabricant de cigarettes dont il s'intoxique volontairement, le hot-dog qu'il juge trop gras ou le chirurgien qui l'opère.*
>
> Yves POULIQUEN

Dix-huit ans après la publication de mon premier livre, *La Diététique du cerveau*, suivi il y a deux ans de son « guide pratique », *La Nouvelle Diététique du cerveau*, il est temps que nous nous préoccupions, vous et moi, d'un autre type d'intoxications du cerveau que celles que j'évoquais alors : il s'agit des mauvais « aliments intellectuels » délivrés par une multitude de messages mensongers liés à la nourriture ! Nous devons ensemble discerner en quoi le cerveau contemporain déraisonne à propos des aliments ; tout particulièrement quand le recours à la « précaution », loin de nous protéger, dissémine une foison d'authentiques dangers pour la santé. Cette dérive, erratique autant qu'hérétique, repose sur une réalité bien connue : ce qui se conçoit mal s'énonce peu clairement.

L'absence d'esprit critique, la pauvreté et la médiocrité du vocabulaire, l'inculture, coûtent très cher, induisant la prise de mesures inutiles, voire contre-productives et parfois nuisibles. La science et la culture, qui nourrissent l'intelligence et l'âme, valent le pain qui sustente le corps. Nous allons faire appel à ces piliers de la connaissance, pour remettre les pendules à l'heure. Car l'ignorance scientifique et médicale se paie finalement beaucoup plus cher que l'enseignement du strict nécessaire. Ce livre cherche précisément à le montrer, dans le domaine de l'alimentation, de la nutrition et donc de la santé. Ainsi, lutter, par simple précaution, contre la vache folle dévaste les mers ! Négliger, pendant la grossesse, la consommation de poissons et de fruits de mer par terreur du mercure augmente le risque de QI bas pour l'enfant ! Deux aberrations parmi les nombreux exemples qui seront dénoncés dans les pages qui suivent. Alors que *le véritable danger dans nos assiettes n'est autre que l'insuffisante diversité des aliments*.

La dérive est catastrophique : tout aliment est devenu un poison en puissance, susceptible de provoquer des effets secondaires indésirables, pouvant entraîner des procédures judiciaires et carcérales ! Respirer tue, manger assassine ; la vie constitue une grave maladie sexuellement transmissible, qui plus est toujours mortelle. Bonjour, les Cassandre ! Pour la conserver, cette précieuse santé, autant que pour prévenir la maladie, il convient donc d'identifier les véritables dangers et de mettre en place de justes mesures permettant d'éviter le risque de les subir, plutôt que de prendre toutes les précautions inimaginables.

Si la maladie n'est pas une fatalité, la santé n'est pas un don ; elle se mérite. Très largement par une bonne hygiène de vie, incluant une alimentation confiante, dont le principe de précaution édulcore dangereusement la diversité obligatoire. Nos aliments doivent respecter les 3 S : être sains, savoureux, sûrs. Et sain, en l'occurrence, signifie nutritif ! Mais, précaution oblige, le sain est mis en doute, le sûr est mis en question. La confiance se restreint alors au naturel, angélisme désastreux. L'humanité de ce siècle semble plus redouter la technologie – surtout quand elle s'immisce dans l'alimentation – que la nature. Pendant des millénaires, les civilisations se sont acharnées à lutter contre la nature, à discerner le meilleur moyen de l'utiliser ; désormais, c'est l'inverse. La science est désacralisée par la nature qui s'en trouve maintenant mythifiée. « La société est une machine à fabriquer des dieux », disait Henri Bergson. La nature est actuellement érigée en divinité. Car la déesse laïque « moderne » est la naturalité, terme flou, indéfini, permettant à chacun de lui attribuer le sens qu'il veut, ou plutôt celui qui l'arrange. Auberge espagnole aux relents douteux : à consommer avec précaution ?

Ce livre ne sera donc pas une dénonciation de l'« alimentation industrielle », qui serait responsable de tous nos maux. On y verra par exemple ce qu'il en est réellement du bio. Il entend plutôt vous aider à vous y retrouver dans les messages qui vous sont adressés et jouent le plus souvent sur vos peurs. Un premier chapitre vous révélera que, contrairement à la psychose qui se répand aujourd'hui, manger reste bel et bien une des activités les plus sûres. Ce ne sont pas nos aliments qui peuvent nous rendre malades, c'est notre façon de manger. On y verra aussi que ceux, prétendument exempts de dangers, qu'on nous propose parfois ne sont finalement pas du tout sains puisqu'ils ne nous apportent pas ce qu'exige notre corps. Paradoxe d'une alimentation sûre qui ne nourrirait pas ! Le chapitre 2 vous fournira des éléments pour ne pas vous laisser berner : par exemple, que penser des alicaments ? Où est vraiment le danger avec les OGM ? *Quid* du bio ? Quels modes de cuisson privilégier ? Le chapitre 3 est principalement centré sur les viandes et les poissons ; il montre en particulier que la question centrale est de savoir comment ils sont nourris. Le chapitre 4 est un tableau des allergies, des intoxications et des infections liées à l'alimentation : que faut-il redouter ? Enfin, dans un dernier chapitre, vous trouverez quelques réflexions plus générales sur la précaution et ses dérives, sur la confusion entre le danger et le risque de le subir.

Le développement durable appliqué à soi-même, c'est la nutrition ; elle fonde la santé physique et psychique. Or l'alimentation concerne tout ce qui vit, elle implique donc la planète entière, qui élabore toute nourriture. Si la santé n'a pas de prix, elle a un coût : celui des aliments, tout particulièrement. Dépense économique, certes, mais aussi valeur de l'effort du choix de la nourriture qui… nourrit le corps et l'esprit ; quand elle procure un plaisir, personnel, convivial et social. Ces efforts ne doivent pas être anéantis par trop de précautions.

Au bout du compte, ce livre n'a qu'un but : vous aider à résister aux stratégies éhontées qui jouent sur la peur et la méconnaissance ; vous permettre de vous orienter vers une alimentation conforme aux exigences de votre corps et, pour ce faire, diversifiée et source de plaisir !

CHAPITRE PREMIER

Manger :
l'un des risques les plus faibles

Donner un sens moral à la science, surtout si celle-ci est consacrée à l'étude de la vie, est une mission impossible et qui tourne volontiers au grotesque. Il ne s'agit de rien de moins que de permettre aux ambitions individuelles et nationales de s'exprimer dans le respect des convenances et des superstitions du plus grand nombre sous la protection illusoire d'un « principe de précaution » inapplicable.

Jean-Didier VINCENT, *Désir et mélancolie. Les mémoires apocryphes de Thérèse Rousseau*

Le convivial « Bon appétit » ne doit pas être remplacé par un « Bonne chance » ou, pire, par un « À Dieu vat ». Manger sans danger, boire sans déboire ? Contrairement à ce que voudraient nous faire croire les vendeurs de drames et d'horreurs alimentaires, manger n'est pas un acte téméraire, voire dangereux.

Vous voulez manger, malgré tout ? N'êtes-vous pas fou de prendre un tel risque ? Eh bien non car, par exemple, les intoxications répertoriées chaque année sont un petit millier

Le saviez-vous ?

Qu'en est-il des œufs ? La probabilité de subir une intoxication à la salmonelle en en mangeant est extraordinairement faible : 1 toutes les 80 vies ! En effet, le risque actuel est de 0,9 %, ce qui représente un risque sur 1,6 million d'œufs. Comme on en consomme 250 par an et par habitant, cela fait une diarrhée toutes les 80 vies...

à peine en France, pour près de cent milliards de repas pris (soixante millions d'habitants, qui mangent trois ou quatre fois par jour, pendant trois cent soixante-cinq jours). Sincèrement, connaissez-vous une activité humaine plus sûre que de prendre un repas ? Un accident tous les cent millions d'opérations ! Dans une France devenue phobique alimentaire, on dénombre tout de même six fois moins de toxi-infections qu'aux États-Unis.

Prenons les produits de la mer, qu'une absurde précaution prescrit de ne consommer qu'avec parcimonie. Dans certains pays, sur les étiquettes des huîtres en boîte, précaution oblige, il est même indiqué : attention, ce produit peut être dangereux pour la santé. Qu'en est-il en France ? Seulement 10 cas d'intoxication sur 66 millions d'actes alimentaires de dégustation d'huîtres ! La consommation se fait d'ailleurs en dix jours seulement pour 60 % de la production. Ce moment de gastronomie, mais aussi de grande bouffe, a des conséquences intestinales diverses, qu'on attribue sans discernement aux huîtres, alors qu'elles n'y sont presque toujours pour rien. Quant aux moules, il est inconséquent de les refuser au prétexte qu'elles concentrent le plomb deux fois plus activement que les huîtres ! En pratique, le réel problème ne tient pas aux moules elles-mêmes, mais à la maîtrise des égouts lors de pluies diluviennes qui vont alors polluer les zones d'élevage et des engrais utilisés sur terre, dont le surplus est entraîné par les averses.

L'industrialisation est devenue indispensable pour nourrir les milliards d'habitants de la planète, et tout particulièrement ceux des villes. Il est vrai que les technologies récentes diminuent énormément les dangers, mais il y a un revers de la médaille : tout accident prend des dimensions nationales, voire plus ; il est donc toujours spectaculaire. D'autant que la concentration de la production d'énormes quantités d'aliments dans les mains parfois d'un seul prestataire désigne le fautif sans hésitation. Les risques ne sont donc plus répartis entre plusieurs intervenants, voire plusieurs centaines de milliers, comme ce fut longtemps le cas.

Dès lors, cesser de manger, se nourrir avec parcimonie, est-ce la solution ? Mais que choisir ? Faut-il faire comme l'âne de Jean Buridan, le célèbre (malgré lui) philosophe scolastique du XIVe siècle ? Son animal avait faim et soif, mais placé à égale distance d'une botte de foin et d'un seau d'eau, il est mort faute de pouvoir décider. Il a enfin appris à cesser de manger… le jour où il est mort ! Il y a là une inadéquate perception des dangers et des risques de les subir : le consommateur redoute l'intoxication (alors qu'elle est finalement exceptionnelle, en dépit du tapage associé) plutôt que le déséquilibre alimentaire (qui, lui, est très sérieux !). Or *le véritable enjeu du millénaire* qui débute n'est pas d'éviter les toxiques, microbes et autres contaminants, avec un parapluie de précautions aussi coûteuses qu'inutiles. Il *est d'être encore capable de manger équilibré et avec plaisir* : cet acte culturel et biologique ancestral conditionne notre santé. *Le danger n'est pas dans les aliments eux-mêmes, mais dans leur absence.*

En effet, si les mauvais aliments sont rares, il subsiste pléthore de mauvaises utilisations, caractérisées principalement par les excès. Il existe toutefois un problème majeur : la négligence, sinon l'exclusion, de classes d'aliments pour différentes raisons : accessibilité, prix, habitudes nutritionnelles, etc. Cela aboutit à ces nouvelles pathologies qui se regroupent sous la curieuse dénomination de « maladies de civilisation ». À titre d'exemple, se rendre au fast-food est-il risqué ? Ses deux caractéristiques sont déplorables : on mange vite des aliments servis qui ne méritent pas toujours ce nom. Le risque n'est cependant pas de s'y rendre, mais d'y aller trop souvent. Il est vrai que la perception du risque est très variable : le consommateur a 1 « chance » sur 20 de mourir d'un cancer, mais il estime que c'est peu et il ne supprime pas le tabac pour autant. Alors qu'avec 1 chance sur 15 millions de gagner au loto, il se précipite sur les tickets, car il trouve que… c'est beaucoup ! Obésité, diabète, cancers, maladies cardio-vasculaires : conséquences directes de déséquilibres alimentaires. Un véritable fléau mondial : la « diabésité », c'est-à-dire la somme diabète + obésité !

Manger ne rend pas malade

Car, selon mon opinion, tous ces cadavres, et toutes ces ruines, et ces folles dépenses, et ces offensives de précaution, sont l'œuvre d'hommes qui n'ont jamais su être heureux et qui ne peuvent supporter ceux qui essaient de l'être.

ALAIN, *Propos sur le bonheur*

En ce qui concerne notre alimentation, chaque jour, les médias produisent leur lot d'horreurs et de calomnies, avec quantité de reportages inquiétants, alarmistes, le plus souvent terrorisants. Tous les motifs sont bons : les méthodes de production douteuses, une santé gravement agressée, une diététique criminelle. L'agriculture en prend pour son grade, son but étant évidemment d'assassiner les gens, de brutaliser les animaux, de détruire les sols, l'air et l'eau ; ou de dévaliser les petits paysans nationaux et de faire mourir de faim ceux du tiers-monde. Elle semble produire et vendre des bombes ; alors qu'il ne s'agit que de carottes !

En français, le mot même de « sécurité » est ambigu. Facteur aggravant les difficultés de son utilisation et de sa compréhension : sa définition varie selon les pays. Pour les contrées anglo-saxonnes, la sécurité alimentaire exige d'apporter l'ensemble des nutriments nécessaires : il s'agit des vitamines, des minéraux, des acides gras (oméga-3 et oméga-6) et des acides aminés indispensables ; non seulement en quantité comme en qualité, mais aussi en proportions relatives des uns par rapport aux autres. Dans cet esprit, concernant les pays en voie de développement, la sécurité demande un apport alimentaire minimum, mais équilibré. En revanche, pour la France et les pays latins, la sécurité ne concerne que l'absence (ou la minimisation) de dangers toxicologiques. Les deux définitions diffèrent donc profondément, leur comparaison crée la confusion, pouvant induire des comportements – notamment politiques – anormaux, voire contradictoires. En effet, dans l'Hexagone, la sécurité des nutriments n'est pas assurée pour bon nombre de personnes, pour les malnutris évidemment, mais aussi chez nombre d'obèses (quoique, pour certains, l'obésité soit une réaction normale de l'organisme dans son environnement défectueux, comme l'affirme par exemple un spécialiste américain), mais on en parle trop peu. En revanche, bien que la sécurité toxicologique soit presque parfaite, le moindre accident est ultra-médiatisé. La rareté fait le scoop.

Le mot « sécurité » est d'ailleurs emprunté au latin *securitas*, qui signifie absence de souci, tranquillité. En accord avec l'étymologie, selon le dictionnaire *Robert*, la sécurité est l'« état d'esprit confiant et tranquille de celui qui se croit à l'abri du danger ». Il faut reconnaître que cette définition ne simplifie pas les choses. Car, d'emblée, le doute s'installe. En effet, dans la définition, la personne « se croit à l'abri », ne l'est-elle donc pas réellement et absolument ? La sécurité constitue une situation qui résulte de l'absence réelle de dangers, moraux ou physiques ; elle est la conséquence d'organisations matérielles, morales ou politiques. Pour le célèbre dictionnaire *Larousse*, la définition est plus exhaustive : « Situation dans laquelle quelqu'un ou quelque chose n'est exposé à aucun danger, à aucun risque d'agression physique, d'accident, de vol, de détérioration. » Cette définition cartésienne aboutit à favoriser l'idée que, toujours et partout, le danger sommeille et guette. Et qu'en mangeant, nous devenons là encore des malades qui s'ignorent !

Il n'en reste pas moins vrai que l'assurance de la qualité sanitaire d'un aliment est une obligation, car *la sécurité alimentaire est fondamentale*. Les pouvoirs publics la contrôlent avec la plus grande vigilance. *Mais*, il faut le répéter sans cesse, *elle n'a d'intérêt que pour les aliments dignes de ce nom, c'est-à-dire pourvus d'une bonne valeur nutritionnelle.*

Et la sécurité économique ? Personne n'en parle, alors que ce danger gît au fond de nos assiettes. Globalement, en France, la sécurité et la variété des aliments sont toutes deux réelles (les consommateurs disposent d'un large choix, la difficulté est qu'ils soient suffisamment informés, après avoir été éduqués par leurs parents ou à l'école, pour être capables de sélectionner), la sécurité toxicologique est patente (malgré de rares accidents et les psychoses savamment orchestrées, la traçabilité devrait assurer une rigueur plus grande encore). Mais une nouvelle insécurité se fait désormais jour : elle touche à la liberté d'approvisionnement, de choix, d'achat. Il ne s'agit même plus de moyens financiers, mais de la capacité toute simple de pouvoir acheter quelque chose qui existe encore. La diversité des aliments risque en effet d'être réduite à peau de chagrin si un seul pays possède la maîtrise de l'approvisionnement mondial, et contrôle donc les cours ; directement en raison de la puissance de son agriculture, et indirectement par sa maîtrise de l'économie (y compris des industries agroalimentaires, notamment avec les fonds de pension, ces gigantesques masses d'argent américaines ; d'autant que d'autres pays s'y mettent, avec leurs fonds souverains). Dans ce cadre, l'arme alimentaire n'est plus une vue de l'esprit. Elle menace tous les pays, jusqu'aux plus évolués, donc nous tous. Un fin connaisseur affirmait que la guerre est la continuation de la politique par d'autres moyens. Or l'alimentation constitue une arme sournoise, mais redoutable. Dans ce contexte, il est inquiétant que la France ait perdu la direction de l'agriculture européenne à Bruxelles, alors qu'ellc est le numéro 1 ou 2 mondial, selon que l'on parle d'agroalimentaire ou d'agriculture...

D'une manière générale, la conception d'un yaourt en fonction du seul cours de la Bourse peut paraître quelque peu discutable... Car on ne devrait pas vendre un aliment comme une paire de chaussures. D'autant que l'alimentation se fait à volume constant : quand un aliment disparaît, un autre prend sa place ; pour être plus exact, une publicité outrancière, mais réussie, peut assurer la promotion d'un produit nouveau, ce qui resterait de peu d'importance, s'il ne chassait pas un aliment traditionnel et performant. Ainsi, les tripiers ont disparu, drame nutritionnel, culinaire et gastronomique ; sauvons maintenant les poissonniers ! En d'autres termes, il est possible de se laisser convaincre d'acheter autant de paires de chaussettes qu'il y a de jours dans l'année, mais pas d'augmenter les kilos d'aliments : un sandwich aux frites agrémenté de pâtes n'est pas recommandable.

Sécurité ou sûreté ? La sûreté est souvent un mécanisme ou une procédure qui évite un danger : une épingle de sûreté, un verrou de sûreté, une soupape de sûreté ; le dispositif étant une chaîne, une fermeture, un cran d'arrêt. La sûreté des routes assure la sécurité routière. La prudence fait affirmer à Jean de La Fontaine : « Deux sûretés valent mieux qu'une. » Initialement, la sûreté fut une garantie conditionnant un marché, et, plus généralement, une disposition prise pour éviter un danger. L'apogée de l'utilisation du mot fut la Cour de sûreté de l'État, abolie en 1981. Bref, la mesure de sûreté (action ou mécanisme parfaitement défini) met en sécurité contre un danger (parfaitement connu). C'est de la prévention, ce n'est en rien de la précaution.

La sécurité alimentaire, fondamentale, n'a d'intérêt que pour des aliments dignes de ce nom, c'est-à-dire pourvus d'une bonne valeur nutritionnelle. L'argile stérile (qui est d'ailleurs, parfois, un médicament) offre une sécurité sanitaire totale, mais sa valeur nutritionnelle est strictement nulle, sauf à… contenir encore quelques vers de terre, mais bien stérilisés. La préoccupation sécuritaire doit donc se focaliser sur l'utile, l'utilisable, le nourrissant et l'agréable ! Pour éviter les intoxications, le seul comportement pratique recommandable est d'exiger que les aliments soient sains, non souillés ; la sécurité sanitaire conditionne directement la bonne santé, son assurance est une obligation.

Car un aliment de bonne valeur nutritionnelle est fragile, surtout s'il est frais. Il faut le protéger, le traiter avec soin, ne pas le corrompre ! La pollution, notamment par contamination bactérienne, altère évidemment les nourritures de choix, surtout les meilleures. En effet, leur fragilité est précisément fondée sur leur richesse en nutriments (c'est le cas des œufs et des fruits de mer ; mais aussi des poissons, des produits tripiers, des viandes et de certaines charcuteries). S'ils favorisent la croissance et l'harmonie de notre corps, ils facilitent aussi bien le développement rapide des micro-organismes toxiques

Le saviez-vous ?

Le consommé est meilleur que le bouillon, mais plus vulnérable. En effet, le bouillon de légumes, le potage, offre une variété insuffisante de nutriments pour permettre la croissance rapide de micro-organismes ; il résiste donc assez bien à la conservation au frais. Mais il risque d'être infesté en quelques heures quand il est préparé à partir de consommé, car l'eau de cuisson du pot-au-feu ou du jarret de veau est nutritivement meilleure. Il en est de même du bouillon gras du petit salé, même dégraissé.

ou de ceux qui produisent les toxines. Salmonelle, *Listeria*, *E. Coli* et d'autres encore ; voilà de redoutables ennemies, à éviter et à combattre. En contrôlant soigneusement la qualité sanitaire des aliments, mais jamais en les rejetant, par précaution, sous prétexte qu'ils pourraient être éventuellement contaminés ou pollués ! Exclusion qui est pourtant mise en œuvre, par exemple dans nombre de restaurations collectives, notamment d'écoles !

En fait, globalement, *la fragilité augmente avec l'accroissement de la richesse nutritionnelle.*

Pour l'homme comme pour les micro-organismes, les nutriments des viandes se combinent à ceux des légumes pour créer un milieu nourrissant remarquable. Il ne faut jamais oublier que la contamination est d'autant plus facile que l'aliment est plus riche... Brillat-Savarin le disait bien : « Les professeurs ne mangent jamais du bouilli, par respect pour les principes et parce qu'ils ont fait entendre en chaire cette vérité incontestable : le bouilli est de la chair moins son jus. »

Le respect de l'aliment implique la manière de le conserver et de le préparer, toutes choses pouvant modifier sa vulnérabilité.

Dans le même esprit, curieusement, la technologie peut éventuellement fragiliser. Ainsi, la congélation solidifie l'eau et augmente donc son volume, ce qui a pour effet de faire éclater les cellules qui constituent le tissu vivant. Lors de la décongélation, une sorte de bouillie se produit, pour la plus grande joie de tout ce qui désire proliférer. *Tout aliment*

Le saviez-vous ?

Pourquoi le steak haché est-il si fragile ? Parce qu'il constitue un excellent milieu de culture pour tout ce qui veut bien y vivre ou l'infester, y compris quelques hôtes indésirables pour l'homme. Tant que le steak reste entier, les nutriments sont difficilement accessibles aux quelques bactéries présentes, leur multiplication est donc très lente. Lorsqu'il est haché, les structures cellulaires étant détruites, tout se retrouve immédiatement et rapidement mis à disposition des micro-organismes. Il ne doit donc jamais être conservé, fût-ce au réfrigérateur.

riche est fragilisé quand il est décongelé. Voilà pourquoi il est interdit de recongeler, tout particulièrement la viande.

Après le steak, les huiles de table, qui obligent à une constatation : même la première pression a ses limites ! Ce qui restreint la portée d'une précaution, prétendue la plus élémentaire, revendiquant de ne consommer que des huiles de première pression, à froid, qui plus est. Car rien n'est simple.

Le saviez-vous ?

La pression, du fruit ou de la graine, nécessaire pour en extraire son huile végétale de consommation, met en présence des substances qui, chimiquement, ont tendance à se détruire les unes les autres ; les oligoéléments et les bons acides gras notamment, car ils ne font pas bon ménage. Ainsi, le rancissement des graisses, rapide en présence de lumière, d'une modeste température et de l'oxygène de l'air, est fortement accéléré par certains oligoéléments.

Les oligoéléments favorisent les attaques radicalaires des acides gras indispensables, en particulier les oméga-3… ce qui constitue précisément le rancissement. Voilà pourquoi l'huile de noix, parmi les meilleures avec celle de colza, est si fragile : il faut la conserver en petites bouteilles, à l'abri de la lumière, bien bouchée, au froid.

L'hygiène participe activement à la prévention de maladies. Ainsi, la fréquence des cancers de l'estomac a été divisée par quatre depuis un demi-siècle pour plusieurs raisons, l'une étant la formidable réduction des pullulations microbiennes, grâce à la chaîne du froid en particulier. Les infections bactériologiques (notamment par le fameux *helicobacter pylori*) ou les contaminations par les moisissures et les parasites constituent encore, dans le monde, la seconde cause connue de cancer, rappelle le professeur Maurice Tubiana !

Incidemment, dans le large cadre de l'acte alimentaire, l'hygiène et la température du réfrigérateur font partie de l'hygiène corporelle. Une montée de température de cinq degrés pendant quelques minutes (facilement atteinte lors d'ouvertures intempestives) multiplie par deux (et parfois beaucoup plus) la croissance de certains germes ; une remontée de dix degrés la multiplie par quatre. Ainsi, lors d'un stockage à dix degrés, l'« abominable » *Listeria* peut passer de quelques unités à plusieurs milliers, en moins de huit jours ! Un danger bien réel, mais sournois : la température trop élevée du réfrigérateur. Il faut la vérifier souvent, elle ne doit pas dépasser les 4 °C. Par prévention, et non pas par précaution, il convient de savoir ranger convenablement dans le réfrigérateur.

En effet, puisque bio, ces carottes se doivent d'être encore souillées par un peu de terre ; ce qui constitue d'ailleurs un bon signe, pour certains. Or, dans toute terre, quelle que soit sa provenance, sauf si elle a été stérilisée, il y a toujours quelques *Listeria*. Un peu de remue-ménage dans le frigo fait tomber des fragments de cette glèbe dans la mayonnaise. Or cette préparation risque de rester quelques heures à température ambiante, jusqu'au dîner qui tarde, car la fraîcheur du soir se fait attendre par cette belle et chaude journée d'été. Les *Listeria* vont se multiplier à grande vitesse, et pourraient tuer le grand-père, déjà fragilisé par une bonne infection.

Le saviez-vous ?

Un exemple de ce qu'il ne faut jamais faire : garder des carottes bio au frigidaire au-dessus d'une bonne mayonnaise ou bien d'œufs battus en attente d'omelette.

La congélation elle-même doit être bien réglée : non seulement la température se doit d'être suffisamment basse, mais elle doit être maintenue aussi constante que possible. En effet, des variations entre – 15 °C et – 20 °C, reproduites une quarantaine de fois, détruisent localement les structures du produit, par périodes successives de microcongélation et microdécongélation. Bien plus, dans ces processus, l'oxygène s'y trouve renforcé, ce qui induit des destructions de vitamines et d'oméga-3, entre autres. Faites bien attention aux aliments venant de contrées lointaines, dont le suivi peut laisser à désirer. En effet, lors du transport par camion, certains routiers coupent la réfrigération pour faire des économies, car elle est grosse consommatrice de gas-oil... Ils la remettent en route peu avant la livraison. Pas vu, pas pris.

Au-delà du réfrigérateur, avec sa multitude de « bouillons de culture », la cuisine constitue un véritable laboratoire, nom d'ailleurs préservé par la tradition pour le local où officie le charcutier ou le pâtissier, entre autres ! Les précieux aliments, fragiles, doivent impérativement être épargnés par une bonne hygiène domestique.

Les exigences de notre corps

Le mal au ventre peut être une maladie contagieuse transmissible par la télévision avec les pouvoirs publics.

Claude GOT, *Risquer sa peau*

Nous passons la première moitié de notre vie dans une indifférence superbe à l'égard de la santé et la seconde dans la peur permanente de la perdre. En réalité, si la bonne santé intéresse un peu (sauf exception, pour les masochistes, mais il s'agit alors de préoccupation), la mauvaise nous effraie plus sérieusement. Alors que le bien-être fait rêver, la maladie provoque la peur. Les progrès de la médecine aidant, nous demandons d'abord à être bien dans notre peau, comme en témoignent maints sondages récents. Mais, ne sachant comment nous y prendre, nous courons nous en remettre à toutes les modes, à toutes les technologies médicales et agroalimentaires, grâce auxquelles nous évitons de faire l'expérience de notre propre vie. Un véritable comportement d'autruche ! Oubliant que nous devons personnellement assumer les exigences alimentaires de notre corps. D'autant que la loterie génétique n'est absolument pas démocratique : nous sommes des mangeurs très inégaux. Chacun doit savoir gérer sa petite entreprise corporelle avec ses rouages, ses coopérations entre services, ses départements de commande et de livraison. La cuisine est d'ailleurs là pour transmuer ces contraintes en agrément. Au strict minimum, puisqu'il faut manger, autant le faire agréablement !

Halte aux points de vue et aux convictions, vive les connaissances. Malheureusement, la pertinence de l'information n'est pas toujours au rendez-vous ; l'enseignant et le législateur sont à la traîne. Quelques anecdotes sont hélas démonstratives de la confusion entre ces états d'esprit. Par exemple, selon la rigidité des dogmes et l'austérité des tables de composition des aliments, les Français sont censés consommer trop de graisses ; ce qui devrait les faire mourir de maladies cardio-vasculaires comme leurs voisins, c'est-à-dire trois fois plus souvent. Étant donné qu'il n'en est rien, *il est important de préserver nos traditions alimentaires qui ont fait la preuve de leur efficacité*. Les traditions sont les réformes qui ont réussi, ceci est particulièrement vrai en alimentation. D'autant que, bien souvent, l'aliment recèle un médicament : les graisses de poisson en sont un exemple, sans parler de l'illustre huile de foie de morue !

Les aliments traditionnels se sont adaptés au patrimoine génétique des groupes humains, et réciproquement. En supprimer certains sous prétexte qu'ils contiennent tel ou tel composant réputé nocif engendre trop souvent une nouvelle pathologie sans pour autant traiter celle qui est à l'origine du chambardement nutritionnel. La perte de ces aliments traditionnels, l'oubli de la manière ancestrale de les préparer, de les combiner, ont provoqué des méfaits insoupçonnés, hélas chiffrables.

Ainsi, les experts ont évalué qu'absorber de vraies céréales complètes assurerait la survie annuelle du nombre colossal de 24 000 vies seulement au Royaume-Uni... Aux États-Unis, il a même été calculé, en 2006, par un éminent chercheur en nutrition dénommé Willett, que passer de la nourriture actuelle à une alimentation de type méditerranéen permettrait de diminuer de 80 % les infarctus, de 70 % les accidents vasculaires cérébraux (les attaques), de 90 % les diabètes de type 2. Or il ne s'agit que d'augmenter la consommation des fruits, des légumes, des poissons et d'écarter résolument les acides gras *trans*, c'est-à-dire, pour faire pratique, de refuser tout aliment dont l'étiquette mentionne : « huile partiellement hydrogénée ». En France, 50 000 morts sont déplorées chaque année du seul fait de l'obésité et de l'inactivité physique. L'espérance de vie est diminuée de 14 ans en moyenne, par un manque d'hygiène de vie, incluant au choix : obésité, tabagisme, alcoolisme, sédentarité. Un travail américain, réalisé à Boston en 2008, sur l'impressionnante cohorte dite Nurses Health Study, qui ne comptait d'ailleurs pas que des infirmières, ni même que des femmes, a suivi le devenir de 970 hommes aujourd'hui âgés de plus de 90 ans. Ils furent enrôlés au début des années 1980. Ce travail montre que ceux qui ne sont pas hypertendus, ni obèses, ni diabétiques et font de l'exercice ont 54 % de chances de vivre jusqu'à 90 ans. La probabilité chute à 44 % pour les sédentaires, 36 % pour les hypertendus, 26 % pour les obèses, 22 % pour les fumeurs, 14 % pour ceux qui cumulent 3 facteurs de risque et 5 % s'ils en ont cinq ! La vie tue, inutile d'accélérer le mouvement !

Mais ce régime méditerranéen, ce régime crétois, que sont-ils ? Pour le premier, il est abusivement résumé à l'huile d'olive, alors qu'elle n'en constitue que l'un des éléments, avec l'hygiène de vie, la consommation de fruits, légumes et poissons. Quant au régime crétois, toute la presse (à l'exception de deux titres) le salua pour être la preuve de l'efficacité de l'huile d'olive. Méconnaissance du sujet, et triste exemple du rabâchage à l'infini d'une dépêche inexacte, dont l'auteur n'avait même pas pris la peine – la précaution – de lire ne serait-ce que le titre de la publication. En effet, celle-ci ne traitait en rien de l'olive, car il n'était exclusivement question que des oméga-3, quasi absents dans cette belle huile ! En vérité, le régime crétois trouve son efficacité dans la prise en compte de tous les critères du régime méditerranéen (car la Crète est une île de la région…), avec, en prime, les oméga-3. Où les habitants de cette île trouvaient-ils leurs oméga-3 ? Principalement dans les poissons, les noix et l'huile de ce fruit, les œufs (mais des œufs « sauvages », nous en reparlerons), une variété de salade dénommée pourpier, le lapin et les escargots. Mais attention : ils n'avaient pas notre habitude d'accompagner ce mollusque gastéropode herbivore avec force beurre aillé, qui lui fait perdre l'essentiel de son avantage oméga-3 (le beurre, et non pas l'ail). Incidemment, ce régime crétois devient un objet de musée, il ne concerne plus que les vieux, et va disparaître. En effet, les mutations de l'alimentation, la négligence des nourritures traditionnelles se faisant au « bénéfice » des fast-foods and C°, la Crète est devenue le territoire européen comptant la plus grande proportion d'enfants obèses !

En tout état de cause, manger mieux reste infiniment plus sérieux et physiologique que de s'acharner à suivre quelques indications farfelues et fantaisistes. Par exemple une proposition ahurissante : aux États-Unis, ne prendre que 2 petits déjeuners par semaine diminuerait de 50 % le risque d'obésité ou celui de syndrome d'insulino-résistance. Comme si le danger était dans le petit déjeuner ! Pour d'autres, il faut interdire les ascenseurs sur les deux premiers étages des immeubles, pour contraindre les habitants à faire un minimum d'exercice physique. Certains vont même jusqu'à prétendre que consommer des boissons énergétiques à base de sucre et inhaler de l'oxygène – pur évidemment – peut améliorer les fonctions cognitives, et donc le fonctionnement du cerveau !

Un grand nombre de données fondamentales font défaut, en particulier la nature exacte du contenu de votre assiette. Ce qui permet toutes sortes d'extrapolations abusives, nous en verrons certaines dans les pages suivantes. En d'autres termes, le niveau des connaissances est très inégal selon les disciplines, il est particulièrement faible en nutrition. Ainsi, un vaisseau spatial, alunissant avec quelques minutes de retard, oblige au licenciement de l'ingénieur qui a commis une telle faute. Alors que l'on est incapable de vous fournir le contenu exact en oméga-3 de votre sardine en boîte. En revanche, curieusement, on connaît très exactement la nourriture de nombre de personnes vivant en Afrique, ou plutôt ce qu'elles ne mangent pas, alors qu'elles devraient l'absorber. Le problème est qu'on ne leur apprend pas où trouver ce qui fait défaut (un ancien proverbe sénégalais est formidablement pertinent : « Donne un poisson à un homme, tu le nourriras un jour ; apprends-lui à pêcher, tu le nourriras toute sa vie »). Comme on ne sait donc qu'à peine ce qui se trouve dans nos assiettes françaises, la FAO doit-elle envoyer des missions dans nos villes et nos campagnes ? Incidemment, si l'on peut dire, parmi les maladies qui tuent les pauvres, aucune n'est aussi détestable que les mauvais gouvernements !

À force d'évolution et de sélection, les koalas australiens, ces mignons petits mammifères marsupiaux, savent se contenter de feuilles d'eucalyptus. Leurs voisins, les lémuriens, quant à eux, ont par contre un besoin impératif de trente-quatre végétaux : ils disparaissent avec les destructions de forêts, et de certains biotopes. *L'homme doit obligatoirement consommer environ quarante-cinq substances ; si l'une vient à manquer en permanence, la mort ne peut que s'ensuivre. Il lui faut donc absorber plusieurs dizaines d'aliments différents, végétaux et animaux, pour toutes les trouver, en quantité et en proportion des unes par rapport aux autres.* Il ne sait pas utiliser directement la lumière solaire pour élaborer les substances organiques, c'est-à-dire les molécules qui contiennent du carbone. Sinon, sa peau serait verte et sa surface équivalente à celle d'un gratte-ciel ; esthétique douteuse, vous en conviendrez ! L'être humain doit donc impérativement manger des végétaux et des produits animaux, prix à payer pour assurer sa complexité biologique. La chaîne inclut les viandes (terrestres, aériennes et maritimes), notamment pour leur vitamine B12, vitamine D, fer et l'un des oméga-3, le DHA. Le patrimoine génétique humain s'étant affranchi d'un grand nombre de tâches, déléguées à d'autres êtres vivants qu'il absorbe, il lui reste de la place pour assurer la bonne marche d'organes, comme le cerveau, qui permettent des fonctions que l'on dit supérieures : créer, penser, etc.

Afin de pallier les déviances nutritionnelles de populations, faut-il prescrire, suggérer ou plutôt contraindre ? Première observation, les interventions nutritionnelles directes et autoritaires, étatiques par essence (prôner parfois tels aliments, et très souvent en rejeter d'autres) ne sont généralement pas couronnées par les succès escomptés, quand elles ne se révèlent pas des échecs retentissants. En effet, les consommateurs, non préparés aux interventions nutritionnelles, ni intellectuellement ni scientifiquement, se réfugient derrière quelques tabous (les allégés par exemple) ou évitent les affreux Satan savamment exploités par quelques gourous ou publicitaires (le cholestérol en est une bonne illustration).

En pratique, il ne faut pas que l'indication s'écarte trop des habitudes qu'il conviendrait d'amender, plutôt que de changer, sinon de modifier. Un exemple spectaculaire a porté sur l'usage des fruits et des légumes. Au début, il était vivement conseillé d'en absorber dix par jour, au minimum. Le consommateur écoutait, mais jetait l'information, car il considérait qu'elle n'était pas pour lui, ne le concernait en rien, beaucoup trop éloignée de ses usages ; on lui demandait de chambouler ses habitudes. En revanche, avec cinq par jour, le consommateur écoute et retient, il essaie ensuite de s'y conformer ; car ce n'est pas trop éloigné de sa routine alimentaire. Autre exemple, avec l'huile de tournesol dont, malheureusement, les découvertes médicales et scientifiques de ces dernières décennies montent qu'elle ne convient pas, surtout en exclusivité (elle est trop riche en oméga-6 et dépourvue d'oméga-3). Or, avec un attachement qui ressemble à celui porté à l'huile d'olive dans les contrées méditerranéennes, certains pays l'utilisent presque exclusivement. Faut-il demander à leurs habitants de la remplacer par de l'huile de colza, qu'ils rejetteront sans aucune forme de procès, car ils en ignorent l'existence et qu'elle n'entre pas dans leur culture culinaire ? Non. Car il se révèle infiniment plus judicieux d'ajouter de l'huile de lin à leur huile de tournesol habituelle, afin précisément de corriger le déficit en oméga-3.

Par ailleurs, les interventions nutritionnelles sont orientées en fonction des connaissances scientifiques du moment, qui sont par essence amenées à évoluer, car la science est une sorte d'évangile en perpétuelle évolution et renouvellement. De ce fait, les directives données à une époque peuvent devenir obsolètes quelques années plus tard, quand il s'agit d'en mesurer les effets : les dogmatiques, austères et autoritaires prescriptions de certains nutritionnistes psychorigides ont montré leur impuissance. Pour éviter de subir alternativement les interdictions et les obligations, le consommateur (qui peut être aussi un politique décideur, un journaliste, un membre de cabinet ministériel) se devrait d'acquérir un bagage scientifique suffisant pour se doter, au minimum, d'un esprit libre et critique, adaptable à l'évolution des aliments, des modes et des publicités ; il faudrait, en deux mots, qu'il ait appris à apprendre.

Les graisses et le sel : ce qu'il faut vraiment savoir

Prenons quelques exemples des approximations de vérités reçues ou connaissances tronquées induisant des va-et-vient de prescriptions : les huiles et les graisses, l'équivalent carcasse pour ce qui concerne les viandes, et le sel.

➤ *Les graisses*

Leur consommation est surévaluée par les méthodes de calcul ; car elle est mesurée par les économistes, et non par le monde de l'alimentation ; le ministère des Finances en est d'ailleurs la source. Pour les huiles végétales, on recense le tonnage vendu aux Français, on le divise par le nombre d'habitants, pour aboutir à un chiffre qui fait peur, tant il est élevé. Avec ce mode d'estimation, on vous fait absorber, goulûment à la louche, toutes les huiles de friture et de cuisson, on vous assimile à un personnage mal élevé qui va saucer le fond du saladier et qui risque de se couper la langue en lapant avec voracité l'huile de la boîte de sardines… à l'huile ! Pour ce qui concerne les viandes, c'est le TEC qui a cours. Acronyme de « tonne équivalent carcasse ». Dans ce cas, on multiplie le nombre des animaux par leur poids, et on le divise par le nombre d'habitants. Vous absorberiez donc sans rechigner la peau, les os, les cornes, les viscères et leur contenu, et bien évidemment toutes les graisses. Avant de faire confiance à un chiffre, il est pour le moins sage de savoir d'où il vient, c'est-à-dire comment il a été calculé, et par qui ! Ce n'est pas de la précaution, mais de la prudence. Sachant que vous trouverez aisément les chiffres exacts auprès de nombre de syndicats professionnels, de structures d'information et de centres techniques.

Au-delà de ces quantités exagérées, le danger résiderait encore intrinsèquement dans les graisses elles-mêmes, qui seraient consubstantiellement mauvaises ; la précaution élémentaire serait donc systématiquement de les éviter. Voilà un raisonnement simpliste qui est strictement mortel, car certaines graisses furent dénommées vitamine F, il s'agit des (maintenant fameux) oméga-6 et oméga-3. Il en sera question de manière plus détaillée dans ce livre.

➤ *Sel contre tous*

Appesantissons-nous sur « la » grande précaution : fuir le sel à tout prix. Est-elle pertinente ? Les choses sont-elles à ce point manichéennes ? Depuis Plutarque, du Ier siècle, prêtre d'Apollon se disant platonicien, on sait que « le sel est un aliment qui agrémente les autres aliments ». Première source de confusion : l'étiquetage. Chimiquement, le sel est du chlorure de sodium, il est présent dans notre sang à raison de 8 g/litre, dans les océans pour environ 30 g/litre, encore que les variations soient considérables selon les mers. NaCl, donc. Mais, c'est la loi, l'étiquette ne mentionne que le sodium ; pour passer du sodium au sel, il faut donc multiplier par 2,48. Ce faisant, à la lecture des étiquettes, vous avez l'impression de ne pas manger top salé. Deuxième observation : certains voudraient laisser croire qu'il existe trois formes de sel, de valeurs nutritionnelles différentes : le sel de mer, le sel gemme (extrait des carrières, les tristement célèbres mines de sel) et le sel ignigène (issu des salines ; concentré par de l'eau chaude, puis purifié par évaporation, d'où la déforestation à certaines époques, pour générer la chaleur nécessaire à l'élimination de l'eau), sans compter les bio, et diverses productions géographiques. Évidemment, les goûts et les couleurs peuvent être différents. Mais les valeurs nutritionnelles ne le sont pas, compte tenu des niveaux recommandés de consommation. En effet, la teneur en minéraux et autres oligoéléments, souvent prétexte à valorisation abusive, est beaucoup trop faible pour être efficace dans la couverture des besoins : pour certains nutriments, il faudrait ingurgiter plusieurs kilos de sel par jour, ce qui est fort loin des recommandations ! Toutefois, un succulent sel gris a parfaitement le droit de clamer qu'il est riche en magnésium et en fer, tout en étant source de calcium, car il apporte pour le premier 130 % des apports journaliers recommandés, et 132 % pour le second, et 18 % pour le troisième. Mais cela, par définition et obligation légale, dans 100 g.

Le saviez-vous ?

Nous n'avons droit qu'à 6 à 8 g de sel par jour ; qui plus est, le sel de table ne représente que 10 % de notre consommation totale. Finalement, il contribue pour moins de 1 % de notre couverture en fer et en magnésium. Ce qui est négligeable.

Quant à l'évaluation des quantités de sel consommé, comme pour les huiles et les viandes, les méthodes de calcul sont parfois ahurissantes. Ainsi, bien souvent, il est fait référence à la quantité totale de sel vendu aux Français, divisée par leur nombre. D'où le chiffre surprenant de 18 g/jour. Or plus de la moitié du sel acheté ne rejoint pas l'assiette : une petite partie est perdue avec l'eau de cuisson, une grosse fraction sert… dans la machine à laver la vaisselle (une assiette demande parfois plus de sel pour être lavée qu'elle n'en a contenu avec les aliments). Un peu vise à dégeler le devant de la porte en hiver, à traiter les tapis, à désherber, à agrémenter les bains salés. Quelques études épidémiologiques de la consommation quotidienne donnent des chiffres qui tournent autour de 8 à 10 g : 9,3 pour les hommes et 6,9 pour les femmes selon l'étude INCA-1 (INCA-2, publié très récemment, montre que la consommation a diminué entre 1999 et 2007 : elle est passée à 8,6 pour les hommes et à 6,6 pour les femmes ; les gros consommateurs ont fait un effort particulier, ce qui est parfaitement pertinent) ; 7,5 et 5,5 pour Suvimax. En pratique, la seule méthode efficace pour évaluer la réelle consommation de sel est de mesurer la présence de sodium dans les urines de vingt-quatre heures (que l'on dénomme natriurèse, sodium se disant *natrium* en allemand, d'où le symbole : Na). Quotidiennement, les reins filtrent 180 litres de sang, pour éliminer 1,5 litre d'urine. Avec une petite marge d'erreur : la transpiration, variable selon les individus et bien évidemment selon les saisons ; elle peut contribuer jusqu'à 20 % de l'excrétion de sel. Cette technique n'a été mise à profit que deux fois en France, seulement. L'une se situe dans un grand hôpital parisien, chez des malades, ce qui n'est pas représentatif de la population générale, à tout le moins. Une autre dans la région Languedoc-Roussillon, en 2002, avec une subdivision de la population en quintiles, montrant, ce que l'intuition subodorait déjà, qu'une fraction de la population est surconsommatrice. Pour faire simple, un gros 2/5 des hommes et un fort 1/5 des femmes. Faut-il ennuyer tout le monde avec la restriction de sel ? Ou ne chercher à toucher et à informer que les gros consommateurs ? S'il n'en faut pas trop, il faut néanmoins veiller à en absorber suffisamment… ce qui n'est manifestement pas le cas de 10 % environ des hommes et des femmes. En trouver moins de 2 g par jour dans les aliments devient dangereux, sinon mortel.

Sachant que le corps d'un homme contient presque 100 g de sodium, dont 40 g dans le milieu extra-cellulaire, 8 g dans le plasma sanguin, 8 g à l'intérieur des cellules et 35 g dans le squelette.

Pour réduire l'absorption de sel, encore faut-il savoir où il se trouve ! Malheureusement, en pratique, on ne le sait pas bien. Une étude anglaise montre que 14,3 % sont présents dans les aliments, de manière naturelle, 62,4 % sont ajoutés par les industriels, 6 % agrémentent la cuisine familiale, 9 % jaillissent de la salière, 0,6 % provient de l'eau et 7,7 % des additifs. Ces chiffres suscitent plusieurs observations.

Premièrement, les additifs nous font finalement manger beaucoup de sodium. Comment cela ? À la suite d'un tour de passe-passe. En effet, pour répondre aux injonctions gouvernementales, l'industrie (mais elle n'est pas la seule) a diminué la quantité de sel dans de nombreux plats ; alors qu'il y cachait parfois la misère gustative. Comme il faut bien que la pitance conserve du goût, des additifs sont alors rajoutés, tel le glutamate. Oubliant que, chimiquement, il s'agit de glutamate de sodium. Opération de substitution hasardeuse ! Aucun gain, ou presque. Le lactate est aussi de sodium, de même que le benzoate, le diphosphate et le citrate (allez consulter la composition de votre soda, vous aurez des surprises ; le *preservative* est du benzoate de sodium, le correcteur d'acidité du citrate de sodium ; c'est écrit blanc sur fond de couleur, différent selon la marque). Accessoirement, vous observerez que la liste des ingrédients n'est pas la même en français et en anglais !... Vous voulez tout de même éviter le glutamate ? Pour répondre à votre attente, des extraits de levure vous sont proposés, ce qui fait très bien dans le tableau, ou plutôt sur l'étiquette. En fait, sachez que ces extraits sont constitués à 50 % de... glutamate. Vous avez dit tromperie, tricherie ? Vous vous trompez ? Vous cherchez toujours où se trouve le sel ?

Deuxième observation : la quantité de sel que vous absorbez provient majoritairement (plus de 60 %) de celui qui est ajouté par les industriels, vous ne le maîtrisez donc pas. Réduire l'utilisation de votre salière n'est que de peu d'effet (car elle déverse moins de 10 % du sel total). Mais, si vous êtes enceinte, cette situation (moins de sel à la salière, beaucoup plus dans les plats préparés) risque insidieusement de vous faire donner naissance, peu ou prou, à un petit crétin. Pourquoi cela ? Rappelez-vous d'abord que le terme de crétin est strictement médical, il qualifie une personne, un enfant, dont la mère a subi une alimentation déficitaire en iode pendant sa grossesse. D'où le fameux « crétin des Alpes » ; les régions montagneuses, loin des mers, étant pauvres en iode. Comme leurs populations ne consomment que trop peu de poissons et fruits de mer (seules sources alimentaires notables en iode), le législateur a décidé d'imposer le « sel iodé », un « alicament » et de la « nutraceutique » avant l'heure, à l'instar de Monsieur Jourdain, qui faisait de la prose sans le savoir (nous en reparlerons). En France le sel dut être iodé dès 1955 ; après la Suisse, qui l'imposa dès 1922. Le sel iodé a évité les crétins, prouesse de santé publique. Mais une absurdité, réglementaire et française, interdit au sel utilisé dans l'industrie agroalimentaire d'être iodé ; or, c'est justement celui-là que vous absorbez de plus en plus, au détriment du sel de table, iodé quant à lui. Résultat : il y a matière à préoccupation pour la santé mentale de nos enfants. Les Suisses ont d'ores et déjà presque doublé la teneur en iode du sel de table. Nos ronds-de-cuir s'interrogent encore, paralysés par les précautions à prendre : n'y aurait-il pas le moindre risque d'intoxication ? Dans quel aliment le rajouter ? Soit dit en passant, il n'y a pas plus d'iode dans le sel de mer natif (non supplémenté en iode après son extraction, évidemment) que dans le sel gemme. En 1880, en Amérique du Sud, le navigateur Boussingault avait même déjà noté le nombre moins grand de crétins dans les populations salant avec le sel gemme, en comparaison avec celles utilisant le sel de mer. Actuellement, le Chili est le plus gros producteur de sel. Ses *salares*, mines de la cordillère des

Andes, assurent les 4/5 du sel échangé dans le monde. Certes, la mer contient de l'iode. Mais cet oligoélément est particulièrement volatil, il s'évapore donc lors du séchage du sel de mer, au soleil par exemple. C'est pourquoi il faut impérativement l'ajouter.

Pour limiter la consommation de sel, le « vice » est allé très loin. L'ultra prestigieuse revue anglo-saxonne *Nature*, devant laquelle on ne peut que se prosterner religieusement et compulsivement, a publié un article d'intérêt évidemment cosmique, en 1983. Il s'agit du travail de chercheurs australiens qui ont déterminé la taille optimale du trou agrémentant l'orifice de la salière, pour assurer le minimum de distribution de sel. S'il est trop petit, la vigueur du geste en fait sortir plus que nécessaire. S'il est trop gros, l'avalanche est au rendez-vous. Ils ont découvert qu'un trou de 4,9 mm^2 constituait la perfection. Incident culturel : un contenant muni d'un seul trou s'appelle une… poivrière. Mais cette subtilité leur a échappé. Autre indication : supprimer catégoriquement les sachets de sel, car le consommateur souffre de la mauvaise habitude d'en déverser la totalité du contenu, dès l'instant qu'il l'a ouvert. La solution n'est pas de multiplier les sachets plus petits, car si le premier est jugé insuffisant, c'est l'intégralité du deuxième qui arrosera le met. Le même problème se rencontre d'ailleurs avec le sucre pour les yaourts : on consomme au final moins de sucre (souvent beaucoup moins) en les achetant présucrés, qu'en les sucrant soi-même.

Il est absolument vrai que la consommation exagérée de sel conduit à l'hypertension, avec son triste cortège d'infarctus et d'accidents vasculaires cérébraux, entre autres. Il est tout aussi évident que la réduction de la consommation de sel a induit une diminution considérable de ces pathologies, notamment au sein de populations dont tous les membres en consommaient beaucoup trop pour des raisons culturelles alimentaires (le Japon, par exemple). Mais en France, la situation n'est pas simpliste. Tout d'abord, on y trouve de gros consommateurs qui, à eux seuls, font pencher la balance de la moyenne vers des chiffres trop élevés. Ensuite, seuls 30 à 40 % des hypertendus sont sensibles au sel, cette particularité repose sur des spécificités génétiques, en France comme ailleurs. Comme on ignore encore lesquelles, il reste toutefois logique de considérer toute la population. Dans quelques années, cette globalisation devrait disparaître, car les sujets à risque seront identifiés, grâce au progrès de la science et de la nutrigénétique. Outre l'hypertension, le rôle de la surconsommation de sel dans les cancers est abusivement discuté et mis en doute, car il est clair que ceux de l'estomac et de l'oropharynx ont significativement décru avec sa réduction (au Japon, par exemple). En revanche, son implication dans l'ostéoporose repose encore sur des arguments peu convaincants. Ils impliquent un mécanisme qui augmenterait l'excrétion rénale de calcium ; cette observation est le fruit de travaux expérimentaux réalisés sur des animaux, mais pas encore chez l'homme.

Dans certains cas, la préconisation de la diminution de sel dans les aliments donne lieu à des discussions homériques, et à des débats s'apparentant à la sodomisation d'hyménoptères. Ils mettent, face à face, un cardiologue et un gérontologue. Pour le premier, la précaution la plus élémentaire est de réduire le sel alimentaire, car l'insuffisance cardiaque est fréquente chez les personnes âgées. Pour le second, cette modification est littéralement criminelle, car les aliments ont alors moins de saveur ; le vieux (qui est le plus souvent une vieille) mange donc moins, il se carence ainsi en de multiples nutriments, ce qui aggrave dramatiquement ses maladies et accélère son décès.

Le sodium étant indispensable à la vie, il est normal d'en trouver dans tous les aliments, à des degrés divers ; puisqu'ils furent eux-mêmes des structures vivantes, animales ou végétales. Ainsi, dans un demi-litre de lait, il y en a autant que dans une part de roquefort de 15 g (le plus salé de nos fromages, l'emmental, en contient 6 fois moins) ou dans une tranche de saumon fumé de 30 g (pourtant réputé trop salé). Sachant, pour tenter une fois de plus d'occire le prêt-à-penser, qu'elle contient à peine plus de sel que le pain qui l'agrémente… Pain, fromages et charcuteries apportent environ 50 % du sel que vous consommez ; vous le savez bien, car on ne cesse de vous le répéter.

Le saviez-vous ?

Allez donc rechercher la quantité de sodium présente dans les potages et autres soupes en boîte, Tetrapack ou en poudre. Vous serez époustouflés par les teneurs énormes de sodium qu'elles recèlent (toutefois, d'importants efforts de réduction ont été réalisés ces dernières années). Globalement, dans votre consommation annuelle, ils vous en délivrent un tout petit peu moins que tous vos fromages, ou toutes vos charcuteries réunies ; mais deux à trois fois plus que les pizzas et sandwichs !

La précaution, pourtant écrite et clamée partout, de réduire le sel en mangeant moins de fromages ou de charcuteries, se transformerait en véritable prévention si elle ciblait… les potages industriels. Sans compter certaines eaux minérales (lisez les étiquettes, n'hésitez pas à vous munir d'une loupe). Sinon, vivez dans les avions, avec les plats préparés par les compagnies. Pourquoi ? Parce que la perception du goût salé augmente en altitude ; de ce fait, les mets proposés dans les avions sont moins salés. Vérifiez-le en subtilisant aussi discrètement que possible un plat lors de votre prochain vol, pour le manger le lendemain de votre arrivée, après l'avoir conservé au réfrigérateur, bien évidemment.

Sachez enfin qu'il existe du sodium « caché », car intimement lié aux protéines. Vous le connaissez bien avec le saucisson : la rondelle froide et crue paraît normalement salée, mais elle devient presque immangeable après avoir été chauffée, notamment au barbecue. En effet, le sodium est alors libéré de ses protéines, qui sont dénaturées, c'est-à-dire débobinées.

Comme c'est le sodium qui fait souci, pourquoi ne pas utiliser du chlorure de potassium, en place du chlorure de sodium ? Des essais sont en cours. Mais la permutation sera onéreuse.

Faites attention à l'étranger. Aux États-Unis, 40 % de la viande consommée est ionisée, d'où son goût inimitable. De plus elle est fréquemment injectée de saumure, et même d'enzymes attendrissantes, d'où sa texture inimitable. Vous retrouvez ces particularités en France dans les volailles vendues chez les Chinois, un peu « caoutchouteuses », car elles sont aussi injectées de saumure, quand elles sont d'importation, évidemment. Insidieusement, chez nous, par effet pervers de l'activisme antisel, le qualificatif peut cacher un changement de procédure, car nombre de saumures ne contiennent plus de sel mais des sucres plus ou moins trafiqués (injure éclatante à l'étymologie du mot). Finalement, auriez-vous envie de vous faire (un peu) peur ? Pour cela, posez-vous la question : le sel de mer bio de marais salant, non lavé, est-il potentiellement dangereux ? La réponse, inquiétante est : peut-être. Car, non lavé, il est contaminé par les fientes d'oiseaux, source (éventuellement) potentielle de grippe aviaire ! Arrêtez plutôt de respirer à cause de la pollution atmosphérique !

Les œufs, le foie gras, les laits : halte aux faux-semblants !

Comment dire la faim, comment exprimer ce qu'est la faim – non pas la faim de celui qui s'impose un régime par précaution ou par fierté : la faim dans le dénuement absolu, sans recours ?

Hector BIANCIOTTI, *Le Pas si lent de l'amour*

De quoi s'agit-il ? D'aliments qui en ont certes le nom, mais seulement le contour nutritionnel. Des aliments silhouettes, en quelque sorte. Une sorte d'omelette sans œufs, par exemple. C'est précisément ce qui peut arriver pour les œufs, et bientôt pour les poissons d'élevage : de véritables Canada Dry ! Ils ont le nom et l'aspect des poissons, ils proviennent de la mer, mais leur valeur nutritionnelle spécifique est insignifiante, étant donné leur médiocre contenu en oméga-3. Il s'agit d'une authentique falsification de produit. Car, pour qualifier l'aliment de fraudé, il ne faut plus se restreindre à la seule présence de substances qu'il ne devrait pas contenir ; il convient maintenant d'appréhender son rôle de manière positive : il ne contient pas ce qu'il devrait renfermer ! Il s'agit d'autre chose que les allégés, dont un seul a rencontré un immense succès : le lait demi-écrémé.

Un vrai plaisir avec une vraie tartine de vrai pain recouverte de vrai beurre, vaut mieux que deux tartines de faux pain et de faux beurre pour un ersatz de plaisir masochiste. Gardons nos racines gourmandes. La cuisine constitue l'un des derniers métiers où le patron de la cuisine s'appelle encore « chef », avec le plus grand respect. Malheureusement, les OCNI sont apparus (objets comestibles non identifiés, selon l'acronyme imaginé par Claude Fischler). Ils constituent les avatars d'innovations technologiques qui n'en sont pas sur les plans culinaire et nutritionnel, ils sont aussi la conséquence de législations égalitaristes : il est interdit d'afficher le terroir, si cher aux Français. L'identification de l'aliment ne s'effectuant plus par rapport à sa qualité intrinsèque ni par son origine (hormis AOC, IGP et autres indications spécifiques), elle va donc se faire par rapport à la santé. Plus que toujours, le consommateur devra pouvoir discerner le vrai du faux ; tant sur l'étiquette, que sur les communications, publicités et réclames.

Régression phénoménale dans l'information, une prétendue précaution contre l'obésité exigerait de concentrer et de restreindre l'intérêt d'un aliment à sa valeur calorique. Comme s'il n'y avait que cela qui comptait ! On verra du « tout à 100 calories », après le tout à 1 euro ou à 10 euros. Il s'agit d'une simplification abusive, pour ne pas dire une escroquerie, car *ce ne sont pas principalement les calories qui comptent* (sauf pour le surpoids, craint ou avéré), *mais ce qui les accompagne. Les pires des calories sont précisément celles qui sont vides*.

Dans un environnement de développement durable et de restriction des dépenses énergétiques, parfaitement légitime, il y a même plus farfelu encore : réduire les aliments à la quantité d'énergie dépensée pour les produire ! Cette simplification laisse apparaître qu'il faut beaucoup moins d'énergie pour faire des protéines végétales, qu'animales. Et donc de préconiser la consommation quasi exclusive des premières. C'est oublier que leurs natures ne sont pas identiques, leur efficacité biologique largement inégale et leurs accompagnements fondamentalement différents, en termes de vitamines, oligoéléments, et autres ! En revanche, tenir compte du fait que le coût énergétique de l'élevage des cochons est inférieur à celui des bovins reste sans doute pertinent. Ne vous laissez pas abuser par certaines présentations, parfaitement biaisées dans les calculs qui les étayent. Par exemple, l'ovo-lacto-végétarien consommerait moins d'énergie pour l'élaboration de ses aliments. Dans ce cas, la viande n'est pas prise en compte ; or il faut tout de même des vaches pour produire du lait, et elles doivent, qui plus est, pour être aptes à le faire, donner naissance à des veaux ! Le calcul de l'énergie nécessaire pour produire un aliment est relativement difficile et exige de prendre en compte tous les paramètres. L'observation montre que pour un aliment précis, produit au même endroit et consommé localement, le coût énergétique va facilement du simple au double ! Il y a donc une marge considérable de progrès. Pour compliquer encore les choses : les tomates d'Espagne, transportées, sont moins dispendieuses en énergie que celles cultivée en serre – chauffée – à deux pas de chez vous. Le plus sérieux est de manger varié, mais de saison ! 30 % de l'énergie totale consommée par les végétaux ne concerne que 1 % de ceux-ci : pensez à ceux qui sont importés, de très loin, et en avion, par exemple. Sachant que la chaîne alimentaire, en France, est tout de même responsable de 20 % des émissions des gaz à effets de serre ! Pays qui dépense autant d'énergie pour aller acheter ses aliments qu'il en a fallu pour les produire et les transporter jusqu'aux linéaires. Et qui consomme exactement autant d'énergie pour faire fonctionner ses réfrigérateurs et congélateurs que pour faire rouler tous ses TGV ! Allez acheter votre baguette à bicyclette ou mieux a pied ! Il est vrai que le Français est tiraillé entre deux messages contradictoires : bon consommateur soutenant la croissance, il se doit d'acheter une voiture, alors que citoyen responsable, il ne doit pas l'utiliser. N'oubliez pas que le pays (ou l'organisation) qui maîtrise l'énergie, contrôle *de facto* la régulation des prix alimentaires ! La sécurité d'approvisionnement décroît avec l'augmentation du coût de l'énergie.

Il convient de savoir éviter les aliments qui ne nourrissent pas, mais aussi ne pas s'imaginer que les capsules, gélules ou comprimés pourraient se substituer à une bonne nourriture ; par précaution contre les polluants et toxiques, qui auraient alors été éliminés grâce aux procédés de purification et de préparation. Il faut aussi retenir qu'une classe d'aliments ne se résume pas à l'un d'entre eux. Ce sont tous les fruits et légumes qui protègent contre le cancer et certaines maladies ; il n'est donc pas sérieux d'accorder à l'un d'entre eux, ou même à toute une catégorie, des pouvoirs mirifiques ! Les choux (fleurs, verts, de Bruxelles) possèdent des molécules intéressantes, mais nul n'a encore été capable de les transformer en compléments alimentaires ayant fait le minimum de preuve de leur efficacité ; ni *a fortiori* en médicaments. Il en est de même pour l'ail. Sa réputation cardio-vasculaire n'est plus à vanter, on a même isolé au moins deux substances actives ; toutefois sous forme d'extraits, elles sont beaucoup moins efficientes que dans l'ail natif, pour des raisons qui restent mystérieuses. En France, la consommation des fruits et légumes est faite pour 94 % par les ménages, seulement pour 6 % en restauration hors foyer ! Il reste donc un énorme progrès à faire !

➤ *Des omelettes sans œufs ?*

Si le cœur vous en dit ! Ce n'est pas tellement le cœur, ce serait plutôt l'estomac… quand on a faim. Car la précaution engendre des errances sémantiques et alimentaires qu'il est amusant (?) de relater. Mieux vaut en rire, pour ne pas avoir à en pleurer ! Ainsi, afin de diminuer l'obésité, les Américains ont mis sur le marché un pain à teneur très réduite en amidon, comme si le problème se trouvait là ! Avec le même objectif, de nouvelles frites ont été inventées… sans pommes de terre ! À leur place : des extraits de riz, qui ont le triste avantage d'absorber 25 à 50 % de graisse en moins lors de la cuisson, et de plus, pour ne pas faire de demi-mesure, hypoallergéniques, comme si les patates de Parmentier étaient systématiquement allergisantes. Attention, même chez nous, aux frites, pommes allumettes, à rissoler, en cube, préfrites ! Car, pour les rendre encore plus onctueuses, certains, notamment en restauration collective, les recuisent dans un bain de friture. Bonjour l'overdose de gras ! Alors qu'il suffit d'un simple réchauffage (ou d'une cuisson au four), préservant une quantité de graisse somme toute modeste.

Le saviez-vous ?

Si vous désirez du vrai fromage dans votre pizza, consultez attentivement les étiquettes. Ou bien interrogez votre livreur ! En fait, elle est le plus souvent fabriquée avec une « préparation fromagère », ne contenant que 50 % de fromage. Celui-ci est-il bien de la mozzarella, selon la tradition italienne ? La vérification montre qu'elle n'est malheureusement pas élaborée avec du lait de bufflonne. Toutefois, ne soyez pas trop déçu par votre découverte, car négative ; en effet hors AOC ou IGP, il est légal d'utiliser le lait de vache.

Quid des autres 50 % de cette préparation fromagère ? Ils sont constitués, par ordre de quantités décroissantes, d'abord d'huile végétale (laquelle ? ce n'est pas précisé, alors que cette information est absolument fondamentale, comme je vais vous le prouver dans quelques pages). Qui plus est, cette huile indéterminée est hydrogénée, authentique horreur nutritionnelle, car elle se retrouve saturée et peuplée d'acides gras *trans*. Le deuxième composant de ce « fromage » est constitué de protéines de lait, suivies par de l'amidon modifié (excusez du peu), de l'huile végétale nature (oui, mais encore une fois, laquelle ?), du sel, des émulsifiants et des conservateurs. Êtes-vous encore persuadé qu'il s'agissait de fromage ? En pratique, préférez la pizza fraîche, de marque.

À quand les omelettes sans œufs ? À vrai dire, des technologies existent déjà pour les fabriquer, comme il est possible d'extraire chimiquement le cholestérol des œufs et du bifteck… Le goût et la consistance des escargots sont tout à fait particuliers, ils ne doivent pas être masqués par le beurre à l'ail. Ainsi, un fraudeur, pendant de nombreuses années, a vendu des coquilles d'escargots… remplies d'un morceau de tétine de vache farcie ! Pour cause de vache folle, la gélatine de bœuf a été remplacée par celle de porc. *Quid* des yaourts et des bonbons pour les juifs et les musulmans ?

➤ *Quel foie gras ?*

Ferait-il encore partie du paradoxe français ? Rien n'est moins certain : ce fut le cas autrefois, mais, hélas, ce ne l'est presque plus, maintenant. Fort heureusement, il reste quelques terroirs irréductibles, du Sud-Ouest et d'Alsace. Où se situent les leurres ? Jusque récemment, les oies et les canards étaient partout essentiellement nourris de graines de maïs, ou bien de blé. Or, l'huile de maïs ressemble à celle d'olive, sur le plan nutritionnel. Le foie, très gras, contenait donc une sorte d'huile de maïs gélifiée, avec ses atouts non négligeables pour la santé. Mais qu'en est-il maintenant ? Nombre de producteurs dans le monde utilisent n'importe quelles graines, voire des graisses animales. C'est ainsi que du bon, on peut passer au faux ; le dangereux chassant le bénéfique. De mono-insaturé, le foie devient saturé ; du bienfait de l'huile d'olive, on en arriverait presque aux méfaits des graisses de coco, de coprah ou d'huile de palme. Non pas par chauvinisme hexagonal exacerbé, mais par simple prudence, achetez AOC ou IGP ; mais français ; car les appellations sont encadrées par des obligations d'élevage.

La production du foie gras et sa consommation sont emblématiques d'une chaîne d'intervenants aux définitions (et perceptions) différentes de la qualité. Sa qualité se définit par plusieurs paramètres, passés à la loupe par différents experts : médecin, nutritionniste, juriste et publicitaire. Le consommateur, quant à lui, y recherche un goût, une couleur, une texture et une résistance à la réduction (on dit : « à la fonte »).

Le saviez-vous ?

Ne conservez pas votre foie gras frais, même au frigo, sinon la destruction lente des structures histologiques dégrade sa consistance.

Finalement les qualités recherchées sont organoleptiques, un prix abordable, des caractéristiques nutritionnelles et éthiques, une bonne salubrité. L'éleveur doit donc éviter que les animaux ne soient parasités, porteurs de salmonelles, qu'ils soient atteints d'entérite de gavage, qu'ils abritent des entérotoxines. Quelques hurluberlus affirment que la bactériémie donne du goût (*Salmonella*, coliforme, clostridies) ; en réalité, ils n'ont pas totalement tort, car cela reviendrait à faire un faisandage ; toutefois, seuls quelques gibiers le supportent, comme son nom l'indique. Dans certains pays (de l'est de l'Europe et du sud-est de la Méditerranée), l'arsenic est utilisé, téméraire sur le plan nutritionnel, mais rentable pour le producteur. Marie Besnard au service de la gastronomie ! Cela pour vendre de superbes « foies gras », à la limite d'ailleurs de la cirrhose. Dans le même esprit, sinon le même objectif, le tétrachlorure de carbone et l'antimoine ont pu être utilisés... Les très sérieux AOC et IGP de chez nous ont du bon ! Ils garantissent toute une chaîne, tout un savoir-faire, et donc une bonne valeur nutritionnelle associée à un goût succulent.

Le bonheur de l'oie ou du canard a-t-il une influence sur la qualité nutritionnelle – pour l'homme – de son foie gras ? *Quid* de la joie de vivre de ces animaux ? En fait, la notion de bien-être animal – qu'il convient absolument de respecter – est traitée avec un anthropomorphisme total, on ne peut pas être moins cartésien. C'est en réalité le bien-être, plus ou moins scientifique ou pusillanime, de celui qui observe les animaux. Dans ce contexte, le gavage est vertement critiqué, qualifié de comportement barbare ! Or cette procédure ne fait que reprendre la stricte physiologie des animaux. Ils se gavent eux-mêmes naturellement, avant de migrer, afin de stocker dans leur foie gras l'énergie nécessaire à la traversée des océans et des continents. Après avoir nourri l'animal, il faut bien l'occire. « Procédure » toujours délicate. Le stress est évidemment évité au moment de l'abattage, car il conditionne la qualité du produit ; sa présence est contre-productive. Il en est de même pour la rapidité de l'éviscération, et la qualité de l'échaudage. Il faut cependant reconnaître que la perfection n'est pas toujours au rendez-vous, quand la chaîne est mal conçue, ou mal réglée. C'est ainsi qu'il peut arriver que certains animaux ne soient pas saignés, mais noyés, car la chaîne va trop vite. L'accident est exceptionnel, en France du moins, quoiqu'en clament certains médias.

Incidemment, l'anthropomorphisme est très dangereux. En effet, les animaux, de mieux en mieux traités, selon des critères de bien-être humain, se rapprochent de l'homme, donc ils ne se mangent plus ! Il est absurde de lancer des publicités sur la viande d'agneau avec une sensiblerie et une imagerie d'animaux de compagnie.

Le bonheur des poules pondeuses nécessiterait qu'elles disposent d'un large espace pour pouvoir gambader, plus grand que celui qui leur est alloué dans les élevages. Une votation a donc été réalisée en Suisse, avec pour résultat d'interdire des cages trop exiguës en Helvétie. Or, leur agrandissement ne permet plus de produire des œufs dont le prix est compétitif avec ceux d'importation. Les Suisses ne veulent pas chez eux, sur le pas de leur porte, de poules qu'ils pensent malheureuses ; mais hypocrites et néanmoins gourmands d'omelettes, ils acceptent volontiers, loin de leurs yeux, l'utilisation de pratiques qu'ils abhorrent chez eux ! Ils importent donc des œufs. Après avoir mis en faillite leurs concitoyens éleveurs… Dans le même esprit, si l'on peut dire, sous la pression de sociétés luttant contre la présumée cruauté contre les animaux, concernant les élevages de porcs, les producteurs britanniques ont abandonné 40 % du marché intérieur à la concurrence internationale !

Le « décor » gastronomique peut, lui aussi, à son tour, être falsifié ! Par exemple, le lycoperdon (la vesse-de-loup) est utilisé dans d'autres contrées comme fausse truffe dans nombre de préparations, y compris de foie gras. Pas en France, fort heureusement.

➤ *Le chocolat*

Après le foie gras, qu'en est-il de cette autre spécialité gastronomique, objet de convoitise gourmande ? Est-ce un scandale de remplacer le beurre de cacao par d'autres graisses ? Au plan gustatif, c'est sans doute une anomalie ; au niveau du respect du nom et de l'identification, certainement une tricherie ; par égard au consommateur, sûrement une friponnerie. Mais au niveau nutritionnel, il y a peu de différence ! En effet, la législation européenne qui a provoqué d'énormes remous au moment de son édiction, tolère que 5 % du beurre de cacao, utilisé pour fabriquer le chocolat, soit remplacé par quelques graisses bien définies. Elles doivent être issues de la palme, de l'illipe, du sal, du karité (l'arbre à beurre d'Afrique équatoriale, de la charmante famille des sapotacées, n'est-il pas plus adapté aux cosmétiques ?), du kogum-gurki, de noyaux de mangue (fruit dont le nom est d'origine tamoul). Leurs compositions en acides gras se situent dans la même catégorie que le beurre de cacao, c'est-à-dire, pour certains, médiocres sur le plan de la santé, car trop saturés. Quitte à remplacer des huiles ou graisses traditionnelles, il eût été de meilleur choix nutritionnel de sélectionner celles qui sont riches en oméga-3 !

➤ *Les laits « bidon »*

Le veau : un sous-produit du lait ? Oui, car Dame Nature a ses impératifs : pour qu'une vache puisse fabriquer du lait, elle doit obligatoirement avoir été grosse et avoir vêlé ; la naissance du veau est donc incontournable. Mais que faire de ce charmant petit animal, si les consommateurs deviennent végétariens, refusant le veau pour ne consommer que le lait ? Le « végétariennement correct » de quelques-uns ne peut ignorer ce problème, pourtant bien réel ; pour ne pas sangloter comme… des veaux ! En pratique, en Angleterre, pays de forte consommation de lait, mais qui compte de nombreux végétariens, les veaux sont « pudiquement » escamotés, c'est-à-dire euthanasiés à 8 jours… Ce qui signifie simplement qu'ils sont abattus réglementairement, mais à la sauvette.

Pour éviter cette hécatombe, une première solution pourrait être d'allonger le temps de la lactation des vaches : produire plus de lait avec moins de veaux. Mais le prix à payer est celui de l'industrie chimique, à travers la pharmacie vétérinaire ; car seul un bricolage pharmacologique pourrait générer ce résultat. Une deuxième solution consisterait à faire des vaches-OGM, véritables… veaux d'or capables de produire indéfiniment du lait, sans passer par le veau. Est-ce vraiment cela que certains souhaitent ? Quant à ceux qui affirment avec componction que boire une goutte de lait, c'est boire une goutte de sang, ils relèvent, en urgence, de la psychiatrie.

Pour produire plusieurs litres de lait, il faut donc tuer de nombreux kilos d'animal ! Quelques chiffres officiels permettent de le démonter. En France, il y a, bon an mal an, 4,5 millions de vaches laitières, c'est-à-dire qu'elles ne produisent que du lait (alors que les vaches allaitantes, dans le

« dialecte » des producteurs, allaitent leur veau, et produisent de la viande). Chacune de ces vaches donne annuellement 5 500 kilos de lait. Petit rappel en passant : la production a considérablement augmenté en quelques décennies. Au XVIIIe siècle elle était beaucoup plus faible qu'actuellement ; il suffit de consulter Bernardin de Saint-Pierre : « La vache, qui fournit, dans les riches prairies de la Normandie, jusqu'à vingt-quatre bouteilles de lait par jour, n'en laisseroit couler que ce qui suffit à son veau. » Que deviennent de nos jours ses veaux ? Ils sont évidemment mangés.

Le saviez-vous ?

24 750 millions de kilos de lait nécessitent 883 millions de kilos d'animal, soit environ 1 kilo d'animal pour 28 litres de lait.

Comme nous ne consommons pas la peau, les cornes, les os, les graisses (ni, depuis quelques années, la cervelle), 1 kg d'animal fournit 360 g de viande comestible. Finalement donc, 77 litres de lait impliquent – mécaniquement pourrait-on dire – 1 kg de viande dans nos assiettes... À moins de les transformer en farines pour alimenter les fours à ciment ou en faire du béton ! Vous avez peut-être entendu parler de développement durable et de toutes sortes de précautions s'imposant d'urgence pour sauver la planète ?

Attention ! Sur le plan nutritionnel, il ne faut pas se laisser abuser par la dénomination de lait. Premier constat, le lait de soja n'a rien à voir avec le lait de mammifères ! Les nourrissons allergiques au lait de vache recevaient (à l'imparfait, car cela ne doit absolument plus être le cas) du lait de soja ; mais celui-là ne constitue qu'un simpliste support liquide blanchâtre, qui doit impérativement être enrichi en de multiples minéraux, vitamines et éléments essentiels qui en sont naturellement absents. S'appeler « lait » est-il donc un gage de comestibilité ? Non. Car, outre le lait de soja, il existe d'autres produits d'aspect similaire, mais immangeables quant à eux. Pour connaître le premier, prenez du plâtre (plus exactement de l'hydroxyde de calcium) et ajoutez-y de l'eau : vous obtiendrez du lait de chaux. Avez-vous envie de boire goulûment une lampée agressive, décapante et mortelle de ce lait tout à fait spécial ? À moins que vous ne préfériez la laitance de béton, ce liquide blanchâtre qui s'écoule de bétonneuses ? Plus digeste est certainement le suc blanchâtre issu de certains végétaux, comme celui de la laitue, dénommé laiteron, mot qui désigne une sorte de latex contenu dans les tiges et les feuilles de ces plantes (répondant au charmant nom de composacées). Il est vrai que ce laiteron est baptisé lait d'âne ! Le lait de coco offre une composition totalement différente du lait d'amande, qui est une émulsion d'amande. Le lait de beauté ne se consomme pas plus que le lait démaquillant. Quant au lait de poule, il constitue une sorte de mutant culinaire de ce gallinacé, le jaune d'œuf étant battu dans du lait sucré et aromatisé… avec de l'alcool !

Revenons un instant au lait de soja. Il contient des phyto-œstrogènes (dont on vante beaucoup – trop ? – les effets positifs pour les femmes !), capables de perturber le bon déroulement du développement sexuel du nourrisson, surtout s'il s'agit d'un garçon. Cela est connu depuis des décennies par les pédiatres, qui n'affectionnent pas du tout ce type de lait. Récemment, il a même été montré qu'il perturbe aussi l'ossification, en diminuant la masse osseuse. Les enfants nourris au lait de soja développent rapidement une ostéoporose, du fait de la présence de phytates, substances végétales qui diminuent l'absorption du calcium ! Les pédiatres sérieux refusent sans appel les laits de soja, d'autant qu'il existe des laits de vache hypoallergéniques, en grand nombre, adaptés à

Le saviez-vous ?

Le lait de soja est au lait de vache ce que le bifteck de soja est au steak de bœuf, c'est-à-dire qu'ils n'ont rien de commun, sinon une similitude de langage trompeuse.

chaque cas, qui sont prescrits depuis de nombreuses années avec un succès total, proscrivant le lait de soja.

Ne nous laissons pas abuser ! L'omnivorisme bien compris demande de se délecter du lait, des laitages, tout comme de l'escalope ou du foie. Le problème ne s'évacue pas d'un simple coup de pied, évidemment chaussé d'une chaussure en box-calf ; pas plus qu'il ne se disserte dans un livre relié en veau ; ou pire, horreur : dont la reliure est en vélin, c'est-à-dire faite avec de la peau de veau mort-né, plus fine que le parchemin ordinaire. Interdiction donc de toucher voluptueusement les livres anciens et les incunables ?

➤ *Un ail, pas de maux ?*

L'ail est garant de la bonne santé des artères, il faudrait donc en abuser par précaution. Voilà une affirmation ancienne, dont le socle scientifique est plutôt ténu. Comme l'est celui de son pouvoir érotique. Pourquoi l'ail a-t-il toujours été considéré comme un aliment de santé, générateur du double plaisir de la chair et de la chère, tout en produisant une haleine unanimement jugée nauséabonde ? Rabelais cite « la puante haleine qui était venue de l'estomac de Pantagruel alors qu'il mangea tant d'aillade ». Il est vrai que l'appréciation d'une odeur est majoritairement culturelle : elle pourra être perçue comme un délicat parfum pour les uns, alors qu'elle sera répugnante pour d'autres vivant aux antipodes ; et réciproquement.

L'ail est donc réputé prolonger la vie, et l'une de ses joies, celle du sexe. Si l'on en croit les chroniqueurs, les centenaires des pays méditerranéens ont toujours prétendu en avoir régulièrement consommé. On attribuait ce pouvoir à la force qu'il procure, à la santé qu'il protège, d'autant qu'il était, de plus, réputé capable de chasser le mauvais œil et les miasmes intestins. Les peuples de l'Orient européen exhibent de beaux vieillards encore verts, qui affirment que l'ail – et lui seul – leur a permis de vivre le siècle entier, et parfois entamer gaillardement le suivant. Tout en honorant les jeunes filles que la tradition obligeait à consommer de l'ail, elles aussi, pour s'assurer de vivre en bonne santé.

Une des premières recettes connues de pommade d'ail nous est rapportée par les poètes latins. C'est le *moretum* (dans lequel on reconnaît un mot proche de *mortarium,* mortier) des Romains. Étymologie suggestive, en latin, le mortier se dit *pila,* féminin, et le pilon *pilum,* masculin (de *pilare* qui signifie appuyer fortement, frotter énergiquement) : le symbolisme érotique de ce geste culinaire est immédiatement perceptible. Ovide en parle comme d'un mets composé d'ail, d'herbes, de fromage et de vin. Virgile le retient comme un plat populaire à base d'ail saupoudré de sel, auquel on ajoute de la croûte de fromage, de la rue, de l'ache, de la coriandre, de l'huile et du vinaigre. Plaute fait état d'un ragoût à l'ail qu'il nomme *alliatum,* terme qui se transformera en Gaule puis dans la France médiévale en aillade ou aillée. C'était le plat de résistance des moissonneurs allant aux champs, des soldats romains au combat… et des amoureux qui se préparaient à leurs joutes. L'ail entre donc dans les anciens remèdes de bonne femme, la soupe de la mariée, ou aillade, l'illustre bien. Celle-ci, déjà noire de poivre, et forcée d'ail, est bruyamment apportée par les convives aux jeunes mariés fraîchement alités. Au Moyen-Orient, le jeune marié porte une gousse d'ail à sa boutonnière. Elle lui assure une vaillante nuit de noces. Allez savoir ! Le Talmud lui-même reconnaissait déjà que l'ail rendait le sperme plus abondant, le code hébreu y voyait un effet favorable sur la procréation plutôt que sur le plaisir conjugal.

Curieusement, la tradition veut que l'ail ait un pouvoir aphrodisiaque, sur les hommes exclusivement. Sur la femme, il semble induire un effet contraire : il endort ses sens et conduit à une certaine somnolence. Par ailleurs, elle goûte peu l'haleine ainsi parfumée de son partenaire, odeur que ne suffit pas à compenser une vigueur qui se voudrait exceptionnelle. La mésaventure qui arriva à Horace, amant de la belle Lydie, en constitue la célèbre illustration. Mécène, jaloux, invita le poète à un repas fortement aillé. Ragaillardi par ce condiment, Horace se précipita chez sa maîtresse qui, horrifiée par la violence de l'odeur de son haleine, se refusa à lui. Ailleurs dans le temps et dans l'espace, l'illustre Jason, le conquérant de la Toison d'or, était aimé de Médée ; mais, lassé, il lui préféra la jeune Céruse. Alors la magicienne frotta d'ail une robe qu'elle fit parvenir à sa rivale...

Si l'odeur de l'ail répugnait aux femmes de l'Antiquité, elles considéraient, en revanche, cette plante comme propre à préserver leur chasteté. Cybèle, déesse de la terre, refusait l'entrée de son temple à celui qui puait l'ail. Lors des Thesmophories, fêtes d'initiation auxquelles se préparaient les femmes grecques par neuf jours de jeûne et d'abstinence, celles-ci mâchaient de cet ail qu'elles détestaient, mais qui les libérait de tout désir charnel ; la puissance du mental était entre leurs dents. Il est tout à fait vraisemblable que les hommes, immanquablement attirés par ces jeunes beautés, aient été eux-mêmes contrariés par une aussi désagréable odeur dans de si jolies bouches. L'ail par précaution ?

Faut-il interdire les bonbons ?

Il y a deux manières d'« avaler de travers » : par la voie respiratoire ou par le tube digestif. Quand l'aliment passe dans les bronches et s'y coince, il provoque une asphyxie, urgence extrême. Pour sauver la vie, la manœuvre de Heimlich doit être réalisée ; elle devrait être connue de tout un chacun. Si l'objet est plus petit, il peut aller s'insérer dans les poumons, ce qui reste grave. Les objets qui s'engagent dans les bronches, par inhalation, sont donc redoutables ; les principales victimes potentielles sont les enfants et les personnes atteintes par la maladie d'Alzheimer. L'autre manière est d'avaler – de déglutir – un corps étranger, qui arrive dans l'estomac, pour parfois poursuivre sa trajectoire dans les intestins, continuant éventuellement jusqu'au gros intestin, puis être occasionnellement bloqué dans l'appendice (la fameuse appendicite que l'on disait autrefois causée par des coquilles d'œufs ingérées accidentellement !). Il peut, finalement, être expulsé, mais pas toujours.

La dimension de sécurité est de 4 cm, elle correspond à la taille des anciennes pièces de 5 francs, ce qui est tout de même volumineux. Plus grand ne peut pas être avalé au niveau de l'arrière-bouche. En fait, les piles constituent la seule urgence véritable. En effet, lors de leur blocage dans l'œsophage ou l'intestin, l'acidité locale corrode le joint, libérant des substances susceptibles de percer le tissu en quelques heures. Il faut donc les extraire le plus rapidement possible. En pratique, les objets sont fréquemment retenus dans le tube digestif, sans pouvoir être détectés systématiquement par le radiologue, en raison de leur transparence, quand ils sont en plastique par exemple. Qu'en est-il selon les lieux de rétention du corps étranger ? S'il est bloqué dans la région intra-œsophagienne, peu de symptômes se manifestent. Toutefois, cette présence peut amener une gêne : une toux par exemple quand l'objet est arrêté dans l'œsophage. Après qu'il a été retiré, elle peut persister durant de nombreuses années, jusqu'à vingt ans après (cela s'est vu), car la muqueuse reste fragilisée et irritée. Le stationnement dans l'estomac, en intragastrique, n'entraîne que très rarement des signes cliniques. En revanche, s'il réside dans les intestins, les symptômes se manifestent lors de complications qui ne sont pas systématiques, loin s'en faut. Quelques corps étrangers, retrouvés accidentellement dans certains produits alimentaires, font la joie des médecins. Par exemple les dents de porc, car elles ressemblent aux dents humaines… Imaginez la surprise de l'extracteur, qui trouve une dent démesurée par rapport à l'âge de l'enfant !

Les objets pointus ou tranchants peuvent s'impacter dans la muqueuse, la perforer, provoquer des abcès, induire une sténose (c'est-à-dire que le passage est bouché, bloqué). C'est le problème des petits bouts de bois qui se retrouvent exceptionnellement dans les salades et parfois dans les purées, par exemple. Pour ce qui est des arêtes, on dit « qualité sans arêtes » et non pas « garanti sans arêtes », car vouloir des poissons sans arêtes relève de l'affabulation et de l'impossibilité technologique. Pour être autorisé à utiliser cette qualification, la loi autorise 1 arête au kilo, soit le droit à 9 arêtes pour 10 kg de produits. La gastronomie peut d'ailleurs faire mieux que la technologie. Car elle s'allie parfois avec la sécurité alimentaire : les oxalates (de l'oseille) dissolvent les arêtes, en les décalcifiant, tout en laissant un « squelette » de protéines, échafaudage qui constitue en réalité la « trame » de l'os. En pratique, le saumon à l'oseille, comme tout poisson agrémenté avec ce végétal, n'a plus d'arêtes ! Mieux que le « désarêtage » manuel qui laisse des restes, ou que le désarêtage chimique, qui laisse un peu rêveur, quant à lui ! Il y a aussi bien avec la sardine à l'huile, dont les arêtes sont largement déstructurées par l'appertisation et la conservation dans l'huile ; elles constituent, très officiellement, une bonne source de calcium, qui est devenu biodisponible.

Finalement, l'objet le plus dangereux reste le bonbon ! La loi oblige à la sécurité de la consommation. Donc interdisons les bonbons… Par précaution !

Avec ou sans soleil ?

Le consommateur souffre de tournis, face à un tournoi de ping-pong entre le nutritionniste et le dermatologue. Où se niche le danger, où se situe la précaution, sinon la prévention ? En effet, pour certains nutritionnistes, il n'y a pas de souci à se faire, car la peau synthétise la vitamine D. Pour peu que l'on s'expose au soleil. Mais le dermatologue affirme que c'est précisément là que réside le danger, car le soleil risque de susciter des cancers de la peau. Que faire, qui croire ?

Débat cornélien, car en théorie la vitamine D est fabriquée par la peau, à hauteur de 70 % des besoins, alors que le reste provient de l'alimentation. Or tout favorise l'apport alimentaire. En effet, première observation détruisant cette logique biologique, de 30 à 80 ans la synthèse dermatologique est divisée par 8 ; une peau noire en produit beaucoup moins qu'une blanche ou une claire. En d'autres termes, il vaut mieux être blanc, jeune et vivre sur la Côte d'Azur que vieux et noir, habitant autour des corons du Nord ! Donc, ceux qui sont jeunes depuis longtemps doivent absorber de la vitamine D, plutôt qu'espérer en fabriquer suffisamment avec leur peau, même violemment ensoleillée. Ensuite, lors de l'exposition au soleil, des filtres sont utilisés… Or un filtre d'indice moyen diminue cette synthèse de… 95 %. Autant dire presque totalement. En pratique, l'absence de crème filtrante solaire donne rendez-vous au mélanome ; mais sa présence oblitère toute fabrication de vitamine D.

Le saviez-vous ?

Il faut puiser la vitamine D dans les aliments. Sans hésitation, à tout âge, mais surtout si l'on est vieux, encore plus si l'on est de couleur foncée.

Le lait de femme serait-il insuffisant en termes de contenu en vitamine D ? La curieuse réponse est : non. Cela pourrait résulter d'une évolution de l'espèce humaine, qui ne serait pas achevée, la vitamine D du lait de femme n'ayant pas encore atteint son niveau de « croisière ». Le calcium du lait, de vache ou autres espèces, permet la station debout, mais la vitamine D est indispensable pour l'absorber correctement et bien le fixer sur l'os. Or, il en faut beaucoup plus pour le nourrisson humain que pour le veau, car le premier ne saura marcher qu'une bonne année après sa naissance, le temps (entre autres) de se fabriquer des os fonctionnels, alors que le veau est très rapidement capable de gambader après sa venue au monde. Le lait de vache contient encore moins de vitamine D que celui de femme. Il faut au nourrisson entre 800 et 1 000 UI de vitamine, or le lait de femme n'en contient que 50 UI/litre. C'est pourquoi les pédiatres supplémentent systématiquement les nourrissons. Les médecins prescrivent, mais les parents donnent-ils ?

Physiologiquement, ce n'est pas la vitamine D qui est active, mais l'un de ses dérivés. En effet, qu'elle soit d'origine alimentaire ou de production cutanée, elle est transformée pas le foie en 1-D3, elle-même transformée dans les reins en 1,25-D3 ; qui constitue la molécule physiologiquement efficace. Toute perturbation de la fonction rénale diminue donc l'élaboration de la substance active, et par conséquent perturbe la minéralisation des os. C'est précisément à ce niveau que se niche l'une des multiples toxicités de la cigarette ! Car elle contient du cadmium, redoutable danger direct pour l'os, mais aussi indirect à travers la perturbation de la fonction rénale. De 30 à 70 ans, cette dernière est diminuée de moitié, notamment chez les fumeurs, en raison de la forte teneur en cadmium des cigarettes, et de son excellente absorption par les poumons. De ce fait, la vitamine D est moins bien transformée en son dérivé physiologiquement actif, le 1-25-D3. Par voie de conséquence, le cadmium, outre son action directe sur l'os, induit une perte de la minéralisation par la moindre fixation du calcium, conséquence de la diminution de la synthèse de 1,25-D3 par les reins... À l'extrême, une maladie comme le rein polykystique provoque des rachitismes monstrueux, qui ne cèdent en rien par la supplémentation en vitamine D, mais seulement avec le 1,25-D3.

Au cours du vieillissement, accompagnant le déficit en vitamine D, on observe des pertes d'équilibre (mauvaise minéralisation des os de l'oreille interne ?), ce qui induit des chutes, et par conséquent des fractures, sur un os qui est déjà fragilisé. Facteur coopérant, si l'on peut dire, à l'augmentation des fractures du col du fémur, qui provoquent une mortalité de 20 % l'année suivante. Autant repousser cette année délétère. Entre les âges de 10 et de 20 ans, le capital osseux est multiplié par deux (c'est de l'os qui est fabriqué ; d'autant plus gros, solide et massif, que les protéines alimentaires sont de qualité, et que l'exercice physique est au rendez-vous). En revanche, au cours du vieillissement, des pertes de la matière à l'intérieur de l'os se font jour, il devient moins dense, donc plus fragile ; une réduction de 12 % de la masse osseuse multiplie par deux le risque de fracture. Chez le senior, le « gruyère » osseux sera d'autant plus solide qu'il aura été fabriqué volumineux quelques décennies auparavant !

En prenant de l'âge, la vitamine D se trouve parée de multiples propriétés. Outre la préservation d'une bonne ossification, elle permet de surcroît d'éviter certains cancers, comme ceux de la prostate, du sein et du colon, elle écarte le diabète, la SEP (sclérose en plaques), l'HTA (hypertension artérielle), l'insuffisance cardiaque et le risque d'infarctus ou d'accident vasculaire cérébral ; elle réduit même les troubles cognitifs ! La géniale huile de foie de morue a encore de beaux jours devant elle !

CHAPITRE 2

Pour ne pas se laisser tromper

L'alimentation fait le lit de la santé et de la maladie. Bien évidemment, le comportement alimentaire ne se résume pas au contenu en nutriments des aliments, encore moins à leur « non-contenu » de toxiques ! Par une sorte de sublimation excessive, une conception amblyope du manger, les habitants des pays occidentaux se nourrissent actuellement pour assurer leur épanouissement, afin de combler leur vie, de la réaliser, pour employer un mot « moderne ». Ils ne le font plus pour survivre tout simplement, ni même pour être, devenir ou rester en bonne santé, physique et mentale ! Ce qui constitue une amnésie fondamentale. Résultat : ils ne mangent pas bien, tout du moins sur le plan nutritionnel ! Or manger influe sur la vie mentale, qui joue à son tour sur la santé ; car tout se tient. Ainsi, des études épidémiologiques très sérieuses ont montré que le pessimisme en lui-même constitue un facteur de risque aussi important que le taux de cholestérol, la pression artérielle, la sédentarité ou la cigarette ! Ceux qui voient le vieillissement comme une expérience positive vivent en moyenne 7,5 années de plus que les autres…

Toute la question, et ce livre entend y contribuer, est donc de ne pas se laisser tromper ou égarer, et d'abord de savoir, derrière l'offre de produits et la pléthore de recommandations et séductions diverses, ce qu'on mange vraiment. Une façon de résister à la « mal-bouffe » ! Là encore, où est le vrai danger ? Dans l'aliment lui-même ou dans ce qu'on prétend y trouver ? Voici de quoi vous y retrouver un peu mieux.

La traçabilité et la valse chaotique des étiquettes

Bien qu'embarrassant pour beaucoup, un rapport datant de quelques années (ne prenons pas les récents, pour ne pas agresser les susceptibilités) de la DCCRF n'a curieusement pas trop fait parler de lui. Cependant, il était fort instructif. Résultat inquiétant d'analyses sur des confitures, purées de fruits, compotes : 37 % des produits n'étaient pas conformes. En numéro 1 des « fraudes », la teneur en sucre (les aliments allégés peuvent soit en contenir de plus grandes quantités que ne l'affirme l'étiquette, pour avoir du goût ; soit être moins sucrés, pour probablement coûter moins cher à la fabrication). Puis étaient incriminés : les étiquetages incomplets, la masse nette insuffisante, la présence non déclarée d'autres fruits que ceux qui étaient listés, des allégations trompeuses (telles que : 100 % pur fruit, sans sucre ajouté). Il y a même mieux, mais on ne peut rien en dire : les confitures 100 % pur fruit. Car l'affirmation est véridique : le sucre est alors extrait du raisin (entre autres), et non pas du saccharose issu de la betterave ou de la canne à sucre, qui ne sont pas des fruits, comme chacun le sait ! L'année dernière, pour ce qui est de l'huile d'olive, il y avait 54 % de non-conformité ! Par exemple dans l'indication de la mise en bouteille, désignant la France, la Grèce, l'Italie ; mais en réalité produite ailleurs, n'importe où !

Concernant les biscuits, les entremets et les pâtisseries, 24 % des étiquetages étaient trompeurs : les erreurs portaient sur la nature de la matière grasse, la rédaction de l'étiquetage, la composition différait de la dénomination de vente. Les fromages n'échappaient pas à la règle : 23 % des fromages blancs n'étaient pas conformes. Globalement, pour ce qui est des fromages allégés, l'essentiel des anomalies portait sur le rapport matière grasse sur matière sèche : il était trop faible dans 45 % des cas, trop fort dans 42 % d'entre eux ! Revanche réconfortante : 90 % des échantillons étaient conformes pour les fromages AOC lait de brebis, 100 % pour les AOC lait de vache, 100 % pour les AOC lait de chèvre.

Pour ce qui était des préparations de viande hachée, la proportion de produits non conformes atteignait le chiffre spectaculaire de… 68 %, les « erreurs » portant sur le taux de lipides (le gras est vendu au prix de la protéine, tout en accroissant l'onctuosité de l'aliment), le taux de collagène (des bas morceaux sont ajoutés) et la masse nette (il y a moins à manger). N'oubliez pas que l'eau de la viande vous est vendue à… 10 000 euros le m^3 ! Humidifier un aliment s'avère donc très rentable. Identification, certification et traçabilité ont du bon, pour faire du bien ; mais que de progrès restent à faire ! Veillez donc bien au… grain !

Le mot « traçabilité » vient d'être reconnu par le dictionnaire (il se situe entre… trac et traçage). Très simplement, le *Petit Robert* affirme qu'elle constitue la possibilité d'identifier l'origine et de reconstituer le parcours (d'un produit) depuis sa production jusqu'à sa diffusion. Les exemples donnés ne sont pas innocents : traçabilité des produits sanguins (scandale de la transfusion) et traçabilité de la viande bovine (histoire de la vache folle). Sachons exactement la provenance de nos aliments. AOC, IGP (indication géographique protégée), marques de qualité sont de rigueur. La DGCCRF veille efficacement. Soit dit en passant, DGCCRF signifie : Direction générale de la concurrence, de la consommation et de la répression des fraudes. Il est curieux, mais bien administratif, que la concurrence soit placée dans le sigle avant la consommation. Aucun souci à se faire ? À condition que les aliments arrivent par les circuits normaux de distribution et soient par conséquent contrôlables. Mais c'est loin d'être toujours le cas. En fait, la traçabilité est un concept intellectuellement modeste, mais très pratique, réducteur et simpliste. En revanche, son application est complexe. Et que le consommateur exige, car il comprend bien ce qu'il veut dire littéralement, signifiant que l'aliment est suivi à la trace, de la fourche à la fourchette. Le seul secteur dans lequel la rupture de traçabilité est revendiquée est celui des coffres-forts. La traçabilité doit reposer non seulement sur une affirmation, mais aussi sur une capacité de déchiffrer l'étiquetage. C'est à ce moment-là que commence le parcours du combattant.

Le saviez-vous ?

Pour ce qui concerne la lecture des étiquettes des produits alimentaires, 20 % des consommateurs sont des « experts », c'est-à-dire qu'ils sont avertis, 30 % sont indifférents, alors que 50 % sont ignares mais tout aussi demandeurs de renseignements.

Ce sont ceux-là mêmes qu'il faut protéger, informer et éclairer. Mais trop d'informations est anxiogène, plus encore si les données ne sont pas comprises. Or la législation impose des listes d'ingrédients, dont la définition même échappe au lecteur lambda.

On demande l'avis du consommateur sur des choses dont on ne lui a pas enseigné le sens des mots. Le quidam est abusé par la publicité du « manger correct », faute de connaître son catéchisme alimentaire. L'éducation à la diversité alimentaire, c'est-à-dire au choix, n'est pas généralisée ; donc, devant un linéaire de self-service ou de cantine, il choisit de ne pas choisir et prend tous les jours la même chose ! Liberté restreinte, contrainte, voire absente ? Elle est le prix d'illusions sémantiques : une graisse saturée se devrait d'être bonne car elle est saturée de toutes ses qualités physiologiques nutritionnelles ; alors que le mot saturé n'exprime qu'une donnée strictement chimique : il y a saturation des liaisons, donc peu de réactions chimiques, donc biochimiques, possibles ! En nutrition, le mot saturé est plutôt défavorable, alors qu'une graisse (un lipide) insaturée est excellente, voire indispensable (les fameux oméga-3). Mais pour le consommateur, puisqu'elle est insaturée, cela signifie qu'il lui manque quelque chose. Il en cst de même pour les sucres : ceux qui sont simples doivent être limités dans la consommation, voire évités dès qu'ils sont ajoutés (les sodas) alors que les sucres complexes (ceux du pain) sont à rechercher. Pour le consommateur, simple est... simple, donc sans doute naturel et bon ; alors que complexe donne une impression de trafiqué !

La publicité : des repas sans aliments ?

> *Nous autres, gens sérieux, nous savons que toutes ces peurs sont totalement déraisonnables, mais il faut bien faire semblant d'être attentif aux inquiétudes des ignorants.*
>
> Martin HIRSCH, *Ces peurs qui nous gouvernent*

Une grande association de consommateurs, l'UFC-Que Choisir pour ne pas la nommer, a lancé il y a quelque temps une vigoureuse campagne dont l'objectif est d'exiger la réalisation d'une « loi interdisant la diffusion des publicités pour les produits les plus gras et les plus sucrés, lors des programmes pour enfants ». Pour faire bonne mesure, elle voudrait promouvoir la consommation de produits « équilibrés » par une baisse de la TVA, associée à une réduction du coût d'achat de l'espace publicitaire pour ces produits. Louable intention, mais bonnes propositions ? De telles mesures devraient permettre de lutter contre l'obésité infantile. En vérité, peut-on espérer supprimer une idée nuisible en l'empêchant de s'exprimer ?

Car il n'est pas aussi simple de traiter le problème de l'obésité. De plus, une telle mesure sans nuances, pour voir la chose en noir, sinon en gris, aboutirait sans conteste à diaboliser certains produits de manière parfois arbitraire pour des résultats incertains concernant l'obésité. En effet, interdire n'est pas tout, il faut assurer une bonne éducation nutritionnelle pour que l'enfant soit à même de faire des choix alimentaires pertinents. D'autant que la décision d'acheter un produit relève d'un choix individuel (même quand il est destiné à d'autres), donc nécessairement subjectif dans une bonne mesure. Parmi les motifs de ce choix, on peut énumérer, certes, le caractère « sain » ou « malsain » de l'aliment, son bénéfice « nutritif » contre son aspect « plaisir » ; deux notions ressenties comme antagonistes, ce qui semble aberrant. La vision de l'alimentation exclusivement fondée sans discernement sur des quantités et des ratios (taux de sucre, de sel, de matières grasses) ignore ce caractère fondamental. Facteur aggravant, elle est parfois strictement fausse : un poisson est meilleur quand il est plus gras, car il apporte d'autant plus d'oméga-3, qui sont des graisses indispensables. Pour une fois, le meilleur s'associe au gras ! Attention tout de même à ne pas laisser nos petits se gaver inconsciemment de mauvais gras et de sucres « rapides » !

En outre, les mesures avancées reposent sur une discrimination entre produits « équilibrés » d'un côté et produits « trop gras » ou « trop sucrés » de l'autre. Elle est peu rigoureuse. En effet, le caractère « trop gras » ou « trop sucré » d'un produit ne peut pas être objectivement apprécié. Il en est de même pour les aliments jugés « équilibrés ». Pour donner dans le général, un produit ne devient « malsain » que si on le consomme dans des quantités trop abondantes. Tout est bon, tout est poison. C'est donc une situation individuelle, mais considérée dans un ensemble de comportements, qu'il convient d'analyser : part des aliments gras et sucrés dans l'alimentation globale, état de santé général, activité sportive régulière ou non.

Le saviez-vous ?

Une barre chocolatée pourra être mauvaise pour un enfant diabétique, mais excellente pour un jeune sportif qui réalise un effort intense. Le problème est que les enfants et les ados en consomment beaucoup trop, et ne font pas assez d'exercice physique.

Pour ce qui est de l'enfant, il appartient aux parents d'arbitrer entre ses goûts propres et la nécessité d'une alimentation saine. Ce qui est devenu délicat, car le goût de l'enfant est sans conteste conditionné dans une large mesure par la publicité, tout au moins tant que l'autorité parentale (et scolaire) ne lui a pas enseigné les noms des aliments, leurs goûts, les plaisirs qu'ils procurent. Car le plaisir s'apprend.

Ceux qui s'élèvent contre ces interdictions usent toutefois d'un argument un peu spécieux : interdire certains types de publicité n'interdit en rien de ne pas acheter ce qu'elles souhaiteraient ! À l'inverse, ils affirment que les gens ne savent pas ce qu'ils veulent jusqu'à ce qu'on le leur propose. Comme l'écrit Charles Beigbeder : « Le marketing est une perversion de la démocratie : c'est l'orchestre qui gouverne le chef. » Qui ajoute avec un bon brin de cynisme : « Dans ma profession, personne ne souhaite votre bonheur, parce que les gens heureux ne consomment pas. » En revanche, une telle loi méconnaîtrait le rôle positif de la publicité, informant de l'existence d'un produit sur le marché et précisant certaines de ses caractéristiques essentielles. La publicité est aussi un moyen pour communiquer sur un nouveau produit, plus sain que les produits déjà existants. Et parfois de faire ressurgir des produits traditionnels qui disparaissent.

Le problème réel réside dans la définition des produits équilibrés ! Car les sciences de la nutrition sont très restreintes, balbutiantes. Enfin, faciliter l'accès au marché publicitaire pour certains produits aboutit à favoriser de manière arbitraire certains aliments au détriment d'autres, compte tenu des connaissances actuelles. Cela revient, *in fine*, à faire usage de la loi pour faire prévaloir le style de vie d'un groupe, fondé sur des acquis scientifiques qui ne sont que momentanés, parcellaires et très insuffisants ; ce qui, dans une certaine mesure, porte atteinte à la liberté de choix du consommateur et néglige qu'il puisse bénéficier de préférences différentes. Encore faut-il qu'il soit capable d'en avoir… grâce à une éducation alimentaire et nutritionnelle ; cet impératif conditionne bien des choses, on le retrouve justifié à de multiples titres, dans ce livre. Une réglementation et une interdiction supplémentaires ne sont pas la meilleure solution au problème de l'obésité infantile et à la prévention de pathologies de l'adulte, entre autres. En revanche, la promotion vigoureuse d'aliments négligés est une obligation : rappelez-vous que le terme de crétin est strictement médical, il traduit le déficit en iode pendant la grossesse. Manger du poisson et des fruits de mer va dans le bon sens de la bonne santé mentale. Mais qui le dit ? Qui l'entend ?

Voulez-vous un exemple du caractère très partiel des connaissances scientifiques et médicales dans le domaine de la nutrition ? Nous ne savons encore pas très

Le saviez-vous ?

Nous avons besoin impérativement de trouver dans notre alimentation une quarantaine de substances, que tout un chacun connaît : 13 vitamines, une quinzaine de minéraux et autres oligoéléments, 8 à 10 acides aminés indispensables, 2 à 4 graisses indispensables, des acides gras, dénommés vitamine F avant la découverte de leurs structures chimiques, déjà signalés de multiples fois dans les pages précédentes : les oméga-6 et les oméga-3.

bien (c'est un euphémisme) de combien nous avons réellement besoin de telle ou telle vitamine ou oligoélément, ni à quelle hauteur ils sont absorbés dans un aliment donné, avec quelle ampleur interfèrent les accompagnements des autres composants du même repas.

Concernant ces substances, une par une, on ne sait pas déjà très bien combien il en faut à tous les âges de la vie, selon les situations pathologiques ou même physiologiques : homme ou femme, jeune, adulte ou vieux, pour commencer. Deux par deux, encore moins. Que penser de la prescription des quarante, en équilibre, et adaptés ? Les mécanismes de synergie sont généralement ignorés (sauf exceptions déjà signalées, tel le fer et la vitamine C dans un même repas, qui sont plus efficaces que pris isolément), les antagonismes tout autant (le thé diminue l'absorption intestinale du fer). Dans ces conditions, *il est incohérent de proposer des lois qui ne seraient que des diktats destinés à être toujours contredits* ! Une chose est certaine : la simple juxtaposition laborieuse de la quarantaine de substances est un échec. Les cosmonautes l'ont prouvé : ils se nourrissent de vrais aliments, simplement lyophilisés pour des raisons de poids transporté par les fusées.

L'une des grandes interrogations au cœur du débat est de savoir quand il est légitime d'interdire ; alors que, manifestement, il est plus judicieux d'informer.

Les alicaments et la nutraceutique : des poncifs ?

Négliger des nourritures à haute valeur nutritionnelle empêche d'accéder à certains nutriments ; il faudrait donc enrichir des aliments d'usage encore courant, au moins dans certaines conditions. Mais quelles denrées sélectionner, avec quoi, et comment ? Pour justifier cette procédure et ces produits, des mots nouveaux ont été forgés. Alicament : aliment + médicament. Nutraceutique accouple « nutrition » et « pharmaceutique ». En réalité, si les aliments peuvent contenir des substances capables de prévenir les maladies, il est rare d'y trouver de véritables médicaments en quantité utile. La préoccupation majeure de la Sécurité sociale n'étant pas la prévention, hélas, l'emprunt du mot médicament est inadapté dans la construction du mot alicament. Comme il serait juste de parler de nutrition préventive, le mot devrait être « alimprévent », dont la prononciation est malheureusement rébarbative.

Selon le dictionnaire, un alicament est un aliment dont la composition, explicitement composée, implique un effet actif sur la santé du consommateur. Pour être plus clair, il convient de préciser qu'un alicament est un aliment recomposé, c'est-à-dire constitué d'un aliment « x » auquel on ajoute une ou plusieurs substances extraites d'un autre aliment « y ». En effet, pour diverses raisons, il peut être jugé utile de réintroduire des fractions de ce deuxième aliment « y », alors qu'il n'est lui-même plus consommé, pour divers motifs. Mais une telle procédure requiert des justifications scientifiques et médicales. En pratique, il n'existe que de rares exemples sérieux : les fibres, les oméga-3, l'iode et le fluor.

Le premier concerne donc les FIBRES, car nous n'en consommons pas assez, loin s'en faut. En effet, nos ancêtres devaient manger beaucoup, pour faire face à des dépenses énergétiques faramineuses, tout au moins en comparaison avec les nôtres. Ils se délectaient donc de céréales, qui leur apportaient l'énergie sous forme d'amidon. Mais aussi de fibres, dans le même temps, puisque leurs céréales étaient complètes. Nos intestins, qui sont ceux de Cro-Magnon, ont donc encore et toujours besoin quotidiennement d'une petite quarantaine de grammes de fibres pour fonctionner harmonieusement. Or la voiture, l'ascenseur, le chauffage et les commodités modernes nous ont contraints à réduire notre énergie alimentaire. C'est-à-dire, par voie de conséquence, notre ration de fibres (plus de deux fois moins dans nos assiettes, que nos ancêtres). Il serait donc légitime d'en ajouter dans d'autres aliments, que nous continuons actuellement de consommer couramment.

Le deuxième exemple touche les OMÉGA-3. On en trouve dans les poissons, injustement négligés. L'une de leurs vertus est de prévenir et de traiter nombre de formes de maladies cardio-vasculaires. Nous en manquons. Dans bien des pays, on en ajoute déjà dans de nombreux aliments d'usage courant : le pain, le lait, les biscottes, les biscuits, voire les fromages et les yaourts. Évidemment, une alternative alimentaire existe : manger du poisson deux fois par semaine, si possible gras. Mais, en général, ce délectable aliment n'est que peu mis à profit chez nous ; moins encore aux États-Unis. N'ayant pas appris le goût du poisson quand ils étaient enfants, les habitants de ce pays – entre autres – sont incapables de l'absorber adultes, le trouvant nauséabond, de goût détestable et finalement éminemment dangereux pour les gencives et le « gosier », car coupable de contenir des arêtes ! La mode des alicaments et des capsules vient de là, pour compenser ce déficit de consommation de poisson !

En fait, les alicaments existent déjà, sans les nommer. Le sel iodé en constitue un exemple spectaculaire : l'IODE est depuis plusieurs décennies ajouté à un produit de consommation très courante, pour éviter le goitre dans les régions qui en sont pauvres. Une seconde illustration : l'EAU FLUORÉE, élaborée pour diminuer l'incidence des caries.

Mais *tout pourrait abusivement se prétendre alicament, pour assurer à bon compte la promotion d'aliments pourtant classiques, alors qu'ils tendent à disparaître pour diverses raisons*. Ainsi, le calcium est indispensable pour éviter l'ostéoporose, entre autres. Faut-il pour autant considérer le lait et le fromage comme des alicaments ? Évidemment non. Est-il envisageable de vendre à nouveau les yaourts dans les pharmacies, comme ce fut le cas à leurs débuts ? Le déficit en vitamine A est redoutable, notamment pour la vision, sa carence constitue la première cause de cécité dans le monde. Est-il sérieux d'envisager les carottes ou le foie de veau comme des alicaments ? Pour lutter contre le déficit en fer, serait-il nécessaire d'apprécier le boudin comme un alicament ? L'excès inverse ne manque pas non plus : pour valoriser le caractère naturellement riche d'un aliment courant, certains le transforment en alicament : les poissons avec leurs oméga-3, le pain avec ses fibres ; même l'œuf naturel s'arroge le titre de superalicament. Or les œufs, baptisés justement oméga-3, ne sont pas véritablement enrichis, au sens propre du terme, puisqu'ils ont simplement la composition que tous les autres devraient avoir, comme nous allons le voir prochainement.

Il n'est pas évident que les alicaments soient promis à un avenir grandiose. Pour deux raisons. D'abord parce que les industriels du monde agroalimentaire ne souhaitent vraisemblablement pas une confrontation avec l'industrie pharmaceutique (sur le terrain qu'ils maîtrisent mal, du médicament et de la médecine). Ensuite, parce que les pouvoirs publics refusent de plus en plus énergiquement les allégations thérapeutiques sur les emballages et dans les publicités… alors que celles-ci sont précisément censées justifier les alicaments.

Les années 1980 ont été gouvernées par la religion du culte du corps, la période 1990 a été dédiée à l'aliment santé, avec l'apparition des allégations santé. Le nouveau millénaire risque de demander à l'aliment ce qu'il ne peut pas offrir : des alicaments bons pour le corps et l'âme. Après les années nourrissantes, voici les années équilibre ; mais avec des aliments naturels, et non pas synthétiques, des ersatz, au sens propre, puisque, pendant la guerre, ce mot désignait des aliments synthétiques. Finalement, le champ d'application du mot alicament est beaucoup trop restrictif pour être généralisé. En effet, il ignore superbement toutes les autres composantes essentielles de l'aliment : hédoniques, culturelles et sociales, entre autres. Résumer un aliment à son profil nutritionnel (c'est-à-dire à la longue liste ennuyeuse de ses constituants) est incohérent. *Ce n'est pas parce que les aliments ont perdu leur identité, leur symbolisme, leur terroir qu'il faut leur en attribuer de nouveaux, imaginer une réactivation « marketing » en abusant des allégations nutritionnelles !* Les mots « alicament » et « nutraceutique », source de confusion entre médicament et aliment, sont donc à éviter. Quand une substance alimentaire fait réellement défaut et induit des problèmes de santé, son apport relève plutôt de la nutrithérapie. De quoi s'agit-il ?

Qu'est-ce que la nutrithérapie ?

« Fais de ton alimentation ta santé », très vieil adage, exprimé diversement, datant (au minimum) des Grecs anciens, et pourtant toujours d'extrême actualité. À tous le moins, notre alimentation n'assure plus notre santé comme elle devrait le faire ; soit parce qu'elle est déséquilibrée, soit du fait de l'ignorance, de l'inutilisation ou de la très insuffisante mise à profit d'aliments pourtant exceptionnellement intéressants sur le plan nutritionnel (par exemple les glucides complexes du pain, les poissons et les fruits de mer, les fruits et les légumes). Non seulement la qualité de la vie s'en ressent, mais nombre de pathologies sont générées, ou se déclarent prématurément. Au point que les gouvernements ont décidé de lancer des plans d'intervention. En France, il s'agit du PNNS, programme national Nutrition-Santé, désormais bien connu.

Les Français perçoivent, plus ou moins confusément, qu'il faut « rectifier le tir », c'est-à-dire absorber des compléments alimentaires.

Alors même que la majorité des consommateurs reconnaît ne pas comprendre les informations délivrées sur les étiquettes…

Le saviez-vous ?

L'enquête la plus récente (INCA) montre que 30 % des femmes et 17 % des hommes et des enfants ont consommé au moins 1 complément sur les 12 derniers mois, et 17 % des personnes achètent des aliments enrichis ; 13 % choisissent systématiquement des produits avec allégations de santé, une petite moitié les choisit parfois.

La nutrithérapie est plus simple que ne l'expriment ses cousins prétentieux et rébarbatifs « nutraceutique » ou « alicament ». Elle comble les déficits nutritionnels, à l'aide de produits validés, voire même sous AMM, qui est l'acronyme d'« autorisation de mise sur le marché », procédure extrêmement lourde concernant les médicaments, concédée par une commission très pointilleuse après examen de la réalité scientifique et médicale de la substance, par rapport au projet de prescription. Elle est capable de donner un « coup de pouce ». Elle équilibre l'alimentation, pour assurer une meilleure santé.

Alimentation ? Nutrition ? Nutrithérapie ? Quelles sont les définitions comparées de ces mots ? Revenons aux fondamentaux. Selon le dictionnaire, l'alimentation est, tout simplement, l'action de s'alimenter (soi-même, donc), ou d'alimenter (les autres, par conséquent). Elle infère les notions de ravitaillement (fournir les éléments de base en alimentation humaine), d'approvisionnement, de nourriture et de repas, son domaine s'étend jusqu'à la perfusion dans les veines. En conséquence ne peuvent être alimentaires que les denrées et les produits mangés (voire injectés), qui servent d'aliment. Les mots qui viennent à l'esprit sont alors « comestible, nourriture (mais aussi pâture), vivre ou pitance, conserve » ; et même cuisine, gastronomie et gourmandise. L'aliment désigne toute substance susceptible d'être au moins partiellement digérée, afin de servir à la nutrition d'un être vivant.

Mais alors qu'est-ce que la nutrition ? Elle englobe des mécanismes d'assimilation (mais aussi de désassimilation, d'élimination), multiples et complexes (largement inconnus), qui se font au sein de l'être vivant, lui permettant de se maintenir (en bon état) et de lui apporter l'énergie nécessaire. Cet ensemble contribue au concept célèbre d'homéostasie. La nutrition est-elle prescriptrice de régimes, fixant les bonnes conduites à tenir en matière d'hygiène en général, et de nourriture en particulier, basées sur la diététique ? Dans le sens écrit par Honoré de Balzac : « Un régime diététique, afin de calmer l'irritation de votre organisme. » Or « régime » se définit (d'après le *Petit Robert* lui-même) comme « un régime alimentaire, surtout restrictif » ! Ne serait-ce que parce qu'il est dérivé du mot « diète ». Ce mot « régime », appliqué à la politique, possède des relents de milieu carcéral. En alimentation il pourrait en être de même, comme en témoigne cette définition, et quelques expressions populaires telles que « le régime sec ». Certes, la diététique est actuellement l'art d'administrer des nutriments, par le conseil alimentaire, et la prescription de compléments alimentaires. Elle propose réellement une nutrition raisonnée, donc durable. Mais il convient de rester modeste : les connaissances médicales et scientifiques en nutrition sont remarquablement faibles, comparées au niveau atteint dans d'autres disciplines ; rappelons-le.

Lapalissade qu'il faut cependant proférer, car elle est trop souvent ignorée : un produit est nutritif dès qu'il apporte des… nutriments ; il est alors nourricier, sinon nourrissant. Il peut même s'avérer roboratif, ce qui veut simplement dire fortifiant. Mais que sont les nutriments ? Ils sont les substances susceptibles d'être directement assimilées. Les macronutriments sont évidemment les glucides, les lipides (ou graisses, les deux mots sont synonymes) et les protéines. Pour ce qui est des micronutriments, une quarantaine de substances sont indispensables, comme vous le savez : vitamine, minéraux, oligoéléments, acides gras et aminés indispensables.

Énorme problème de santé publique : la déficience en nombre de nutriments, du fait des déviations et des exclusions alimentaires, induit nombre de pathologies invalidantes pour ceux qui en souffrent, et très onéreuses pour la collectivité : maladies cardio-vasculaires, cancers, ostéoporose, diabète et obésité ; carences en fer, calcium, vitamine D, iode, notamment. C'est d'ailleurs exactement pourquoi le programme national Nutrition-Santé (PNNS) a été créé ; son deuxième volet ayant été lancé récemment (PNNS2). Son but est de montrer qu'il est possible d'éviter les multiples pathologies provoquées par le déficit en certains nutriments, conséquence du déséquilibre alimentaire. Incidemment, il est basé sur de nombreuses observations et études épidémiologiques, dont Suvimax (quasi-acronyme de son objet : supplémentation en vitamines et minéraux antioxydants), montrant que d'importantes fractions de la population sont déficitaires en certains nutriments, voire même carencées ; et que la supplémentation en question, authentique nutrithérapie, diminue considérablement le risque de cancer, par exemple chez les hommes.

Ni exclusivement « nutraceutique », ni prescriptrice d'« alicaments », la nutrithérapie n'est pas non plus la micronutrition. En effet, les micronutriments sont, par définition, des substances, intéressantes sinon indispensables, mais en quantités très restreintes, ils ne participent pas (ou presque pas) à l'apport calorique alimentaire, du fait même des faibles besoins quantitatifs : de l'ordre du milligramme, voire du microgramme quotidien. Or, par exemple, la nutrithérapie s'intéresse évidemment aux oméga-3, dont les besoins journaliers sont de l'ordre du gramme (avec des différences selon chacun d'entre eux), ce qui les exclut de la catégorie des micronutriments. La nutrithérapie ne se restreint pas non plus à la phytothérapie exclusivement, car de nombreuses molécules sont d'origine animale (les oméga-3 des poissons et des fruits de mer, par exemple, toujours eux).

Le saviez-vous ?

La nutrithérapie prend en compte des produits naturels actifs, dont le statut est celui des compléments alimentaires et dont l'efficacité a été prouvée par des études expérimentales et cliniques répondant aux critères actuels.

Mais il faut bien retenir que cette définition n'est pas « déposée ». En conséquence, sa signification peut varier selon les personnes, les groupes, les administrations et les pays (les motifs d'utilisation sont variés, les socles scientifiques et médicaux peuvent même parfois être contestables). Ainsi, globalement, aux États-Unis, par nutrithérapie, on entend non seulement la prévention, mais aussi le traitement des maladies. En France, il ne s'agit que d'améliorer la santé. Mais, dans ce cas, que signifie améliorer la santé, si elle est déjà bonne ? Le fameux plus blanc que blanc, de Coluche ? Ou plutôt du Knock : tout bien portant est-il un malade qui s'ignore ? En fait, de multiples études montrent que la bonne santé apparente cache des déficits en nutriments qui altèrent la qualité de la vie, accélérant l'apparition de pathologies, les aggravant. Car, avant de provoquer des maladies, la déficience en nombre de nutriments prive de l'optimum de santé ; celle-ci peut même être insidieusement altérée, sans atteindre un niveau pathologique. C'est à ce niveau que la nutrithérapie peut précisément intervenir.

Il est donc réellement crucial de définir ce que sont les compléments alimentaires, comment ils sont évalués et d'établir dans quelles conditions ils sont utiles : préventif ou curatif. Les compléments alimentaires, dans le cadre d'une nutrithérapie raisonnée, sont parties prenantes de l'équilibre nutritionnel : ils doivent être ajoutés à l'alimentation pour qu'elle soit complète, en raison des déséquilibres connus actuels. Comme compléments, ils sont intégrés à la nutrition ; il ne s'agit donc pas de suppléments, au moins *stricto sensu*. Sorte d'appoint, par comparaison avec la littérature, le complément ne constitue pas un post-scriptum, un addenda ou une annexe. Il est proche de la soulte, du solde, qui consiste à ajouter quelque chose pour finaliser. Il permet à l'alimentation d'être ce qu'elle devait être, c'est-à-dire complète, afin que tous les nutriments soient présents, en quantités, en qualités et en proportion.

En attendant la nanoceutique et les aliments atomiquement modifiés ?

Avec les nanotechnologies, comme avec toute innovation, tentons l'acceptation raisonnable, plutôt que le refus déraisonnable ! Pourquoi développer un processus ou un procédé que le consommateur n'a pas demandé ? Argument dogmatique de grand poids utilisé par les plus grands obscurantistes pour refuser les nanotechnologies. Celles-ci intéressent de multiples disciplines, y compris les biotechonologies. Il y a une quinzaine d'années fut créé le terme de « nano-objet ». Certains voudraient le trouver obscène. Pour vous empêcher de pouvoir manger votre melon toujours à point et faire commerce de la terreur, tout ce qui est nano est mélangé sans scrupule ; ces obscurantismes vont jusqu'à brandir le spectre de la manipulation génétique et comportementale de l'homme (en greffant des nanostructures dans son cerveau !). En appelant à la rescousse, excusez du peu, une métaconvergence, qui unifierait sous la même bannière : les nanotechnologies, les biotechnologies, l'informatique et les sciences de la connaissance. La construction intellectuelle est attrayante, mais elle n'a aucun rapport avec ce que sera votre qualité de vie dans les quelques décennies à venir. L'exercice mental est aux antipodes de la réalité factuelle ! Pis encore : le monde des nano-objets est encore plus vaste que celui des produits chimiques ; il est donc aussi absurde de traiter globalement des produits chimiques que des nano-objets, pour les condamner collectivement par précaution.

En fait, une technologie n'est ni bonne ni mauvaise en soi, tout dépend de l'usage que l'on en fait. Il y a du très mauvais, dans la fumée de cigarette, assemblage de nanostructures ; mais aussi, ailleurs et partout, du bon et, ce, depuis des millénaires. La nacre est une construction de nanocristaux assemblés par un « mortier » biologique nanomoléculaire. Le splendide lotus (la plante) scintille car il est recouvert de nanostructures qui font « glisser » l'eau. Demain, elles seront peut-être sur le pare-brise de votre voiture, reléguant l'essuie-glace au magasin des antiquités.

Les nanostructures, c'est la nature ! Regardez-vous. Dans l'air que vous respirez, fourmillent 10 000 nano-objets par millimètre cube, en suspension ; sans jamais sédimenter. Ils sont même âgés, antiques parfois, quand vous vous prélassez sur un tapis ancien, encore plus quand vous visitez un musée.

Le saviez-vous ?

À chaque respiration, de 500 ml en moyenne, vous inhalez par vos poumons cinq millions de nano-objets.

Si vous êtes dans la rue, ajoutez les particules de diesel, antipathiques il est vrai. À la campagne, augmentez le chiffre de la quantité de pollens présents. Entre amis, devant un barbecue, elle est multipliée par cent, si vous êtes sous le vent. Comme vous vous trouvez au soleil, vous avez bien évidemment mis une crème solaire, pour écarter les rougeurs inesthétiques et douloureuses, mais aussi en prévention du cancer de la peau. Pour vous éviter de paraître tartiné en blanc, comme un montagnard d'autrefois, elle contient des oxydes de titane – des nanostructures – qui réfléchissent le soleil, et vous préservent un aspect engageant. Votre crème de beauté, madame, ou de rasage, monsieur, contenait des liposomes, ce matin, autres nanostructures. À la plage, vous ressortez de votre bain de mer, microscopiquement couvert des nanostructures abandonnées par les autres baigneurs, et surtout de celles issues de tout ce qui vit ou non dans l'eau, y compris des sédiments. Ne souriez pas, sinon vous allez dévoiler vos dents bien blanches, grâce à un dentifrice constitué de nano-objets, lui aussi. La route n'est pas loin, les nanostructures de graphite sont omniprésentes, produites par la gomme des pneus ; encore plus si vous vous trouvez à proximité d'un aéroport. Vous pouvez alors multiplier le chiffre par 1 000 ! En ville, pensez donc à tout ce qui vous arrive !

Un simple repas, quant à lui, vous fait absorber avec délectation quelques milliards de nano-éléments, votre digestion en produit autant. Car vous ne mangez pas, par exemple, des empilements d'acides gras mais des lipides structurés, c'est-à-dire organisés, à des dimensions fréquemment nanométriques, eux-mêmes transformés en autres nano-éléments lors de la digestion, grâce aux enzymes. Une bonne digestion oblige notre intestin à fabriquer physiologiquement des nanoparticules, grâce notamment aux enzymes pancréatiques. Sinon, les lipides (les graisses), entre autres, ne seraient pas digérés, car ils ne sont pas émulsifiés.

Une fois de plus, comme Monsieur Jourdain faisait de la prose sans le savoir, l'humanité a utilisé et fabriqué des nanoparticules sans le soupçonner, ni en avoir le vocabulaire, bien entendu ! Depuis des siècles, voire des millénaires, l'homme utilise avec talent, et de manière exclusivement empirique, la matière finement divisée pour mettre à profit ses propriétés particulières, physiques, chimiques et biologiques. Bien mieux, les nanoparticules ont existé à l'état naturel depuis que le monde existe. Un exemple remarquable se trouve dans les minéraux pigmentés, utilisés depuis la préhistoire pour leur coloration dans les peintures rupestres, qui ont traversé les âges et les variations climatiques. Cro-Magnon, à Lascaux, faisait de la nanotechnologie ! Quelle folle inconscience n'a-t-il pas manifestée, par négligence de la précaution ! Les particules d'or n'ont pas la même couleur selon leur taille, propriété mise à profit par les Incas pour décorer leurs poteries. Actuellement, on fait moderne avec du tellurure de cadmium (le jaune de cadmium, chimiquement du sulfure de cadmium, est béni des peintres depuis bien longtemps). Dès le VIIIe siècle, les Chinois découvrent la poudre noire. Tout d'abord pacifiquement, pour la distraction des empereurs et de leurs peuples, elle permettra de créer les feux d'artifice. Plus tard, vers l'an mille de notre ère, elle sera utilisée à des fins militaires. Ce n'est que récemment qu'il fut compris que la vitesse de combustion est inversement proportionnelle à la grosseur des grains. Certains nanomatériaux sont très anciens, comme le verre qualifié de « rubis », que savaient obtenir les verriers de Bohême, et même probablement les Romains. Son rouge profond n'est pas d'origine chimique, comme la plupart des colorations habituelles, mais physique. En effet, il résulte d'un phénomène optique, généré spécifiquement par des particules métalliques, à condition que leur taille soit inférieure à la longueur d'onde de la lumière visible. Ces authentiques nanocristaux forment des inclusions microscopiques dans la matrice verrière. Dès le Moyen Âge, les maîtres verriers fabriquaient les vitraux des cathédrales en ajoutant de nombreux minéraux au verre. Mais il fallut attendre 1907, pour que Gustave Mie explique l'origine de ces couleurs par la présence de grains pigmentés, insolubles dans le milieu qui les contient. Il n'y a que quelques décennies, la grosseur de ces grains fut déterminée par microscopie électronique, qui dévoila des particules de quelques nanomètres de diamètre. Des nanoparticules donc.

Aux échelles de l'atome individuel, des outils nouveaux sont devenus incontournables, adaptés à l'observation, l'analyse et la mesure. Deux grandes classes d'instruments sont au service de cette exploration. La première est constituée des microscopes électroniques, ils travaillent avec des faisceaux d'électrons accélérés sous une différence de potentiel importante (quelques centaines de kV). La seconde comporte les microscopes dits à « champ proche » ; ils reposent sur la mesure d'une interaction (d'origine variée : force, champ électromagnétique) ou d'un courant créé entre une pointe très fine et la surface de l'échantillon sur laquelle elle se déplace. Grâce aux travaux des physiciens, la visualisation et la manipulation de la matière ont pu se réaliser ces dernières années à des niveaux de petitesse encore jamais atteints. L'échelle se situe au niveau de quelques nanomètres (ce qui représente 1 milliardième de mètre), c'est-à-dire au niveau de molécules individuelles, ou, plus petit encore, d'atomes. À ce titre, incidemment, la fabrication d'OGM relève des nanotechnologies…, comme en font partie toutes les utilisations d'enzymes, qui participent à la préparation d'une multitude d'aliments, mais aussi un grand nombre de lessives. Ainsi que le sont d'ailleurs les activités enzymatiques qui président à la physiologie des cellules de notre corps !

Une application spectaculaire de ces méthodes réside dans la révolution de la microélectronique, dont la privation est devenue inconcevable à tous les niveaux, individuel, social et industriel : ordinateurs de plus en plus puissants, capacités gigantesques de stockage de l'information. Cette révolution atteint depuis quelques années les sciences du vivant, en offrant aux chercheurs de nouveaux outils extraordinairement performants, notamment pour observer les phénomènes biologiques à des échelles de dimension totalement inexplorées jusqu'alors.

C'est avec un microscope électronique à transmission que les nanotubes de carbone ont été découverts au sein de dépôts de suie en 1991 par le Japonais Sumio Iijima. Ils ont très rapidement trouvé leur application dans l'industrie. Dans le même genre de produit, mais dans le monde de l'alimentation, une classe de structure physico-chimique est largement employée, sous le numéro de code européen E 459. Elle regroupe des additifs alimentaires de la famille des stabilisants : les cyclodextrines. Vous les trouvez dans un grand nombre d'aliments (industriels ou non ; consultez les étiquettes) et de médicaments. Elles sont fabriquées par traitement de l'amidon par des enzymes (qui sont d'authentiques nano-outils biologiques !), elles sont formées de 6, 7 ou 8 unités de glucose, leur disposition dans l'espace constitue une sphère creuse, dont la dimension est fonction du nombre d'unités entrant dans leur composition. Elles ont pour intérêt de constituer de véritables pièges à molécules. Leur particularité, qui est aussi l'un de leurs avantages, est de posséder des groupements hydrophiles (étymologiquement : qui « aiment l'eau ») sur leur paroi externe, mais des groupements hydrophobes (qui n'aiment pas l'eau, qui la fuient donc) sur leur paroi interne. Cette singularité tout à fait originale leur permet d'emprisonner des molécules qui ne se dissolvent pas (insolubles) dans l'eau ; et donc de leur conférer, indirectement, à l'échelle microscopique, un comportement de molécules solubles. Il s'agit d'une sorte de micro-émulsion. Mais elles ont d'autres avantages encore : elles protègent les molécules fragiles contre l'oxydation, les élévations de température, voire même contre la lumière. Elles peuvent également assurer la libération progressive et contrôlée de leur contenu dans le milieu environnant. Par exemple, lors de la mastication, ou de la digestion. Évidemment biodégradables (dans le corps humain comme dans l'environnement), elles ne présentent pas de danger pour la santé. Elles ont trouvé, dans les industries alimentaires, de très nombreuses applications : encapsulation d'arômes ou d'huiles essentielles (oignon, fenouil ou estragon), stabilisation d'émulsions, protection des graisses et des huiles contre le rancissement, piégeage de molécules indésirables comme les substances amères (en particulier celles du citron). Elles apparaissent déjà dans quelques snakers, « amuse-gueules », boissons instantanées, voire même dans des thés aromatisés. Allez consulter les étiquettes, vous les débusquerez presque partout, à des motifs divers.

Le saviez-vous ?

Vous mangez avidement des nano-objets ! Souvent parfaitement naturels : le lait en est constitué (avec ses protéines globulaires), les mousses (au chocolat !) et les mayonnaises aussi. Farine + lait + beurre = béchamel, à travers des nano-objets culinaires dont le socle est l'amidon de la farine.

Entre mille.

Les nanomatériaux restent encore associés aux nanotechnologies et à quelques industries de pointe, telles l'électronique ou l'optronique (notamment avec l'application militaire de l'optoélectronique) ; ils y constituent le support matériel de nouveaux objets, dont la particularité est d'être élaborés à l'échelle du nanomètre. Depuis peu, l'intérêt qu'ils suscitent et leurs domaines d'application balaient un spectre très large, incluant tous les domaines de la santé et même l'alimentation.

Du reste, les nanotechnologies permettront un bond en avant considérable dans la sécurité alimentaire (comme dans bien d'autres domaines de la sécurité, d'ailleurs, y compris dans son sens militaire ou policier ; mais il s'agit de problématiques différentes). Les premiers emballages, qualifiés abusivement d'intelligents (car ils sont beaucoup plus efficaces et plus discriminants que ceux qui les ont précédés) existent depuis plus de dix ans.

Le saviez-vous ?

Certains nano-objets assurent la protection des aliments, grâce aux molécules antiseptiques et antimicrobiennes qui y sont incorporées. D'autres, véritables détecteurs, sont couplés à des enregistreurs, ils informent de la qualité de la chaîne du froid et contrôlent sa rupture, avec une efficacité sans commune mesure avec l'illustre « puce fraîcheur », peu efficiente car modérément fiable, révélant de trop nombreux faux positifs, et provoquant la destruction inappropriée d'aliments. Ils peuvent même servir de garde-fou, en créant des barrières monodirectionnelles à l'oxygène et à l'humidité, du milieu extérieur vers l'aliment, tout en permettant l'inverse (donc l'aliment « respire »), allongeant la DLUO (acronyme de « date limite d'utilisation optimale »).

Il n'est pas invraisemblable de prédire que, grâce aux nanotechnologies, les emballages puissent devenir capables de s'autoréparer. Pour ce qui touche aux agents pathogènes, il n'est pas futuriste d'imaginer que les nanotechnologies permettent de détecter leur présence, et de connaître leur vitesse de multiplication, qu'il s'agisse de bactéries comme les tristement redoutables *Salmonella*, *Listeria* et *Escherichia coli* (la liste n'est pas exclusive) ou de champignons ou de tout autre micro-organisme, qui altère les aliments, notamment les moisissures, source, quant à elles, de toxines. Des nanocapteurs seront insérés dans les emballages, capables de détecter des contaminants chimiques à des concentrations aussi faibles que quelques parties par milliard (c'est-à-dire quelques microgrammes par kilo). Ils utiliseront des nanoparticules conçues pour émettre un signal fluorescent lorsqu'elles entreront en contact avec les molécules qu'elles ont décelées. En cas de contamination dangereuse pour la santé, de toute nature (chimique, bactérienne, fongique, ou n'importe quoi pouvant s'avérer dangereux pour la santé), il sera tout à fait possible de brouiller le code-barres, afin d'empêcher (voire d'interdire) toute commercialisation abusive. La DLUO deviendrait obsolète, et sera raccourcie en cas de problème !

Les organes sensoriels artificiels font la une, tout autant dans les revues scientifiques que dans celles qui sont destinées au grand public. La rétine est impliquée, il n'y a pas de raison que l'odorat ne le soit pas. Il l'est déjà, à l'échelle des laboratoires de recherche. Les « nez électroniques » seront utilisés à toutes les sauces, si l'on peut dire. Il s'agit de « nanobiocapteurs » qui détectent les substances ou les organismes qui émettent des composés odorants ; leur particularité sera d'identifier leurs signatures olfactives, donc de les nommer. Leur qualité de détection repose sur les propriétés électriques des récepteurs olfactifs des mammifères, fonctionnant avec des milliers de protéines présentes dans l'épithélium des fosses nasales. La substance se fixe très spécifiquement sur l'une des protéines du « nez électronique », la stimule, génère un courant électrique, qui émet un signal informant que cette substance odorante est présente dans le produit ou l'environnement (les trafiquants de drogue et d'armes, entre autres, ont du souci à se faire !). Beaucoup plus efficace que de mettre à contribution les nez de dégustateurs, ou le flair, beaucoup plus sensible, d'un chien, voire même d'un rat ou d'une souris.

Le saviez-vous ?

Des étiquettes munies de nanocapteurs pourront détecter les composés aromatiques produits par l'aliment comme par ses flores microbiennes, renseignant non seulement du début de flétrissure, mais, plus intéressant pour le gourmand, de l'état de maturité des fruits et légumes. Finie la loterie dans le choix des melons ! Particulièrement intéressante sera la possibilité de mesurer la nature et la quantité des molécules volatiles que dégagent les fruits (ou tout autre aliment ; elles signent son état physiologique) ainsi que les caractéristiques du milieu (température, humidité).

À côté de DLUO, il deviendra alors loisible d'inscrire sur l'étiquette la DOC (date optimale de consommation, que j'invente pour les besoins de la cause), qui dépend évidemment de l'évolution physiologique de l'alimentation, modulée sinon contrôlée par les caractéristiques du milieu ambiant. Au-delà de la sécurité alimentaire (DLUO), le consommateur confirmera son plaisir de manger grâce à la DOC. Finie la précaution !

Toutes ces prouesses technologiques laissent entrevoir le meilleur des mondes, enfer organisé pour les pessimistes. Les nanotechnologies ne sont pas en reste. Quelques esprits ingénieux, optimistes peut-être pathologiques, n'hésitent pas à prédire que les « nanomachines » pourvoiront à la fabrication de quantités illimitées d'aliments, en permettant des synthèses au niveau des atomes, assurant la fin de la faim (?) dans le monde. Car, après le bricolage, l'usinage moléculaire permettra de fabriquer des aliments. Informatique aidant, des atomes pourront s'organiser entre eux, pour travailler ensemble sous le contrôle d'autres atomes. Ils assembleront des atomes de carbone, d'oxygène, d'azote et d'hydrogène pour synthétiser des steaks ou de la farine de blé. Il ne suffira que d'ajouter vitamines, oligoéléments, sous forme de nanoparticules évidemment, pour que le gâteau soit complet. L'air, l'eau et le bois (sinon le charbon ou le pétrole) seront les seules matières premières nécessaires à ces transformations. Fini l'agriculteur, bienvenue au « moléculteur » et à l'« atomiculteur ». Sans le « soleil vert », mais avec Orson Welles, toujours accompagné des espérances de Marcellin Berthelot. Chimiste de génie, il fut le premier à montrer qu'il était possible de fabriquer des substances organiques (car contenant du carbone) qui entrent dans la composition des êtres vivants, sans faire appel aux « forces vitales », obligatoires à l'époque. Il synthétisa ainsi l'acide citrique, le méthane, le benzène ; mais ce fut surtout, en 1860, la synthèse de l'acétylène qui suscita le plus d'attention, révolutionnant la chimie sans faire appel à l'alchimie. Emporté par son enthousiasme, il décréta que l'homme devait être capable de fabriquer tous ses aliments… Grand précurseur, en un sens, de l'écologie, il travailla sur la fixation de l'azote atmosphérique par les sols. Sénateur à vie, membre de l'Académie française et de l'Académie des sciences, il fut ministre de l'Instruction publique et ministre des Affaires étrangères. Il imaginait le meilleur des mondes !

OGM : le danger n'est pas là où on l'attend !

L'huile d'olive et le vin sont des produits naturels, l'huile de noix et le cidre ne le sont pas.

PLINE l'Ancien

Déjà, à l'époque, c'est-à-dire au Ier siècle de notre ère, ce qui n'était pas de chez soi, très familier, n'était pas naturel ; or le cidre et la noix venaient de Gaule, en l'occurrence. De chez les sauvages, en conséquence. Le même écrivait : « Les greffes végétales peuvent donner naissance à des plantes qui peuvent envahir l'univers. » On croirait le discours d'un anti-OGM ! Pline l'Ancien fut certes officier de cavalerie en Germanie, puis amiral de la flotte de Misène lors de l'éruption du Vésuve, mais était aussi un naturaliste réputé !

Le bon temps d'avant est aussi vieux que l'humanité. Cinq siècles plus tôt, Platon écrivait dans le *Critias* : « En ce temps-là, le pays était encore intact, les plaines pierreuses de l'Attique étaient remplies de terre grasse, il y avait sur les montagnes de grandes forêts dont il reste encore aujourd'hui des témoignages visibles […]. Il y avait beaucoup de grands arbres [...] et le sol [...] recueillait les pluies annuelles de Zeus et ne perdait pas comme aujourd'hui l'eau qui s'écoule des terres dénudées vers la mer, et comme la terre était épisse et recevait l'eau en son sein, la tenant en réserve dans l'argile perméable, elle laissait échapper dans les creux l'eau des hauteurs qu'elle avait absorbée, et alimentait en tous lieux d'abondantes sources et de grosses rivières. »

La transgenèse semble constituer une nouvelle genèse, une planète génétiquement modifiée surgit de terre ! Avec du superbétail, des macropoissons, des moutons usines à laine, des arbres sans cellulose (pour les papetiers), des cochons devenus végétaliens et producteurs d'excréments inodores et sans phosphore (préservant donc l'environnement), des vaches qui pètent moins de gaz à effet de serre, des plantes et des animaux usines à médicaments... et des cochons, encore eux, qui débiteraient des organes de rechange pour l'homme. L'agriculteur deviendrait un « moléculteur » ! Sur le simple plan du vocabulaire, il aurait été moins inquiétant de parler d'OGA (A pour « amélioré ») plutôt que d'OGM (M pour « modifié », ce qui est toujours un peu inquiétant !). Mais les scientifiques qui ont créé le nom étaient modestes, car ils présumaient que toute modification ne s'avérerait pas systématiquement bonne.

On OGMise, on clone à tours d'éprouvettes et d'éditoriaux dans les journaux. D'autant que les biotechnologies accaparent le devant de la scène et l'information depuis quelque temps. Il est absolument incontestable que les OGM permettent désormais de fabriquer des médicaments pour l'homme ; il serait inconcevable, criminel même, de les refuser. Dans le domaine de l'agriculture, en revanche, la discussion est plus nuancée. Car, pour ce qui est des OGM en général, il convient de les analyser cas par cas. Ceux-là mêmes qui leur sont farouchement hostiles étalent leurs arguments en buvant force boissons sucrées... au sirop de glucose préparé le plus souvent avec de l'amidon de maïs... *made in USA*, c'est-à-dire largement OGM.

Comme pour toute invention humaine, au sein des OGM, il restera, selon le produit, de l'indispensable, du bon, du ridicule, du dangereux. Il est donc parfaitement injustifié de tout accepter en bloc, comme il est inacceptable – et intolérable – de tout mettre au pilori, de manière monolithique et dogmatique, par précaution.

À ce propos, le vocabulaire dissimule des différences importantes. Qu'est-ce qu'un OGM, organisme génétiquement modifié ? Prenons le cas du maïs, historique quoique encore de grande actualité en France et ailleurs. Pour lui permettre de résister à un prédateur redoutable, la pyrale, on prélève le gène (qui gouverne la fabrication d'un toxique pour la pyrale) dans un micro-organisme qui occit tout naturellement cette bestiole ; micro-organisme parfaitement naturel capable de se multiplier dans le sol. Puis, on injecte ce gène dans le maïs, qui devient par conséquent génétiquement modifié, mais qui résiste, lui, au prédateur. Autre exemple : on peut chercher à faire sécréter par une vache de l'insuline humaine dans son lait. Dans cet objectif louable de traitement de diabétiques, on isole le gène humain qui gouverne cette importante hormone, puis on l'injecte dans un ovule de vache, qui se développera ensuite au sein d'une mère porteuse ; pour devenir une vache produisant un lait très particulier, mais formidablement intéressant.

Les clones, quant à eux, sont tout à fait différents. Tout d'abord, il faut savoir que de vrais jumeaux (y compris humains) sont des clones naturels ; chacun fabrique des clones quand il bouture ou marcotte ses plantes ! En fait, n'y aurait-il pas grand-chose de nouveau sous le soleil ? La novation avec Dolly (mais qui se souvient de cette charmante petite bête ?) est que l'on a pris le noyau d'une cellule ordinaire de la « maman », pour l'injecter dans un ovule non fécondé (d'où on avait au préalable extrait le noyau parental), on a par conséquent engendré une fille qui est en réalité… la copie conforme physique de sa mère. Scientifiquement, l'exploit est extraordinairement intéressant. Ses applications sont probablement très contestables pour certaines d'entre elles, mais pas toutes ; elles sont parfois devenues routine, dans le monde des chevaux de course par exemple.

Appliquer cette technique à l'homme pour en faire un autre est absolument inadmissible. Car, depuis qu'il existe, les enfants sont (généralement…) le fruit de l'amour des parents, qui s'en remettent au hasard, en sachant que l'être qu'ils ont contribué à créer sera un individu unique, irremplaçable. L'égocentrisme n'est donc pas au menu. Se cloner, c'est, au contraire, égoïstement décider de fabriquer un être prédéterminé, physiquement identique à soi-même (intellectuellement il sera forcément différent ; le clone de Hitler serait peut-être un doux fleuriste, affirme le spécialiste mondial de la question, Axel Kahn), c'est lui refuser une liberté fondamentale d'individualité qui fonde la grandeur de l'homme. De quoi donner le frisson… vite une écharpe en laine, issue d'un OGM (type poulet à dents, à poils et à laine ; ou quelques « veaulatiles »). Étant donné la rareté des ovules de femmes, le clonage humain semble pour le moins difficile à une grande échelle, ne serait-ce que pour faire des organes ou des tissus de rechange. Mais il est réalisable, comme vient de le démontrer une firme américaine.

Surprenant, rien que pour le seul maïs, il existe (officiellement) une bonne vingtaine d'OGM différents ! Comment s'y retrouver, comment les détecter, à quoi servent-ils les uns et les autres ? Mais mieux encore : il y a quelques années, treize transgènes (curieux choix, avec ce chiffre qui n'a généralement pas la réputation de porter bonheur) ont été intégrés dans une variété de riz, par une équipe américaine californienne qui compte de nombreux Chinois (associée à des chercheurs de l'Orstom français, devenu IRD, Institut pour la recherche et le développement). On comprend pourquoi : modifier discrètement le riz reste un projet d'ampleur, en cours de recherche en Chine et au Japon. De quoi permettre, d'un seul coup, d'améliorer la résistance aux maladies, les qualités agronomiques, le rendement de culture, les qualités nutritionnelles, et le goût ! À croire que l'objectif vise le livre des records, plutôt que notre assiette. Sur le plan de l'agriculture mondiale, l'effort semble louable : mieux nourrir, à moindres frais, de plus nombreux humains. En revanche, sur le plan de l'environnement, on ne peut que se perdre en conjectures… Il était même jaune, ce riz. Couleur imputable à sa richesse en bêta-carotène, le précurseur de la vitamine A. Or la carence en cette vitamine, qui frappe des dizaines de millions d'enfants, constitue la première cause de cécité dans le monde ; alors qu'elle est parfaitement évitable par de simples mesures alimentaires appropriées. C'est le rôle affecté officiellement à ce riz OGM. Poétiquement, les gènes introduits sont, pour deux d'entre eux, ceux de la jonquille ; un autre est issu d'une bactérie dénommée *Erwina Uredovora*. De plus, les chercheurs ont doublé la quantité de fer et ont cherché à faciliter son absorption par l'organisme humain. Pour ce faire, ils ont procédé au transfert de deux autres gènes. Le premier permet au riz de produire de la ferritine, la protéine de stockage du fer ; le second lui fait fabriquer une enzyme, la phytase, qui dégrade l'acide phytique du riz, lequel réduit l'absorption intestinale du fer, en l'emprisonnant. Pour sensibiliser la femme asiatique au problème de la carence en fer, et justifier son addition dans le riz, des chiffres modérément pertinents ont été publiés, notamment au Vietnam, affirmant que ce riz allait résoudre, au moins partiellement, les énormes problèmes générés par leur carence en cet oligoélément. Car il ne faut pas oublier qu'un homme trouverait sa ration quotidienne indispensable en fer en mangeant 25 kg de riz complet, les femmes 70, les femmes enceintes 120 ! Donc doubler la teneur en fer dans le riz OGM ne sert finalement pas à grand-chose, sauf chez les dénutris extrêmes ! Dans le même esprit, des chercheurs ont montré que les enfants de femmes éthiopiennes cuisinant dans des pots de fer sont moins carencées en ce métal ; leur état sanitaire est exécrable, mais avec cette pratique culinaire, il est un peu moins mauvais. Autres temps, autres mœurs : par empirisme, les Romains avaient pour habitude de boire l'eau de nettoyage de leurs armures, d'autres de sucer des clous rouillés ou des billes de fer, qui trônaient sur la poutre de la cheminée, dans nos campagnes. Mais le fer reste malheureusement minéral, il aurait fallu, dans tous les cas, qu'il soit héminique : il eût été préférable que le riz produise de l'hémoglobine. Ce n'est d'ailleurs pas impossible d'envisager qu'il en soit capable un jour, puisque le tabac transgénique y parvient presque déjà. À quand les épinards transgéniques ? Dès maintenant, Popeye est dépassé !

C'est omettre que l'enseignement reste bien meilleur que la charité. Il serait beaucoup plus intelligent de faire en sorte que ces populations puissent manger du boudin noir, de la viande rouge, des poissons et des coquillages ! Malheureusement, le problème est essentiellement politique et économique. Il serait navrant que les OGM assurent la survie… de régimes politiques incompétents ou criminels, qui affament leurs populations !

Le danger véritable des OGM est réellement subtil, dissimulé derrière la sémantique. Car le même nom peut cacher des produits totalement différents. Vous, le consommateur, êtes perdu. Il vous est impossible de vous y retrouver dans toutes ces denrées qui portent le même nom, mais qui n'ont rien à voir entre elles sur le plan alimentaire, bien qu'il s'agisse toujours d'aliments, tout de même.

Par exemple, en Amérique, des huiles sont vendues sous le nom de SOJA, sans avoir le moindre rapport nutritionnel entre elles. Il ne s'agit pas de synonymes alimentaires ! Les OGM font donc… tache d'huile. En fait, concernant le soja génétiquement modifié, le risque pour la santé (du consommateur) de l'addition du transgène n'est que théorique (on ne peut pas être aussi affirmatif pour ce qui concerne l'environnement) ; on en parle pourtant sans cesse. En revanche, il vous est soigneusement occulté que l'intérêt alimentaire de chacune des diverses variétés est différent, voire antagoniste (plutôt que de m'adresser à vous, je devrais écrire « lui », l'Américain, car pour le moment l'Europe n'est pas directement concernée). Et c'est précisément là que réside le danger. En effet, l'huile de soja, classique et multimillénaire, est réputée excellente grâce à son contenu en acides gras indispensables, oméga-3 et oméga-6 ; les deux sont présents simultanément, en quantités notables. Toutefois ces précieuses bonnes graisses sont fragiles et s'oxydent, elles rancissent facilement, empêchant l'utilisation de l'huile de soja pour la cuisson ou la friture. Qu'à cela ne tienne ! Un soja OGM qui contient beaucoup moins de bonnes graisses a été créé, mais sa valeur nutritionnelle est diminuée d'autant. Pire, comme les acides gras saturés sont résistants, ils ont donc été augmentés dans une autre variété OGM et vont accroître de fait le cholestérol du sang, alors que le soja classique participe à la réduction du risque d'obstruction des artères. Le danger est évident. D'autres variétés de soja OGM sont mises sur le marché, en fonction de prétextes médiatiques émis par des gourous ou pour tenir compte d'une mode. Certaines sont même conçues pour fabriquer des huiles destinées à l'industrie, y compris pour polymériser des plastiques. Quelle cacophonie, sous le seul même nom de soja !

Mais tout n'est pas à rejeter, loin s'en faut. Car, parfois élaborées sur les conseils des scientifiques et des médecins, certaines huiles OGM peuvent améliorer des vies, et même en sauver. Dans ce cas, l'OGM est créé dans un objectif précis : par exemple introduire des chaînes carbonées courtes d'acides gras, destinées aux sujets dont les intestins sont physiologiquement altérés pour diverses raisons, ou ont subi des ablations importantes du tube digestif, à la suite de cancers, entre autres.

Le pays de Parmentier ne peut que s'esclaffer devant les POMMES DE TERRE OGM, quand elles sont conçues pour absorber moins d'huile à la friture ! Car on compte réellement ce qui reste, et non pas ce qui a été évité. En effet, tout OGM qu'elles soient, elles s'imprègnent encore de trop grandes quantités d'une huile de friture souvent trop saturée, voire riche en *trans*, donc peu recommandable pour la santé. En revanche, le consommateur, faussement mis en confiance, se laisse aller à manger deux fois plus de ces frites mutantes, qui contiennent seulement un peu moins de graisse (moins 20 %) que les autres, risquant d'aggraver à terme ses problèmes de santé, de toute évidence. Dans l'échafaudage du « progrès », et pour répondre à la terreur provoquée par l'acrylamide (que nous rencontrerons dans les pages suivantes), souvenez-vous que des pommes de terre OGM sans asparagine ont été imaginées pour éviter la production de cette substance lors de la préparation de frites ; exploit partiellement inutile, car on s'est rendu compte que d'autres molécules pouvaient générer le toxique. En revanche, il ne faut absolument pas le négliger, les OGM permettent actuellement, par exemple, aux Boliviens de manger, grâce aux pommes de terre résistantes aux nématodes. Il en est de même au Kenya, pour ce qui est de la patate douce.

Progrès à pleurer de rire ? Certes, les OIGNONS sont bons, évidemment ils possèdent une bonne valeur nutritive. Hélas, ils font pleurer quand on les épluche. Le prix à payer ? Alors que faire ? Porter des lunettes étanches se trouve modérément esthétique dans une cuisine de chef. Les peler dans l'eau fait froid aux mains, et l'opération demande des gesticulations. Que pensez-vous que l'on fit ? Des oignons OGM, dépourvus d'une enzyme, l'allinase, qui sécrète le facteur lacrymogène (qui porte le nom de propanthial-S-oxyde, à vos souhaits)… Cela ne s'invente pas, mais se crée.

Pour que les TOMATES ne flétrissent plus, on leur a supprimé le signal naturel signifiant qu'elles ont perdu une bonne partie de leur valeur alimentaire, ce qui est accessoire pour elles, mais fondamental pour nous ! Les tomates illustrent bien que les promoteurs des OGM ont souvent fait des choix à mauvais escient, ce qui a, d'entrée de jeu, rebuté le consommateur. Par exemple, ils sont partis d'une mauvaise tomate (tout au moins au goût) pour essayer de l'améliorer, mais sur d'autres paramètres que la saveur : résistance aux pesticides, tenue au stockage, taille, non-écrasement au transport après la récolte (pour faire du ketchup à moindre coût), etc. Résultat qui n'était pas vraiment inattendu : le consommateur n'en a pas voulu, sauf précisément sous forme de ketchup, car le goût de la tomate y est masqué par une avalanche de sucres, de graisses, de sel et quelques condiments, colorants et autres additifs. Une entreprise qui élabore de la sauce tomate, située dans le sud de la France, a été rachetée par une firme chinoise… Mais pourquoi donc ? Pour écouler leurs productions asiatiques ? Sans doute, car il est bien connu que les Chinois ont discrètement fabriqué un grand nombre de végétaux OGM (tout comme les Indiens et les Japonais), que nous sommes dans l'incapacité totale de détecter, car le lieu d'insertion du gène n'est pas publié. Le génome de la tomate n'étant pas encore décrypté dans son intimité, rechercher la présence d'un gène équivaut très exactement à tenter de trouver une aiguille dans une meule de foin, les yeux bandés. Tout au moins actuellement. Nous risquons donc de consommer des tomates OGM à l'insu de notre plein gré, selon l'expression bien connue. D'ailleurs, nous absorbons certainement un grand nombre de produits alimentaires OGM fabriqués de l'autre côté du globe.

Après les produits bruts (soja, maïs, tomate, ail, pomme de terre, etc.), qu'en est-il des PRÉPARATIONS ALIMENTAIRES, avec leur liste d'ingrédients ? Ce n'est qu'en France et en Finlande, que la liste des auxiliaires technologiques doit être déclarée. Or beaucoup sont maintenant OGM dans de nombreux pays, l'utilisation d'OGM est donc ignorée du consommateur. Tout est OGM à un moment ou à un autre : même l'huile d'olive, qui est purifiée avec une pectinase (enzyme préparée à partir de micro-organismes OGM). Les micro-organismes utilisés dans l'élaboration des meilleures bières sont fréquemment OGM, comme le sont ceux qui assurent la fabrication de fromages, dans les pays du Nord, notamment. En Israël, les oranges OGM sont « désamérisées » ; des produits alimentaires OGM sont mis sur le marché plus ou moins subrepticement, telles toutes sortes de plantes qui poussent sur les sols salés. Sans oublier votre chocolat bas de gamme, avec sa lécithine de soja… Allez consulter d'où elle provient, quelques pages en arrière dans ce livre ! Ne vous transgénez pas ou bien allez vous rhabiller ? Non, surtout si vous portez un blue-jean fabriqué avec du coton OGM sur lequel on a transféré le gène de la couleur bleue, afin qu'il n'ait plus besoin d'être teinté. Plus près de votre peau, il est impossible de vous garantir un tee-shirt sans OGM, car son coton provient de mélanges mal identifiés ; d'autant qu'il est lavé avec des lessives pouvant être OGM, du fait de leurs enzymes, gloutonnes ou non ! Vous n'en êtes pas malade !

Pour revenir encore un instant dans le monde des HUILES, il y a quelques années, une guerre franco-française, soigneusement entretenue par les cultivateurs de soja américains, a provoqué une importante défection envers l'huile de colza. En effet, un chercheur isolé dans un seul laboratoire, nourrissant une seule espèce de rats, d'un seul sexe et d'un seul âge, avait constaté que certains d'entre eux présentaient des problèmes cardiaques, à condition d'être forcés à ingurgiter beaucoup de cette huile. Un acide gras particulier (l'acide érucique) fut mis en accusation, car elle en contenait, à la différence de celles issues d'autres fruits ou graines. Incriminé à tort, s'est-on rendu compte plus tard !

Mais le mal était fait. Il incita à sélectionner, de manière classique et naturelle, une variété qui fut dénommée double zéro, car zéro acide érucique et zéro glycosinolates. Ces dernières substances empêchent la thyroïde de fonctionner convenablement : auparavant, les tourteaux de colza (la matière dégraissée, c'est-à-dire principalement les protéines) étaient chauffés, pour détruire ces toxiques, avant d'être donnés aux animaux. Il en est de même avec les tourteaux de soja. En France, ce colza fut dénommé « nouveau colza », puis colza tout court, l'ancien ayant disparu. Au Canada et aux États-Unis, il se vit attribuer un nouveau nom : canola. Mais il avait conservé tous les avantages oméga-3 de l'huile de colza. En revanche, les semenciers, y compris français, attrapant au vol la promotion sans faille du colza par tous les nutritionnistes, ont sélectionné une variété qui contient deux fois moins d'oméga-3, avec pour avantage d'être moins fragile, à la cuisson notamment. Elle s'appelle toujours colza, mais n'est qu'à 50 % oméga-3. Évitez-la. Car vous êtes insidieusement trompé. Bien mieux, ou plutôt pire, cette huile est utilisée pour faire les assaisonnements. Sur l'étiquette, l'huile de colza est bien mentionnée, mais en réalité elle est de ce nouveau type (parfois, d'ailleurs, elle est hydrogénée… et donc sans intérêt sur le plan nutritionnel). Il faudrait que les variétés soient identifiées par un nom particulier, il est vrai que dans de cas de figure le nom complet est « colza-oléique », mais la partie « oléique » saute, pour gagner de la place sur les étiquettes.

Très récemment, une variété de tournesol a été sélectionnée selon la méthode traditionnelle ; elle présente la particularité d'être très riche en acide oléique. Ce tournesol, qui produit une sorte d'huile d'olive, a été nommé oléisol. Malgré les apparences, la confusion n'est pas possible, entre lui-même et le tournesol classique, dont la composition est très différente.

Incidemment, le risque de la sélection classique existe aussi : à force de sélectionner les pommes de terre, on a induit un enrichissement en solanine, redoutable toxique ! À condition de manger en une seule opération quelques dizaines de kilos de pommes de terre, non pelées. Des abeilles normales ont été croisées avec d'autres tout aussi normales afin d'additionner leurs qualités ; le résultat fut des abeilles tueuses. Pourquoi ? Apprenti sorcier ?

Pourquoi faire transiter le risque des OGM par l'alimentation, le cibler sur la nutrition, alors qu'il s'agit essentiellement d'un problème d'environnement ? Il faut traiter directement le problème comme tel, en tant que problème environnemental. La santé devient un prétexte, un bouc émissaire, une manière de ne pas aborder de front la difficulté, en termes d'environnement, et de toucher le consommateur directement à l'estomac (au propre comme au figuré), car chacun est bien obligé de se nourrir. Il faut tout de même évoquer les grandes lignes des questions posées, les risques et les dangers, réels ou supposés. L'importance des OGM sur l'environnement pose deux problèmes majeurs. Le premier concerne l'éventuelle dissémination de leurs gènes, le second touche au déséquilibre qu'ils peuvent engendrer dans la flore et la faune. Or, malheureusement, il n'est pas possible de répondre de manière globale, car chaque lieu géographique présente ses spécificités culturales et animales. D'autant que la cascade peut s'avérer redoutable, et atteindre les végétaux situés loin du lieu de la culture initiale ! Par exemple, la toxine Bt, du fameux maïs OGM, entraînerait une mortalité accrue des phryganes, insectes aquatiques absorbant les feuilles de maïs, et qui entrent dans l'alimentation d'autres organismes supérieurs. Leur disparition déséquilibrerait donc toute une chaîne de la vie.

Commençons par les végétaux. Avez-vous vu des tournesols, ou surtout du maïs pousser tout seul sur le talus des autoroutes ? Non, car ces plantes ont été tellement domestiquées depuis leur transport d'Amérique du Sud, qu'elles en sont devenues incapables de pousser toutes seules. Il n'y a donc pas trop de risques à mettre en terre du maïs transgénique en Europe, car il ne pourra pas se « mélanger » avec d'autres plantes, et peut-être risquer de polluer leurs gènes. Mais il n'en est absolument pas de même en Amérique du Sud, où il existe de très nombreuses variétés endémiques de maïs, qui risquent de capter des gènes potentiellement indésirables. Le danger de la plantation, pour l'environnement, dépend donc beaucoup du lieu, du milieu, de la situation géographique. C'est exactement l'inverse pour le colza. En Europe, il y a possibilité de transfert de gènes vers les navets et les moutardes, entre autres, en revanche il n'y a pas d'équivalent en Amérique du Sud.

Le problème se pose aussi avec les animaux. L'utilisation du gène de l'hormone de croissance est fantastique pour les souris, qui deviennent aussi volumineuses que de gros rats, monstres de laboratoire sinon de cirque. Économiquement, cette hormone semble particulièrement séduisante, notamment pour les poissons, en accélérant considérablement leur grossissement. En effet, il faut deux ans pour en produire qui soient de taille convenable, donc vendables ; alors que le poulet se contente de quelques semaines, les cochons de quelques mois. Mais cela ne marche pas pour les chèvres, rendues plus maigres et diabétiques ! Les Cubains ont produit des poissons transgéniques, qu'ils avouent fièrement avoir relâchés dans leurs rivières. En théorie, cette opération ne crée pas de risque, car Cuba est une île. En fait, n'importe quel pélican peut y capturer un poisson, le stocker, et le régurgiter aux États-Unis, encore vivant… Il faudrait donc, dans ce cas particulier de l'aquaculture, que les élevages de poisson soient totalement isolés, c'est-à-dire au milieu des terres, loin de tout, protégés des prédateurs, au moins à distance de leurs parcours possibles. Vraisemblablement pas en mer, ni dans les fjords. Le tilapia et la perche du Nil, que sont-ils devenus dans ces pays exotiques qui manipulent sans le dire ? Les Chinois ont fait nombre de carpes transgéniques ; on ne sait pas trop où elles sont. En pratique, la prudence qui n'est pas une précaution, demande d'éviter les animaux transgéniques qui nagent et volent, car les risques de transfert, et donc de contamination sur le globe, sont réels. En revanche, une vache transgénique s'échappant de son enclos ne fait courir qu'un risque très modeste de pollution de la terre. Finalement, du moins pour le moment, le bœuf OGM a peu d'intérêt, pour l'éleveur, pour la firme, pour le producteur, et surtout pour le consommateur, qui n'y décèle aucun « plus », ni sur le goût, ni sur le prix, encore moins sur la qualité. Personne n'y trouvant son compte, pourquoi s'obstiner ?

La traçabilité OGM doit se faire à partir de la parcelle, comme pour les produits chimiques ! Elle coûte énormément : la technique de détection des OGM, dénommée PCR, revient à moins de 2 euros par tonne, mais pour la traçabilité de la filière, le coût monte à 100 euros la tonne, en ce qui concerne le soja. Problème général de l'impuissance : la difficulté de la traçabilité est compensée par un étiquetage complexe et rébarbatif ; de ce fait, pour se couvrir, tous les aliments seront étiquetés comme s'ils renfermaient éventuellement des OGM. Soit dit en passant, il est devenu strictement impossible de produire une viande non OGM, fût-ce avec une traçabilité parfaite au niveau du pré, des végétaux rajoutés, des aliments ; car tous les bestiaux ont obligatoirement reçu à un moment donné des médicaments, dont nombre sont maintenant issus de la technologie OGM. Le danger pour la santé humaine se pose autrement : *toutes les études scientifiques indépendantes montrent que lorsque des animaux mangent des plantes transgéniques, le risque pour la santé de l'homme est nul. En revanche, la « malbouffe » fait de gigantesques ravages, infiniment plus dévastateurs !*

En fait, et ce n'est pas obligatoirement se faire l'avocat du diable que de l'écrire, *la transgenèse pourrait contribuer à accroître la biodiversité, voire peut-être participer à la préservation de nombre d'espèces* : en éteignant un gène de fragilité d'une plante donnée qui la voue à la disparition, on peut ressusciter son utilisation et donc la maintenir. La nature a besoin des mutants, y compris peut-être OGM, variante accélérée de la sélection naturelle multiséculaire. Entre les sélections classiques opérées par l'agriculture et les OGM, aucune distinction de nature, mais une seule différence de temps. Il y a simple accélération du changement, mais sans profonde rupture.

Et le consommateur ? Son avis est beaucoup moins tranché que ne le certifient péremptoirement les thuriféraires du « penser correct ». Une enquête (sondage CSA auprès de 1 000 personnes) en octobre 2007 menée en France dévoile que 52 % des Français pensent qu'il faut permettre une culture encadrée des OGM pour sauvegarder la compétitivité des agriculteurs français ! Ce qui est beaucoup, compte tenu du matraquage médiatique anti-OGM. Incidemment, la majorité d'entre eux ont connaissance du choix de la culture du maïs OGM. Mais 24 % ne se prononcent pas : cela signifie que de nombreuses personnes sont en attente d'informations fiables. À rapprocher d'une déclaration de Michel-Édouard

Leclerc, le distributeur, dans un quotidien gratuit distribué dans les villes : « On ne peut pas prendre le public en otage quand on veut faire passer une idée. L'activisme finit par justifier le terrorisme. C'est comme pour les OGM : plutôt que de détruire les cultures, mieux vaudrait réfléchir à un processus sécurisé de mise sur le marché. » On a dépassé le tapage d'un autre grand distributeur (il nous a fait beaucoup gober), dont toute la communication qualité s'appuyait bruyamment sur un discours anti-OGM (en fait, l'arbre qui cachait commodément la forêt), et prétendant bénéficier de filières strictement non OGM, au Brésil entre autres, sachant pertinemment bien que la frontière est perméable avec le pays voisin, déjà à 60 % de cultures OGM. Oubliant, par exemple, que des micro-organismes génétiquement modifiés fabriquent pour nous, et depuis longtemps, un grand nombre de vitamines (pour animaux, mais aussi dans les compléments alimentaires que vous consommez) et des acides aminés indispensables (à ajouter impérativement en alimentation animale, pour compléter les protéines végétales, d'insuffisante qualité).

Le problème réside dans ce que l'on appelle poliment l'« acceptabilité sociale », qui est un bon principe de Judas : à défaut d'avoir le courage d'informer sur la réalité des choses, on laisse le champ libre à quelques gourous surfant sur le fonds de commerce très facile et très médiatique de la terreur universelle. Leurs parents ont été contre la voiture et l'avion, leurs grands-parents contre les chemins de fer, sans parler de l'électricité, abominable invention qui électrocute les imprudents ! Ils résument l'énergie nucléaire à la bombe atomique, oubliant le naturel (il y en a partout, elle est utile à la vie, à petite dose évidemment), le pacemaker, les traitements et diagnostics médicaux.

Les passions devraient se calmer ; espérons que l'apaisement se traduira autrement que par l'anesthésie du consommateur, pour qui les OGM seront devenus une banalité, puisqu'ils figureront sur tous les emballages, par précaution. Vanter un chou à la crème comme dépourvu de colibacille est devenu obsolète ; en sera-t-il de même pour les OGM demain ?

La vérité sur le bio

D'abord, il serait abusif de parler de nourriture sûre quand les habitudes alimentaires sont à l'origine de déséquilibres nutritionnels directement responsables de nombreuses pathologies.

Martin HIRSCH

L'écologie a remplacé la religion qui nous avait culpabilisés avec le péché originel.

JEAN-PAUL, chercheur au CNRS,
cité par Laurent Cabrol

Ce n'est pas parce qu'un aliment est sain que l'alimentation du mangeur l'est ! La recherche de l'équilibre alimentaire doit impérativement précéder le choix du bio. Ce dernier n'est que la cerise sur le gâteau. Si le gâteau est pourri, elle ne sert plus à rien. En l'occurrence, le gâteau, qui est l'équilibre alimentaire fondé sur la diversité, est généralement mauvais. Le bio risque *de facto* de n'être qu'un emplâtre sur une jambe de bois, malheureusement. Quand il y a le feu à la maison, qui se préoccupe d'éteindre une ampoule qui chauffe ? Quelques chiffres permettent d'illustrer cette affirmation. Par exemple, 450 personnes meurent chaque jour en France de maladies cardio-vasculaires et autant de cancer, pour la raison exclusive que leur alimentation est déséquilibrée, c'est-à-dire insuffisamment diversifiée. Un peu – ou même beaucoup – de « bio » au sein de ce déséquilibre (défini et qualifié par le manque de diversité) ne changerait presque rien. En réalité, *il n'y a pas globalement de mauvais aliments, mais de mauvais mangeurs*, par ignorance le plus souvent. Et ils paient « chair » le prix en capital santé.

La recherche du bio constitue une juste préoccupation. Mais pourquoi vouloir tout ramener à l'alimentation ? L'immense avantage du bio et de tenter de préserver l'environnent. Pourquoi donc appeler à la rescousse la nutrition, qui ne le valorise que modestement, comparativement à l'environnement, beaucoup plus important ? C'est en quelque sorte l'image en miroir des OGM, préoccupants pour l'environnement, que l'on veut mettre systématiquement à la sauce alimentaire. Comme pour impliquer le consommateur, qui est bien obligé de manger et de se préoccuper de ses aliments.

Un récent rapport de l'Afssa montre que l'intérêt nutritionnel de l'agriculture bio est modeste pour l'homme, étant donné le faible enrichissement en nutriments qu'induit cette méthode de culture. On est loin du tout beau tout bio !

Curieusement, pour le bio, le législateur prend prioritairement en compte la manière dont a été produit le végétal ou élevé l'animal ; mais pas la qualité intrinsèque de ce qui se retrouve dans notre assiette, en terme de valeur nutritionnelle. Le logo est attribué sur des critères d'hygiène et de procédé. Bien plus, la technique agricole est encadrée, mais pas la nature du terrain ! C'est aussi valable pour les lacs, les mers et les océans. Par exemple, la mer Baltique est outrageusement polluée, et pour plusieurs siècles, par des dioxines, des PCB, des métaux lourds (dont le mercure, mais aussi d'autres), et par endroits avec de la radioactivité.

Il est donc inimaginable de produire du bio dans cette eau, sauf à filtrer le liquide, ce qui serait difficile technologiquement et ruineux sur le plan économique. Les pollueurs ont été nombreux, en particulier l'industrie de la pâte à papier et la sidérurgie. Russe et polonaise, a-t-on l'habitude de dire. On oublie la Suède. Le même raisonnement pourrait s'appliquer à certains terrains des vallées des Alpes, entre autres ! Si un agriculteur consciencieux cultive des carottes biologiques dans un champ situé au fond de l'une de ces vallées et que, par ruissellement, ces carottes soient outrageusement exposées aux divers produits chimiques provenant des cultures non bio qui le surplombent, alors ses carottes conservent malgré tout leur dénomination de bio. Qu'en pensez-vous ? Mais l'homme n'est pas seul à polluer outrageusement son milieu de vie. Autres coupables : les hasards de la géologie, qui ne sont pas toujours coopérants. Ainsi, la montagne Noire dans le sud-ouest de la France, truffée de mines désaffectées, contient beaucoup de cadmium, qui est drainé par l'eau des averses et des orages vers le bassin de la Gironde, on n'y peut rien. Le mercure se déverse sur certaines côtes marines de l'Italie, car il est présent dans les terres, lessivé par les pluies, emporté dans les rivières pour aboutir dans les mers. On ne va pas filtrer toutes les embouchures des fleuves et rivières pour l'éliminer. La prudence (mais pas la précaution, puisque le danger est connu) est de limiter notre gloutonnerie en poisson gras de ces lieux,

Le saviez-vous ?

La production artisanale dans un jardin, en périphérie des villes ou ailleurs, est infiniment plus polluée que l'agriculture professionnelle. En effet, le cultivateur d'occasion, ou même de tous les jours, épand sans compter sur sa petite parcelle les insecticides et les engrais, qui se retrouvent en quantités bien plus grandes dans ses produits « de jardin » qu'il ne peut y en avoir dans ceux qui se vendent en magasin. Car l'agriculteur est parcimonieux dans ses épandages, ne serait-ce qu'à cause de leur coût !

notamment ceux de fin de chaîne alimentaire, comme l'espadon et le thon.

De la validité des études de consommation : le déclaratif est souvent erroné. À l'entrée d'une grande surface, l'acheteur interrogé se propose d'acquérir bien des choses qu'on ne retrouve guère dans son caddy à la sortie, y compris les produits bio et les produits équitables… Un exemple en a encore été donné récemment, avec une enquête portant sur les crevettes, réalisée chez un grand distributeur. À l'entrée, les consommateurs déclaraient majoritairement ne vouloir acheter que celles élevées dans de bonnes conditions écologiques, des françaises de Nouvelle-Calédonie, entre autres. Ils en prenaient donc un paquet en passant devant le présentoir. Mais, quelques mètres plus loin, ils se trouvaient confrontés aux crevettes standard, moins chères. Qu'ont-ils fait à une écrasante majorité ? Ils ont procédé à un échange. Abandonnant les premières pour les remplacer par les secondes. Créant un réel désordre, et la plainte d'autres clients perdus, imposant d'arrêter l'expérience. La bonne conscience s'arrête net dès que le porte-monnaie s'ouvre ! Les mêmes, bien informés par les publicités gouvernementales du PNNS, sans doute, déclaraient d'ailleurs avoir l'intention d'acheter force fruits et légumes ; or il n'y en avait pas non plus dans leur caddie, à la sortie. On le sait depuis trente ans ; un obèse déclare d'autant moins manger qu'il est obèse, beaucoup prétendent manger force légumes, alors que l'analyse de leur repas montre qu'il n'en est rien.

Faut-il euthanasier les pommes de terre ?

Le crudivorisme dogmatique et forcené est définitivement dangereux. Alors que certains le préconisent, afin de préserver la valeur nutritionnelle pour le consommateur, par précaution ! En d'autres termes, faut-il cuire les aliments ? Tout d'abord, la cuisson rend les aliments digestes, tout en éliminant quelques polluants, bactériens entre autres. Elle évite d'en subir les dangers. Cuire, bien souvent, n'est pas une prévention, mais une obligation raisonnée. Certes, la cuisson génère de nouvelles molécules, à la suite notamment de la célèbre réaction de Maillard. Or, certaines de ces substances pourraient peut-être se révéler cancérigènes, excusez du peu. Refuser toute cuisson au prétexte qu'elle engendre des molécules nouvelles, dont certaines, à forte dose, pourraient s'avérer toxiques, éventuellement, peut-être, et sous conditions ? Rien de plus consternant. À titre d'exemple, la molécule étrangère est la règle dans notre alimentation. Quand l'objectif est de terroriser, on la désigne sous sa terminologie savante et scientifique : le xénobiotique, qui est étranger à notre biologie, comme sa racine l'indique ; ce qui rend xénophobique. Retenez que *vous devez obligatoirement trouver, dans la diversité de vos aliments, une bonne quarantaine de substances* (macronutriments et micronutriments, parmi lesquels vitamines, oligoéléments et minéraux, oméga-3 et oméga-6, acides aminés indispensables). Mais ces repas vous apportent, simultanément et nécessairement, plus de 30 000 molécules, à des doses diverses ; parfois infinitésimales, il est vrai. Si vous êtes effrayé, il ne vous reste plus qu'à vous suicider avec un bol de chocolat (15 000 molécules diverses) ou, pire, avec une tasse de café (30 000 molécules).

Schizophrénie alimentaire : le plaisir (agréable, évidemment, mais indispensable dans l'acte alimentaire) des aliments réside dans la présence de ces molécules, qui peuvent par ailleurs s'avérer toxiques sous certaines conditions. Les sinistres dogmatiques s'en donnent à cœur joie, si l'on peut dire : le plaisir alimentaire génère le cancer ! Manger tue, le faire avec plaisir tue doublement ! Plus mort que mort. Ou tué *post mortem* !

➤ *Le feu, l'homme et l'aliment*

Les plus anciennes traces de feu associées à une présence humaine remontent tout de même à un million et demi d'années. Toutefois, il n'est pas certain que ces feux, découverts par les archéologues, aient toujours été d'origine provoquée, et non pas naturelle ; leur utilisation par l'homme d'alors n'est pas (encore ?) totalement démontrée. Les foyers structurés ne sont apparus dans les habitations d'*Homo erectus* que depuis quatre à cinq cent mille ans seulement. Dès ce moment, le feu est « domestiqué », mais en réalité on ignore si notre ancêtre était capable de le produire, ou s'il était simplement susceptible de le recueillir, puis de l'entretenir.

En vérité, après la fabrication de quelques outils par l'Australopithèque, la domestication du feu par *Homo erectus* constitue le premier acte qui distingue résolument l'homme des autres primates. Elle signe une intelligence particulière au sein du monde vivant. Elle modifie les conditions de vie matérielle et culturelle. Le feu eut évidemment un impact social capital, en initiant la réunion autour du foyer : des millénaires après, ce mot désigne toujours la communauté de base, la famille. Il devenait possible de se réchauffer tout en éloignant les animaux dangereux. Mais ce feu précieux améliora aussi le régime alimentaire, en permettant de rabattre le gibier avec des torches, de rôtir la viande, de cuire les végétaux, notamment ceux qui ne sont digestes que cuits, tels les tubercules. Plus tard, il assura l'élaboration des conserves en fumant les viandes de toutes origines, terrestres, aériennes et aquatiques. Au Paléolithique supérieur, le feu facilita la fabrication des outils et permit d'améliorer leur qualité : fracturation de matériaux solides, durcissement d'armes en bois, éclairage et production de chaleur permettant de travailler dans des conditions difficiles, fonte de la résine pour préparer de la colle, chauffage des baguettes en os pour les redresser ou leur donner une forme particulière, utilisation de l'ocre pour en modifier la coloration, cuisson des statuettes en argile. La flamme maîtrisée permit de s'aventurer dans les grottes éclairées par un foyer portatif ; et donc d'élargir le domaine et la perception de l'espace, en ouvrant le monde souterrain, jusque-là inaccessible, même à l'imagination humaine.

Avec la maîtrise du feu, l'homme s'est affranchi de l'obscurité et a pu modifier le rythme de ses occupations journalières. La tombée de la nuit ne limita plus ses travaux, il organisa son temps, doubla presque la durée de ses activités en hiver. Cette évolution eut des répercussions sur le plan physiologique, car les cycles de sommeil sont en partie liés à la luminosité. Ne passant pas le plus clair de son temps à courir après les biftecks sur pied, pour s'en nourrir ensuite, il eut le loisir de les préparer, de les apprêter, de les cuisiner… et d'en parler autour du foyer. D'autant plus qu'il permettait de rendre les aliments meilleurs et plus efficaces. La domestication du feu coïncide sans doute avec une première spécialisation des tâches : il est possible que certains membres du groupe, notamment les enfants, aient été astreints à son entretien.

Le débat peut sembler cornélien : *il faut cuire nombre d'aliments pour qu'ils aient du goût et soient digestes, mais dans le même temps, cette opération suscite des substances nouvelles, dont certaines peuvent s'avérer toxiques.* Pour compliquer encore les choses, et inciter à l'ascèse, le foie de l'homme transforme des substances presque anodines en poisons pour lui-même. Preuve que nous ne sommes pas des mammifères de base, car nous ne réagissons pas en singes, ni même en cochons et en rats. Résultante d'une adaptation multiséculaire. Par exemple, la viande cuite mangée par l'homme génère autant d'adduits (molécules nouvelles, cause de toxicité éventuelle) que la même viande, mais crue et absorbée par le rat. Si le rongeur consomme de la viande cuite, il produit alors infiniment plus d'adduits que l'homme. Certes la cuisson sur le feu engendre entre autres des HAP (acronyme de : hydrocarbures aromatiques polycycliques, substances défrayant la chronique à chaque marée noire, entre autres), mais ceux qui sont partiellement neutralisés par des molécules présentes dans les légumes (en particulier les crucifères) et les yaourts… L'ordonnancement des repas a certainement été inventé pour réduire les risques délétères incontournables et optimiser la valeur nutritionnelle. Il est vrai que les équipements de l'homme lui permettent de neutraliser spontanément nombre de toxiques d'origine végétale. Incidemment, la biologie de l'homme étant celle des mammifères, une substance dangereuse le sera généralement pour l'homme et le mammifère. De ce fait, il est exceptionnel de trouver des animaux vénéneux pour l'homme, sur le plan alimentaire s'entend. Car les venins de certains sont redoutables par morsure, c'est-à-dire en intramusculaire ou en intraveineux ; mais ils ne le sont pas quand on les mange, à condition que le tube digestif soit en parfait état, et ne présente pas de lésions saignantes qui facilitent le passage de ce toxique dans l'organisme. Toutefois, certains animaux ont la triste faculté d'accumuler des poisons, comme quelques poissons. Par exemple, le fameux *fugu* des Japonais, ou bien encore les poissons coralliens polynésiens et antillais qui provoquent la « gratte », conséquence de l'accumulation d'algues aux substances toxiques pour l'homme. En n'ignorant pas que ces animaux peuvent accumuler des poisons pour l'homme, qu'ils soient chimiques, viraux, bactériens ou fongiques.

L'homme, animal prédateur, mieux que n'importe quelle autre forme de vie, a appris, souvent à ses dépens, à déjouer les défenses naturelles que les plantes ont mises en place au cours des millénaires. C'est ainsi qu'il a su éliminer l'acide cyanidrique du manioc par le trempage. Il a éradiqué une redoutable carence, provoquant la pellagre (déficit en vitamine B3, niacine dite PP car acronyme pour « protégeant contre la pellagre »), en détruisant les antiniacines du maïs par son broyage avec de la chaux. Sans le savoir, il a inactivé les antiprotéases du blé et la solanine de la pomme de terre par la cuisson. Cuire fut un progrès à quadruple titre : conservation, meilleure digestibilité (indispensable pour les pommes de terre), destruction d'antialiments, stérilisation, si besoin !

Le saviez-vous ?

Les Esquimaux ne cuisent pas la viande de renne, d'ours ou de phoque, tout particulièrement leur foie, qu'ils consomment donc cru, avec la plus grande délectation. Choix génial : la vitamine C est très rare dans les aliments d'origine animale, sauf dans le cerveau (un peu), la surrénale (beaucoup, mais elle est toute petite) et le foie ! Or cette vitamine est fragile à la chaleur. Manger le foie cru assure un exceptionnel approvisionnement pour ces populations chez qui les fruits, notamment exotiques, sont pour le moins rares, même actuellement. Foie qui contient de multiples vitamines et minéraux dont la vitamine A, si importante pour la vision.

À l'inverse, ne pas cuire révèle parfois un progrès considérable.

Hippocrate lui-même prescrivait déjà le foie de veau cru à ceux chez qui la vision nocturne s'affaiblissait.

Le barbecue (BBQ) avec des ceps de vigne relèverait pour certains inquiets de la préméditation criminelle, car ils sont ultratraités ; les brûler engendre, à partir des produits phytosanitaires, y compris avec la très célèbre bouillie bordelaise, des dérivés redoutables. La poésie va à l'encontre de la sécurité alimentaire, sauf à sélectionner des bois non traités. Mais, en pratique, le danger du barbecue réside essentiellement dans l'utilisation maladroite des brochettes.

➤ *Préparer et cuisiner précautionneusement*

Il convient de non seulement savoir choisir, mais aussi de savoir cuire. L'influence des préparations est évidemment primordiale.

Des écarts similaires se retrouvent avec la limande nature ou panée. Quant au hareng, il contient autant de graisses qu'il soit cru ou frit. Mais ce ne sont pas les mêmes ! En effet, pour de strictes raisons physico-chimiques de dissolutions mutuelles des corps gras, les graisses de ce poisson gras fuient dans celles du bain de friture (elles sont donc perdues ; car il n'est pas bu, sauf affection psychiatrique grave), en revanche ce poisson s'imprègne des huiles du bain de friture, qui se substituent à celles qui étaient naturellement présentes. On croit manger du poisson, on boit du bain d'huile, on boit la tasse !

> **Le saviez-vous ?**
> Pour ce qui est du carrelet, la teneur en graisses, qui n'est que de 2 % quand il est cuit à la vapeur, atteint 16 % dès qu'il est frit.

Si elle est trop saturée, l'erreur est au rendez-vous. Selon sa sélection et sa préparation culinaire, le poisson prévient ou accélère les maladies cardio-vasculaires, entre autres... En effet, deux options s'offrent à vous. Avec la première, tout est faux, car générateur de risque cardio-vasculaire : le poisson est gras, d'élevage, mal nourri, trempé dans une friture saturée

> **Le saviez-vous ?**
> La valeur nutritionnelle du poisson pané ou frit dépend presque intégralement de la valeur nutritionnelle de l'huile utilisée pour sa cuisson.

(type végétaline, graisse de palmiste et autres, très utilisées en restauration collective pour leur bonne résistance à la chauffe et leur prix modique). Avec la seconde, tout est bon : le poisson est gras, mais sauvage, bien élevé et cuit en papillote, par exemple. C'est ainsi que les objectifs de santé peuvent être atteints ou contrariés !

Il faut que l'œuf soit cuit pour que ses précieux nutriments deviennent biodisponibles, c'est-à-dire qu'ils soient captés par nos intestins lors de la digestion, transférés dans le sang et utilisés par nos organes ! Concernant les protéines, il est facile de comprendre pourquoi. En effet, elles sont constituées d'enchaînements, parfois gigantesques en longueur quand ils ne sont pas de plus ramifiés ; les maillons sont dénommés des acides aminés. Ces structures sont repliées sur elles-mêmes, pour réduire l'encombrement ; elles prennent donc des formes globulaires, ressemblant à des pelotes de laine. Pendant le temps de transit intestinal « réglementaire » de la protéine crue, seule la partie externe de la pelote parvient à être attaquée par les sucs digestifs, dénomination ancienne des enzymes. Le reste est irrémédiablement perdu dans les toilettes, dans la froideur alphabétique des WC. En revanche, la cuisson « dénature » la protéine, lui faisant perdre sa structure de pelote, la déroulant en quelque sorte. Pendant la digestion, toutes ses parties sont par conséquent attaquées, et donc mises à profit. La qualité nutritionnelle de la protéine d'œuf cuit est donc nettement supérieure à celle du cru. La démonstration claire et définitive en a été apportée par une équipe de chercheurs et de médecins belges de Louvain : les protéines d'œuf cru ne sont digérées qu'à 51 %, alors que celles des œufs cuits le sont à 91 %. D'autant que cette « dénaturation » des protéi-

Le saviez-vous ?
Manger un œuf cru est une ineptie nutritionnelle, spécifiquement pour l'homme, à la différence des autres espèces.

nes libère nombre de nutriments qui y sont insérés : vitamines et oligoéléments ! Gober, par précaution, est donc absurde !

Un autre argument plaide amplement en faveur de la cuisson. L'œuf contient d'importantes quantités d'une vitamine, la biotine, ou vitamine B8. Constat étonnant, les carences en ce micronutriment sont observées chez les consommateurs d'œufs… crus. Il peut en effet sembler paradoxal d'observer une carence en un nutriment chez les consommateurs d'un aliment qui en est précisément riche ! Cela est dû au fait que la vitamine est protégée, donc neutralisée, par une substance dénommée avidine. Seul le chauffage permet de séparer le couple nutritionnellement inutile, de libérer la vitamine, qui devient alors biodisponible. Mollets, à la coque (mais avec le blanc bien blanc et solidifié), en omelette, comme vous voulez, mais ne faites pas l'œuf, ne les gobez pas !

Le saviez-vous ?

Le tartare n'est pas obligatoirement une bonne idée, car les protéines crues ne sont pas au mieux de leur capacité de digestion par nos intestins. En revanche le carpaccio est sympathique, car le citron ou le vinaigre, grâce à leurs acidités, « cuisent » en quelque sorte ; c'est-à-dire qu'ils dénaturent les protéines, et les rendent digestes. En revanche, le citron et le vinaigre sont strictement inutiles pour stériliser, malgré les imprécations de certains adeptes incultes de cette préparation culinaire.

Les puristes discutent assidûment de la cuisson : mollets, à la coque, brouillés, sur le plat (mais avec quelle huile ?). Pourquoi ? À cause des dérivés oxydés du cholestérol, dangereux, notamment dans le cadre cardio-vasculaire, qu'il faut éviter d'engendrer par la cuisson. Ils ne peuvent être fabriqués qu'en présence d'oxygène, et de chaleur. Donc les œufs sur le plat ou brouillés sont moins recommandables à ce titre, à éviter par précaution, est-il clamé haut et fort. Mais il s'agit presque d'obnubilation.

Le faisandage des viandes équivaut, dans une minuscule mesure, à cuire ; fermenter aboutit à un résultat similaire : la choucroute est une fermentation, « cuisson » sans le feu. La dénaturation est également une opération bénéfique pour les protéines du lait, plus particulièrement celles du lactosérum, dont elle accroît la digestibilité de façon spectaculaire. Le lait caillé est-il un lait qui aurait, d'une certaine manière, « cuit » ?

Le saviez-vous ?
La marinade ne stérilise pas l'aliment, mais le rend plus digeste.

La pomme de terre est strictement indigestible quand elle n'est pas cuite. Le grain de maïs doit de plus être mastiqué, sinon l'enveloppe n'est pas détruite lors de la digestion, et tout se retrouve dans les selles. Le sorgho est toxique s'il n'est pas cuit. Le grain de blé est beaucoup moins assimilable que le pain ou les pâtes dont il est à l'origine, qu'il sert à faire, par définition. Malgré cela, certains voudraient nous faire grappiller des grains de blé, à longueur de journée, au prétexte qu'ils sont à l'état natif, et donc bien plus intéressants que leurs dérivés, au moins sur le plan nutritionnel. Outre le fait que leur amidon est moins digestible cru que cuit, s'ajoute une limite rédhibitoire : si les grains ne sont pas mâchés avec une application forcenée, afin d'être broyés, leur contenu n'est alors pas absorbé au niveau des intestins, car l'enveloppe ne peut pas être détruite par les « sucs » digestifs. Il en est de même pour les pépins de cassis, d'ailleurs beaucoup plus petits, très difficiles à broyer en bouche, qui se glissent entre les dents. Bien que très riches en une huile de bonne qualité nutritionnelle, ils se révèlent inopérants sur le plan de la santé. La cuisson du pain améliore l'efficacité nutritionnelle de la mie d'un bon tiers, en dénaturant les protéines de la farine. Seules les protéines du sorgho et du riz font exception : après cuisson, elles sont moins digestibles en raison d'interactions développées entre les fractions de protéines particulières (dénommées glutélines) qui deviennent alors résistantes aux enzymes tronçonnant les protéines (elles sont dites « protéolytiques »).

Pour ce qui est des protéines, globalement, pour de multiples raisons, nombre d'entre elles ne peuvent pas être consommées crues, du fait de leur propre activité biologique néfaste, ou à cause de leur accompagnement. Il faut donc les apprêter, les cuire ; éventuellement leur faire subir des traitements (qui sont devenus industriels), lesquels, il est vrai, risquent par ailleurs de provoquer la perte d'une partie de leur qualité nutritionnelle. Mais il n'y a pas le choix.

Car, sur un plan alimentaire, la dénaturation par la cuisson engendre plusieurs conséquences extrêmement favorables. Tout d'abord, elle élimine les défauts nutritionnels de nombreuses fractions protidiques et de sucres complexes, néfastes sur le plan digestif. Il s'agit des lectines (qui perturbent la fonction cellulaire en se fixant sur les membranes biologiques) et de facteurs antidigestifs présents dans de nombreux produits végétaux, et parfois animaux. Ces lectines se rencontrent notamment dans le soja, le haricot blanc, le haricot de Lima, le pois, la fève, la pomme de terre et le germe de blé. Ces substances peu recommandables sont susceptibles de perturber les mécanismes de digestion, en se fixant par exemple sur les cellules qui tapissent l'intestin, réduisant ainsi l'absorption des nutriments.

Ensuite, la dénaturation entraîne l'inactivation de protéines particulières, qui sont des enzymes dangereuses pour l'homme. Elles sont présentes dans de nombreux produits agricoles bruts. En effet, maintes productions végétales contiennent des facteurs qui altèrent le découpage physiologique des protéines (ils sont qualifiés d'antiprotéolytiques) et perturbent donc gravement la digestion : la plupart des haricots en renferment, de même que le petit pois et la pomme de terre ; ils figurent à un taux élevé dans le soja. Enfin, la dénaturation protège les denrées alimentaires. Par exemple en détruisant les activités de certaines lipases (enzymes découpant les lipides et libérant les acides gras) et protéases (autres enzymes qui tronçonnent les protéines et génèrent des acides aminés) susceptibles de contribuer à la dégradation de ces ressources lors de leurs stockages.

De plus, le chauffage entraîne de profondes modifications des caractéristiques de texture du produit, ce qui est le plus souvent très agréable. Dans bien des cas, et c'est ainsi, le crudivorisme forcené s'avère une erreur, car il prive de quelques excellents aliments.

Il faut donc savoir manger ! Ce qui implique une bonne connaissance de l'utilité des préparations culinaires. Si, comme nous venons de le voir, certains aliments doivent obligatoirement être cuits, afin de devenir digestibles ou de détruire quelques substances indésirables, en revanche, d'autres doivent être consommés crus. Et si possible frais, afin de préserver leurs qualités nutritionnelles ; les fruits et les légumes en sont les meilleurs exemples. Ils représentent d'ailleurs près des trois quarts du poids des aliments que nous absorbons. Ils sont riches en vitamines naturelles (parfois détruites très rapidement par la température de la cuisson), en minéraux, dont les précieux oligoéléments (qui ont tendance à fuir dans l'eau lors de la cuisson, à s'y diluer ; ou à rester accrochés à l'ustensile de cuisine). Ils doivent être consommés variés, afin de mettre à profit la synergie d'utilisation de leurs constituants : par exemple, la vitamine C

Le saviez-vous ?

100 g d'aliments crus ou cuits n'apportent pas la même quantité de nutriments. Par exemple, en cuisant dans l'eau, le riz s'en gorge ; de ce fait, 100 g de riz cuit contiennent beaucoup d'eau, et moins de riz, que 100 g de riz cru. Il en est de même des lentilles : cuites elles contiennent trois fois plus d'eau, et par conséquent trois fois moins de fer, de potassium, de magnésium, de protéines, de fibres et d'acide folique.

de nombreux fruits accroît l'efficacité d'utilisation du fer présent dans certains légumes, comme cela vous sera expliqué d'ici quelques pages.

Il faut donc lire attentivement les tables de composition des aliments, afin de bien discerner si les chiffres donnés se rapportent à l'aliment cru ou cuit (et dans quelles conditions). Finalement, les délicieuses lentilles ne sont pas si riches en minéraux !

Dans l'histoire de l'humanité, le passage de la cueillette et de la chasse (qu'il fallait renouveler avant chaque repas, ou presque), à la conserve constitua un progrès majeur, décisif. Il permit la sociabilité, donc... la conversation ! La conservation a permis, quant à elle, de s'affranchir largement de la vie itinérante imposée par la recherche de subsistance. Elle a donc cédé du temps pour la vie en communauté, la conservation a assuré la conversation avec le conjoint, la famille, les compagnons.

Nicolas Appert est donc l'un des plus grands bienfaiteurs de l'humanité, dans le vaste domaine de la nutrition, il est l'équivalent de Pasteur pour la médecine.

Ironie de l'histoire, mais preuve absolue de l'intérêt et de l'efficacité de l'appertisation : des conserves furent données à des marins, qui s'en portèrent très bien, bien mieux que ceux qui n'en avaient pas. Elles les protégeaient du scorbut, une maladie due à la carence alimentaire en vitamine C. Or, cette vitamine est parmi les plus fragiles, car elle est aisément détruite par la chaleur. Les conserves en préservaient tout de même suffisamment pour nourrir les hommes, et les protéger contre la maladie.

Il faut scrupuleusement respecter les traditions, et non pas les mettre en doute, par précaution ! Elles préservent la qualité des aliments, notamment par les choix d'ordonnancements, élaborés intuitivement par nos ancêtres. En fait, les nutriments présents dans les aliments s'entraident et se conjuguent, pour mieux être captés par nos intestins, afin d'être plus efficaces dans nos organes. Leur biodisponibilité est accrue naturellement. C'est très exactement ce qu'exprime le mot de synergie : ils agissent de concert, mais la somme est supérieure à la simple addition. C'est pourquoi les nutriments issus des aliments sont plus actifs que ceux des gélules, c'est aussi pourquoi plusieurs types d'aliments doivent être pris au cours du même repas ! Examinons quelques exemples.

Tout d'abord la vitamine C des fruits. Dans un comprimé ou dans un fruit (donc naturel, ou même de synthèse), l'acide ascorbique (c'est-à-dire la vitamine C) est à peu près identique sur le plan de la chimie (ce qui n'est pas le cas pour toutes les vitamines). Or, pour obtenir la même efficacité biologique, il faut soit 50 mg de fruit, soit 100 mg dans la gélule. Car certains facteurs, intrinsèques aux fruits, augmentent la biodisponibilité de la vitamine. Et seulement 25 mg suffisent si le fruit est accompagné d'une viande !

Ensuite, donc, le fer et la vitamine C. La vitamine et le minéral s'épaulent dans leur périple à travers les intestins. Quand ils sont ensemble, chacun est absorbé en quantité beaucoup plus grande que s'il était seul. Agrémenter les épinards avec du jus d'orange fait passer la capture du fer de 2 % à 4 % ; il en est de même pour les protéines de viande. Accompagner la viande de légumes, et les faire suivre d'un fruit relève simplement de l'efficacité nutritionnelle. À vrai dire, le fer héminique du steak ou du jambon est lui-même beaucoup plus efficace que celui des végétaux, avec ou sans fruits ! Mais le raisonnement devient formidablement utile avec les aliments moins riches en fer héminique, comme les volailles, ou pauvres en fer de qualité, comme certains poissons, toutefois quelques-uns d'entre eux et nombre de coquillages sont particulièrement riches en fer.

Concernant les fibres, il faut savoir choisir la position de l'aliment au cours du repas.

D'autant que les fibres de chacune des grandes classes d'aliments n'ont pas exactement le même effet. En effet, les fibres des légumes calment bien la faim pendant les deux ou trois heures qui suivent les repas. En revanche, l'effet des fruits est moins rapide, mais plus long dans le temps. Pour mettre à profit au mieux l'effet des fibres sur la sensation de faim, pour ressentir rapidement la satiété, et pour mieux rester rassasié le plus longtemps possible après le repas, il est judicieux de commencer par les légumes et de finir avec les fruits. L'habitude culturelle trouve donc sa justification dans une physiologie toute simple ! La pomme de précaution avant le repas, en espérant manger moins, relève de l'approximation.

Le saviez-vous ?

Pour optimiser leur efficacité, il est souhaitable de consommer les aliments riches en fibres à chacun des repas, en association avec les autres aliments : les légumes et fruits doivent accompagner viandes et laitages, mais aussi les féculents. Il est illusoire et malvenu de consommer beaucoup de légumes à l'un des repas, et pas du tout à un autre.

Qu'en est-il de l'huile et du bêta-carotène de la carotte ? Cette molécule, le bêta-carotène, sert principalement de précurseur à la vitamine A, mais elle assume, à titre personnel, des rôles particuliers. Cette provitamine abonde dans certains fruits, légumes et dans le jaune de l'œuf. Or l'adjonction d'huile multiplie par deux le transfert du bêta-carotène dans l'organisme. Les carottes râpées à la vinaigrette s'avèrent donc, au moins sur ce plan nutritionnel, beaucoup plus intéressantes que les carottes à la croque ! D'autant que certaines huiles végétales sont excellentes, pour leur goût et leur valeur nutritionnelle. Les riches lipides de l'œuf concourent à la bonne absorption des caroténoïdes qu'il contient.

Quel est l'intérêt des combinaisons de végétaux, en raison de leurs diversités en protéines ; car, végétales par définition, elles sont individuellement et fréquemment limitées en acides aminés indispensables ? Les céréales et les légumes secs (lentilles, haricots, fèves) constituent deux classes d'aliments dont les protéines sont incomplètes. Chacune contient de trop faibles quantités d'un acide aminé indispensable : il s'agit, par exemple, de la lysine pour les céréales, et de la méthionine pour les légumes secs. Il convient donc de les associer au cours d'un même repas, pour que notre organisme ait à sa disposition un mélange complet de protéines fournissant tous les acides aminés dans les bonnes proportions. *Il est pour cela optimal d'associer à la viande (terrestre, aérienne ou maritime) plusieurs familles de légumes.* Sans oublier que l'utilisation de certaines technologies modifie le profil nutritionnel de l'aliment traité. Par exemple, la cuisson-extrusion détruit 20 à 30 % de la lysine des céréales, ce qui est redoutable, car ces végétaux en sont déjà pauvres.

Le saviez-vous ?

Ralentir les glucides du pain et des pâtes ne peut être que favorable : ce qui est précisément obtenu par l'ajout d'un peu de beurre, d'une rondelle d'œuf pour le pain ; d'un filet d'huile, ou encore d'une bonne pincée de fromage râpé !

Existe-t-il de bonnes alliances entre les glucides et les huiles (et graisses) ? L'intérêt de l'amidon, celui des céréales, est d'être digéré lentement, ce qui permet d'approvisionner l'organisme sans à-coups. Ce sucre complexe est qualifié de « lent », ce qui lui confère une grande qualité. Les physiologistes disent qu'il a un index glycémique bas, c'est-à-dire qu'il n'augmente pas de manière trop importante la teneur de glucose dans le sang (contrairement au morceau de sucre, qui est qualifié de « rapide »).

La présence de fibres accroît encore l'efficacité ! Le mieux est donc une salade composée, avec huile de vinaigrette, riz ou pomme de terre, jambon ou cubes de rosbif ! Un peu de jambon dans les lentilles est certainement aussi une bonne idée ; ou, encore mieux, le petit salé aux lentilles !

Moralité : la diversité au cours d'un même repas n'est pas une précaution, car elle constitue le secret et la source de l'efficacité ! Sinon : danger !

CHAPITRE 3

La vraie question : comment élever les plantes et nourrir les animaux

> *Pour que le fromage soit bien dans sa croûte, il faut que le lait soit bien dans son pis. Pour que le lait soit bien dans son pis, il faut que la vache soit bien dans sa peau. Et pour que la vache soit bien dans sa peau, il faut qu'elle soit bien dans son pays.*
>
> Jean FERNIOT, *Le Goût, la Santé, l'Argent*

Le goût de l'aliment résulte de la synthèse écologique du sol qui l'a engendré. Sa valeur nutritionnelle aussi ; pas autant toutefois qu'on le prétend pour les végétaux, beaucoup plus en ce qui concerne les animaux. Le déséquilibre alimentaire provient aussi du fait que nombre d'aliments n'ont pas la valeur nutritionnelle que l'on est en droit d'attendre d'eux ; pour avoir été minorée, par les choix de méthodes de culture ou, parfois considérablement, par la formulation des aliments donnés aux animaux. À une époque exigeant que le naturel serve de référence, savez-vous que l'œuf que vous consommez est bien loin de présenter les qualités de l'œuf

« sauvage », « pastoral » ? Savez-vous que les oméga-3 des poissons d'élevage peuvent être divisés par 40 selon la qualité des graisses utilisées pour les faire grossir ?

Comment la qualité des aliments donnés aux animaux de toutes sortes induit-elle des modifications de leur intérêt nutritionnel pour l'homme qui les consomme, comme d'ailleurs pour les animaux de compagnie carnivores ? Les conséquences de la formulation de l'alimentation animale sur la valeur nutritionnelle des viandes et autres produits dérivés consommés par l'homme sont-elles plus amples que les effets de la culture sur les végétaux ? Oui ! en parfaite contradiction avec l'affirmation universelle fallacieuse selon laquelle il serait facile de bonifier la valeur nutritionnelle des végétaux en améliorant leurs méthodes de culture. Alors qu'il n'en est presque rien. En revanche, les fluctuations sont très importantes dans le monde animal : les échelles de valeurs peuvent être colossales, pour les graisses, par exemple. *La physiologie des animaux* – et surtout la qualité de leurs tissus de stockage – *dépend à l'évidence de la qualité des aliments avec lesquels ils sont nourris, jusqu'à engendrer de notables modifications des valeurs nutritionnelles de leurs viandes pour le consommateur.*

Peut-on améliorer les plantes ?

Pour ce qui touche au profil nutritionnel, c'est-à-dire à la richesse en nutriments, la nature des sols intervient, mais ce sont surtout les cultivars (les variétés) et les espèces qui présentent des dissemblances, parfois très importantes. Globalement, *plus que le mode de culture, c'est le choix de l'espèce qui conditionne la valeur nutritionnelle recherchée.* En d'autres termes, si vous urinez avec amour au pied de votre arbre, il produira sans doute un peu plus d'olives, mais votre huile sera toujours de composition identique, de valeur nutritionnelle constante. En revanche, selon les pays, et donc les cultivars, les différences seront notables, tout spécifiquement au niveau de la composition en acides gras polyinsaturés d'huiles, qui portent pourtant le même nom. Ainsi, celles d'arachide d'origine africaine ou américaine sont relativement distinctes. Il en est de même pour les huiles d'olive : une étude de diverses variétés d'oliviers cultivées en Tunisie met en évidence de grandes disparités dans le contenu en acides oléique, linoléique (le chef de la famille oméga-6, qui varie en quantité dans une fourchette de 1 à 5 !) et d'ALA (acronyme d'acide alpha-linolénique, pivot de la famille des oméga-3). Pour faire simple, la variété sayali est la plus recommandable sur le plan du profil nutritionnel, car non seulement elle contient le moins d'oméga-6, mais de surcroît elle se situe parmi celles qui offrent le plus d'oméga-3 (quoique très peu). Elle possède donc le rapport oméga-6/oméga-3 le moins éloigné des recommandations. De plus, c'est elle qui contient le plus d'acide oléique, et donc le moins de graisses saturés.

Le saviez-vous ?

Pour ce qui concerne les lipides, l'alimentation donnée à un animal induit des variations très importantes de la nature de ses acides gras de réserve, donc de la valeur nutritionnelle des viandes consommées par l'homme.

Exemple spectaculaire donc, les modes de culture différents modulent peu le profil en acides gras des olives, dont la valeur nutritionnelle reste la même ; mais ils peuvent par contre considérablement modifier les quantités récoltées.

C'est valable pour le règne des oiseaux, des animaux terrestres ou marins, comme nous allons le voir.

Mieux alimenter les hommes en nourrissant mieux les animaux

Le pharaon avait vu les sept vaches maigres émerger des vagues limoneuses... il avait assisté à leur festin, ce dont il avait été à la fois horrifié et intrigué : elles s'étaient jetées sur les vaches grasses et les avaient mangées. Spectacle extravagant, il faut bien en convenir, car les bovins sont herbivores ; mais ces vaches carnassières avaient des mâchoires de lion et des dents de crocodiles.

Jean DUTOUR, *Le Septième Jour*

Vérité absolue, mais gravement ignorée : *la nature des rations utilisées dans les élevages module la valeur nutritionnelle des produits* (viandes des règnes aérien, terrestre et marin, lait et laitages, œufs, etc.). Elle influence donc par ricochet la santé du consommateur. Dans quelle mesure la nourriture reçue par les animaux induit-elle une modification (amélioration ou au contraire dégradation) de la valeur nutritionnelle des aliments qui en sont issus, en termes de nourriture de l'homme ? Devez-vous exiger que l'alimentation animale soit remaniée ? La réponse à cette question varie selon la nature des nutriments (vitamines, minéraux, graisses, protéines) et aussi selon l'espèce considérée.

Globalement, les minéraux, oligoéléments et protéines (avec cependant de fortes nuances selon les espèces) n'ont que peu de répercussions sur la valeur nutritionnelle des aliments qui en résultent, sauf pour les œufs. En revanche, la qualité des graisses présentes dans la nourriture des animaux détermine fondamentalement la valeur alimentaire des aliments qui en sont dérivés, pour la consommation humaine évidemment. C'est d'ailleurs tout aussi vrai pour les animaux carnivores, et c'est pris en compte avec beaucoup plus d'acuité pour votre chien et votre chat, plus peut-être que pour vous-même ! Sans oublier la nourriture des rats et souris alimentant quelques mammifères aquatiques, celle des poulets destinés à servir de « pâture » aux crocodiles peuplant les zoos et les élevages, pour terminer en sacs à main ou en ceintures. Qu'en est-il exactement ?

Premièrement, toute inflexion importante des MINÉRAUX et des VITAMINES peut perturber la physiologie de leurs organes et par conséquent les performances zootechniques, ce qui relève de l'examen vétérinaire ; la dérive se révèle incompatible avec les impératifs économiques, car les animaux grossissent alors moins vite et sont plus sensibles aux maladies. Les faibles variations qui pourraient toutefois être éventuellement obtenues en « gavant » à grands frais les animaux avec tel ou tel micronutriment ne permettraient pas de participer significativement à l'amélioration de la couverture des besoins de l'homme. Seuls seraient réellement enrichis les produits tripiers, ceux de stockage naturel (surtout le foie) ou de retenue (les reins, culinairement dénommés rognons). Mais leur consommation extrêmement congrue rend, en France, leur impact positif pratiquement nul en termes de santé publique. Les vitamines les plus intéressantes seraient celles qui se concentrent dans les graisses, A, D et E. Passons maintenant, ensemble, en revue les macronutriments : glucides, protéines et lipides.

Les GLUCIDES sont présents en quantités relativement faibles dans les organes des animaux, sauf dans certains tissus, dont la teneur en glycogène n'est pas négligeable ; avec toutefois des variations selon les espèces. La viande de cheval en est plus riche que la viande de ruminant, lui conférant son goût sucré bien particulier. De plus, les concentrations en glucides se modifient selon la qualité et la durée de maturation de la viande, quelle qu'elle soit. En tout état de cause, leur présence n'influe que sur le goût, sans modifier la valeur nutritionnelle glucidique.

Le muscle contient évidemment des quantités importantes de PROTÉINES. Mais le contrôle génétique gouverne leur composition chimique, c'est-à-dire leur profil en acides aminés (les maillons constitutifs des protéines, au nombre de 21, dont 8 indispensables). Pour une espèce donnée (voire même une race), les modifications de l'alimentation des animaux peuvent induire des retouches quantitatives au niveau des protéines, mais peu d'améliorations qualitatives. Il y a simplement plus de kilos de muscle, sans que sa valeur nutritionnelle soit modifiée. En d'autres termes, il est possible, par la sélection, de faire produire à l'animal de plus grandes quantités de muscle, donc plus de protéines de qualité, mais leur valeur biologique intrinsèque restera la même. Ainsi, les bœufs appelés « culards » sont tellement musclés qu'ils donnent l'impression d'avoir fait du body-building ou d'être des nageurs de compétition. Le problème pratique, pour l'éleveur, est de satisfaire aux besoins protéiques de ses animaux. Selon les espèces et les races, ils sont très différents, en qualité comme en quantité ; en raison de la diversité des métabolismes protéiques : les exigences des poissons sont considérablement plus importantes que celles des mammifères ; comme nous le verrons dans quelques pages, à propos de cette vache folle qui dévaste les mers… *Quid* des capacités recélées par les OGM ? Rassurez-vous, sauf pour ce qui concerne le lait, et certains cas particuliers, une manipulation génétique susceptible d'enrichir en tel ou tel acide aminé indispensable est probablement illusoire ; l'« avenir » serait plutôt au clonage, afin de multiplier la reproduction de bêtes qui offrent les meilleures caractéristiques, les plus grandes performances. Il s'agit d'un autre problème !

➤ *Les graisses dans l'alimentation animale : fondamental !*

Alors que les graisses végétales sont parées de toutes les vertus, un vieux poncif est systématiquement rabâché : le danger se tapit dans les graisses animales ! Le risque à éviter : en consommer, l'objectif étant de les éliminer le plus possible. La précaution serait de les bouder, au minimum. Or tout cela est faux ! Un poisson – animal – est d'autant meilleur pour la santé qu'il est plus gras, c'est-à-dire qu'il contient de plus grandes quantités d'oméga-3. Cherchez non pas l'erreur, l'incompétence ou la provocation, mais en réalité la pure vérité, chez un nutritionniste qui ose affirmer : plus c'est gras, meilleur c'est ! Toutefois, le gras de l'animal constitue bien souvent le reflet plus ou moins fidèle de celui qu'il a trouvé dans son alimentation. Par conséquent, dans l'alimentation des animaux, la nature des lipides (graisses et huiles) sélectionnés induit des modifications parfois considérables de la valeur nutritionnelle des aliments animaux que nous consommons à notre tour. Étant donné l'intervention, positive et négative, c'est selon, des graisses alimentaires sur la santé, cela peut être du plus haut intérêt en termes de santé publique, principalement au niveau de la prévention de certains aspects des maladies cardio-vasculaires, mais aussi d'autres pathologies comme le cancer.

En corollaire, les méfaits du « mauvais gras » sont beaucoup plus importants que ceux des toxiques et polluants. Entre autres pathologies, 160 000 accidents vasculaires cérébraux sont à déplorer chaque année, première cause d'invalidité en France, et troisième cause de mortalité. À peu près le même nombre d'infarctus du cœur. Or, la majorité de ces accidents constitue la directe conséquence de la migration d'une plaque d'athérome, elle-même produit de multiples facteurs, parmi lesquels se distingue en bonne place le déséquilibre alimentaire, notamment en graisses. Les toxiques et les polluants ne sont pratiquement jamais à incriminer. Le contrôle de la nature des acides gras constitutifs des graisses représente donc un enjeu considérable pour ce qui concerne les viandes issues d'animaux terrestres, maritimes et aériens, du lait, des laitages et des œufs.

Graisses et acides gras

Première constatation : la vie serait strictement impossible sans graisses ! Car elles interviennent prioritairement à tous les niveaux de la vie : elles fournissent de l'énergie, participent fondamentalement à l'architecture des structures biologiques, constituent les précurseurs d'hormone, entre autres ; pour ne rappeler que leurs rôles majeurs. Dans un autre domaine, la vie serait triste en l'absence de graisses, car bien des mets et des cuisines y puisent leurs goûts ! En effet, à titre d'exemple, le goût des protéines est largement celui des graisses qui les accompagnent, tout simplement. Que sont donc ces graisses ? Par définition technologique, les huiles sont des corps gras liquides, alors que les graisses sont solides à 15 °C. En terme de nutrition, dans les deux cas, il s'agit de lipides. Dans ce domaine, les désignations de « graisse » et de « lipide » sont en effet strictement synonymes. Ne serait-ce que parce que l'étymologie grecque de lipide est *lipos*, qui signifie simplement graisse ! Les huiles sont principalement végétales, mais elles peuvent également être d'origine animale, comme celles de poisson. Contrairement aux idées reçues, rappelez-vous que la distinction entre animal et végétal n'infère pas *a priori* un intérêt nutritionnel différent. Il se trouve du bon et du moins bon dans le monde végétal, comme dans le règne animal.

Les corps gras sont principalement constitués de constructions moléculaires très simples, dénommées triglycérides et phospholipides, eux-mêmes formés d'acides gras. « Acide » et « gras » : deux mots *a priori* antipathiques ; appréciation qu'il est urgent de rectifier, car ils constituent, entre autres, le socle de toutes les structures vivantes et la principale réserve d'énergie des animaux (comme celle des humains !). La nature de ces acides gras confère précisément à chaque corps gras ses caractéristiques nutritionnelles. Saturé signifie que les acides gras saturés sont majoritaires ; mono-insaturé reprend de la domination des acides mono-insaturés (l'acide oléique principalement, gloire de l'huile d'olive) ; poly-insaturé exprime que les acides gras poly-insaturés sont présents en quantités utiles. Or, parmi ces derniers, deux sont indispensables, c'est-à-dire que l'organisme des mammifères, donc celui de l'homme, ne sait absolument pas les synthétiser, ni même d'ailleurs les transformer l'un en l'autre ; alors qu'il en a un besoin absolu. Leur origine alimentaire est par conséquent obligatoire. Avant leur identification chimique, ils ont été regroupés sous le vocable de « vitamine F ». Ils portent les noms d'acide linoléique et d'acide alpha-linolénique (dont l'acronyme, ALA, est largement utilisé plutôt que ce nom qui écorche la bouche), chacun constitue le chef de familles baptisées oméga-6 pour l'une et oméga-3 pour l'autre. Cet ALA est présent en quantité beaucoup trop faible dans notre alimentation actuelle, c'est pourquoi l'huile de la vinaigrette (de colza ou de noix, et, dans une moindre mesure, de soja) ne devra jamais être exclue d'aucune habitude alimentaire. La famille oméga-3 est principalement constituée de quatre éléments principaux ; comme les trois mousquetaires, qui étaient quatre. Elle a donc pour chef de file l'ALA, précurseur immédiat de l'acide stéaridonique, qui transforme l'huile de pépin de cassis en héros, spécialité dijonnaise, en tant que sous-produit de liqueurs diverses. Après lui, dans la chaîne métabolique et chimique, se trouve l'acide timnodonique (alias EPA, acronyme anglo-saxon d'acide eicosapentaénoïque) qui participe à la gloire des huiles de poisson dans le cadre de la prévention et du traitement de maladies cardio-vasculaires, entre autres. Comme son nom ne l'indique pas clairement, il a été découvert dans le thon. Il eût été plus simple et plus explicatif de le dénommer « acide thonique », car… tonique. Le dernier de la chaîne, le plus important, porte le nom d'acide cervonique (alias DHA, son nom scientifique étant acide docosahexaénoïque, à vos souhaits pour vos essais de placer ce mot dans un concours d'élocution), car le cerveau représente la structure du monde vivant qui en contient le plus, expliquant pourquoi c'est dans cet organe qu'il a été découvert. Le cerveau frontal, spécifique à l'homme, représente même la région qui en est la plus riche, en même temps qu'elle est la plus noble ! Ce faisant, un tiers de la structure lipidique membranaire cérébrale est dérivé de l'alimentation, directement et obligatoirement ! En effet, dans le cerveau, un acide gras sur trois est poly-insaturé, oméga-3 et oméga-6.

Comment a-t-on découvert que la « vitamine F » constituait une graisse indispensable ? Voilà quelques décennies, certains chercheurs ont eu la surprise de constater que les animaux recevant des protéines de qualité, ainsi que l'ensemble des minéraux nécessaires et toutes les vitamines connues, mouraient cependant sans appel dès que leur régime alimentaire excluait toutes les graisses. Ils en ont fort logiquement déduit que le gras contenait un facteur indispensable ; qu'ils ont dénommé « vitamine F », car la vitamine E était déjà découverte. Cette appellation revient en force dans la publicité, notamment celle concernant les produits cosmétiques. En réalité, elle ne correspond pas à l'exacte définition d'une vitamine, laquelle impose au moins trois critères simultanés : être organique, être indispensable à la vie, être nécessaire à l'organisme en quantité très faible. Les acides gras poly-insaturés répondent aux deux premières obligations, mais pas à la troisième : des quantités importantes sont en effet nécessaires pour construire et maintenir l'ensemble des membranes biologiques de toutes les cellules, surtout celles des neurones. Par conséquent, leur contribution à l'apport calorique n'est pas négligeable : la prescription de 2 g quotidiens de l'oméga-3 ALA infère 18 calories, ce qui n'est tout de même pas considérable ; par contre, pour son compère acide linoléique (famille oméga-6), les 10 grammes journaliers nécessaires contribuent pour

90 calories (sur les 2 000 et plus, ingurgitées toutes les vingt-quatre heures, en moyenne...).
En l'absence des deux acides gras essentiels, la vie est donc strictement impossible, car les membranes biologiques ne peuvent pas se construire ; ni se maintenir, quand elles ont pu préalablement s'élaborer. Mais existe-t-il des carences ou des déficits chez l'homme, spécifiques en l'une ou l'autre des familles d'acides gras poly-insaturés ? Fort heureusement, sauf cas exceptionnel d'alimentation artificielle pendant plusieurs mois, il est difficile de ne pas absorber d'acide linoléique ; car il est présent dans la majorité des aliments, quoiqu'en quantité variable. Aucune insuffisance, élective et sérieuse, en cet acide, n'a donc été observée chez l'homme. Mais peut-être les investigations n'ont-elles pas été encore assez poussées.
En revanche des carences spécifiques en ALA ont été décelées chez l'homme. Historiquement, la première observation a porté sur une petite fille, soumise à une alimentation artificielle, qui présentait divers troubles, parmi lesquels des anomalies neurologiques. L'effet curatif de l'addition d'ALA dans sa ration alimentaire démontra pour la première fois l'effet absolument essentiel de cette substance chez l'homme. Depuis, ce résultat a été largement confirmé, grâce à de nombreuses autres études, portant sur tous les âges de la vie, notamment chez les personnes âgées. Mais les nourrissons – surtout leur cerveau – demeurent évidemment les plus sensibles à la carence en ALA.
Tenant compte de ces cas extrêmes, qui mettaient en évidence un certain nombre de symptômes, une pathologie de carence en ALA a été décrite chez le singe, puis chez l'homme. Bien avant que ne surgisse la mode des oméga-3, tous azimuts, un syndrome des sociétés modernes, à connotation psychiatrique, a été proposé, il y a plusieurs années, comme la conséquence d'une déficience en acides de la famille de l'ALA. Il aurait été (et serait encore) provoqué, entre autres, par certains régimes « cafétéria », « fast-food », par la négligence combinée de certaines huiles végétales, des poissons

et des fruits de mer. Il est donc indiscutablement très important de contrôler le mieux possible les quantités d'oméga-3 contenues dans l'alimentation : un minimum doit impérativement être apporté pour permettre aux membranes, y compris et surtout cérébrales, de posséder une composition judicieuse et un fonctionnement normal.

Globalement, l'intérêt nutritionnel d'un corps gras est proportionnel à son degré d'insaturation, mais aussi à sa fragilité. Plus il est fragile, meilleur il est pour la santé ! Mais cela ne signifie pas systématiquement qu'il soit le plus cher. L'huile de colza fut longtemps l'une des huiles de table parmi les moins onéreuses, sinon la moins chère, jusqu'à ce que son utilisation récente dans les moteurs de voitures et autres véhicules, provoque un engouement qui a entraîné une augmentation de son prix, mais elle reste encore très abordable.

Brièvement, quelles sont les propriétés attendues d'une huile végétale ? Pour l'acide linoléique, point trop n'en faut, la recommandation se porte donc sur celles de noix, de maïs, de soja et de tournesol, à la rigueur celle d'arachide et de colza. Pour l'ALA les élues exclusives sont les huiles de colza, noix et soja, sans omettre celle de lin (mais en combinaison avec une autre huile). Comme toutes les huiles contiennent des acides gras saturés, il est pertinent de sélectionner celles qui en sont les plus pauvres, parmi lesquelles se distinguent également celles de noix et de colza. Pour les acides gras mono-insaturés, le choix est libre car l'acide oléique est médicalement neutre voire bon, quand il n'est pas excellent, selon les critères. Globalement, plus il y a de mono-insaturés, moins les saturés sont présents.

En tête de la compétition arrive l'huile de colza (la plus oméga-3, la plus mono-insaturée, la moins saturée), suivie de celles de soja (mais l'enthousiasme doit être tempéré par la trop forte proportion d'oméga-6), de noix et de germe de blé. Les autres sont très largement distancées car elles n'apportent pas d'ALA, ou beaucoup trop peu, comme celle de maïs. En réalité, cet acide constitue le

facteur limitatif, puisque de très nombreuses huiles n'en contiennent pas du tout. En revanche toutes apportent, mais à des degrés variables, l'acide linoléique, l'acide oléique, les acides gras saturés... et, à des degrés strictement égaux, des calories. Certains incompétents affirment cependant sans sourciller qu'une huile insaturée doit être privilégiée par précaution, car moins calorique ; ne leur prêtez pas votre oreille ! Cet argument est fallacieux !
Le rapport oméga-6/oméga-3 vient d'être évoqué dans les lignes précédentes, à propos de l'huile de soja. Il est opportun de rappeler son véritable intérêt, car, pour simplifier les choses, il est souvent écrit, et encore plus fréquemment affirmé oralement, que seul le rapport oméga-6/oméga-3 est à prendre en compte, par précaution. Raccourci abusif, source d'erreur gigantesque, voire pivot de petites escroqueries (euphémisme par litote de qualification). Le nœud du problème se situe sur le mot « rapport ». En effet, comme il s'agit d'une fraction, d'un objet mathématique, deux opportunités s'offrent à nous : soit diminuer le numérateur, soit augmenter le dénominateur. Avant de vous livrer à l'une de ces interventions, sachez que votre alimentation courante vous apporte suffisamment d'oméga-6, voire un peu trop ; mais manifestement pas assez d'oméga-3 (la moitié des recommandations pour ce qui concerne l'ALA). Or, il existe deux façons de modifier le rapport, à la baisse. La première consiste à diminuer le numérateur, constitué des oméga-6 ; mais cette opération est strictement dépourvue d'intérêt car elle décroît ce qui est normal, tout en laissant inchangé le déficit en oméga-3. C'est précisément ce tour de passe-passe qui donne lieu à des fantaisies de communications. En revanche, deuxième opportunité, pour augmenter le rapport : accroître le dénominateur, c'est-à-dire les oméga-3 alimentaires, dont la consommation est très précisément insuffisante. C'est exactement ce qu'il faut faire. Chez les Esquimaux, ignorant les cardiologues pour cause de boulimie en poissons gras (et de viandes de mammifères marins), ce rapport était de 1/3, de 3 chez les Japonais de la côte, de 5 chez nos ancêtres depuis Cro-Magnon (les textes étant

pour le moins rares, témoignant des menus et recettes de l'époque ; les chercheurs ont examiné le contenu des restes de leurs foyers). Les recommandations varient de 4 à 5 selon les pays ; malheureusement, pour vous et moi, il oscille entre 15 et 50 ! Incidemment, Esquimau signifie : « mangeur de viande crue », c'est pourquoi ils préfèrent la dénomination d'Inuits qui veut tout simplement dire « hommes ».

Pour rééquilibrer le rapport, il n'y a pas photo : huile de colza et poisson gras. D'autant que les poissons ne contiennent que très peu d'oméga-6, même ceux qui vivent en eau douce et sont herbivores, comme la carpe.

Avant de préciser dans quelle mesure il est possible de modifier la valeur nutritionnelle du gras animal par l'alimentation de la bête, préalable à sa consommation par l'homme, il faut très brièvement rappeler où il se niche et quelle est son utilité. Très schématiquement, une grande partie sert de réserve énergétique. Elle se situe dans le tissu adipeux, évidemment ; mais aussi entre les fibres musculaires (la darne de saumon est persillée, comme l'est l'entrecôte), dans le foie de certains poissons (l'huile de foie de morue est la preuve spectaculaire de l'utilité du cabillaud) et des oiseaux migrateurs (d'où le physiologique foie gras, qui fait les délices de nos festins). Dans tous les mondes, pour les végétaux comme pour les animaux, ce gras est presque totalement constitué de constructions moléculaires simples dénommées triglycérides (associés à un tout petit peu d'esters de cholestérol). Une autre fraction notable du gras se trouve dans l'architecture des membranes biologiques, dont il assure l'existence, l'identité et l'intégrité, et constitue les socles de leurs fonctions ; il s'agit alors généralement de phospholipides. Le cerveau se remarque par le fait qu'il est l'organe le plus gras de notre corps (immédiatement après le tissu adipeux), sans qu'aucun lipide – aucun gras, donc – ait pour essence de constituer une réserve énergétique. Tout y est au contraire structure membranaire, des neurones en particulier ; preuve de la conséquence de la qualité du gras mangé sur les structures et les fonctions du cerveau, à travers la richesse en oméga-3, comme je l'explique dans mes précédents livres.

Sachant tout cela, il est relativement difficile de modifier la composition en acides gras des phospholipides constitutifs des membranes biologiques, identités et site fonctionnel majeurs de types cellulaires ; car leur spécificité est largement sous contrôle génétique. En revanche, la nature des acides gras des triglycérides de réserve (trouvés en quantités plus ou moins importantes selon les localisations anatomiques, c'est-à-dire les morceaux de boucherie), peut varier notablement en fonction de la nourriture reçue par les animaux. En les contrôlant, il est possible de contribuer à un meilleur état sanitaire des consommateurs. Mais, selon les morceaux, et surtout selon les espèces, l'efficacité de l'intervention varie considérablement.

En effet, la nature de la physiologie digestive du mammifère intervient de manière prépondérante. Pour faire simple, il y a des animaux qui ruminent, et d'autres qui ne le font pas. Cette caractéristique physiologique dépend très largement de leur fonctionnement intestinal. Les animaux qui ruminent sont qualifiés de « polygastriques », les autres de « monogastriques ». Deux mots qui ne sont pas dans le dictionnaire, curieusement. Allez vérifier, il n'y a rien entre « polygamie » et « polygénique ». Les uns ont plusieurs estomacs, alors que les autres n'en possèdent qu'un seul. Les bactéries intestinales du mammifère polygastrique transforment une grande part des aliments en substances simples, utilisées ensuite par l'animal. Quand elles sont hydrogénantes, elles transforment, en acides gras saturés, une fraction notable des acides gras poly-insaturés présents dans leur alimentation – dont les oméga-3 –, leur faisant perdre, pour certains, leur intérêt biologique. Les conséquences (qualitatives et quantitatives) des interventions des éleveurs (en mettant à profit les graines de lin) sur la composition de l'alimentation animale sont plus perceptibles chez les monogastriques (car l'aliment donné à l'animal est respecté) que chez les polygastriques. Il est donc beaucoup moins efficace d'obtenir des acides gras oméga-3 dans du lait, de la viande bovine ou du mouton, que dans les produits issus du cochon ou du lapin, par exemple. N'oubliez pas que Cléopâtre se baignait dans un lait de jument (ou d'ânesse) ; choix particulièrement judicieux, car ce lait est très riche en oméga-3, comme l'est d'ailleurs la viande de cheval. Pour nos nourrissons, il serait beaucoup plus pertinent d'élaborer les formules lactées à partir du lait de jument, qu'avec celui de vache. Mais la traite en est alors autrement plus compliquée, donc plus onéreuse. Il existait un bonheur nutritionnel belge, hélas disparu : les frites à la graisse de cheval. Même certains bains de friture peuvent (pouvaient ?) être recommandables !

Il convient de mettre à nouveau l'accent sur les poissons, dont la valeur nutritionnelle en termes de lipides (déterminée par la présence d'acides gras oméga-3) peut connaître une amplitude considérable selon la nature des graisses avec lesquelles ils sont alimentés (en élevage). L'objectif de prévention de certains aspects des maladies cardio-vasculaires (et d'autres pathologies) peut être favorisé ou, à l'inverse, contrarié selon la nature des acides gras présents dans la chair de poisson, conséquence directe de la nature des graisses avec lesquelles ils ont été nourris. Il en est de même pour les œufs, ceux qui sont dénommés « oméga-3 » ont une composition voisine de celle des œufs naturels, qui seront présentés dans quelques pages.

Quels sont les résultats obtenus ?

De telles performances sont atteintes en respectant strictement la physiologie des animaux, en copiant ce qui était généralement fait avec les méthodes traditionnelles. Il ne s'agit que de retrouver la composition naturelle de l'animal « sauvage » ! *Plutôt que d'opposer les coutumes traditionnelles aux méthodes modernes, il est préférable de retenir ce qui était bon dans les premières, afin de produire des aliments de la meilleure qualité nutritionnelle possible à l'aide des secondes.*

Le saviez-vous ?

Dans les meilleures conditions, en nourrissant par exemple les animaux avec des extraits de graines de lin ou de colza, la teneur en ALA est multipliée par 2 dans la viande de bœuf, par 6 dans celle de porc, par 10 dans le poulet, par 20 dans les œufs. En nourrissant les animaux avec des extraits de poissons ou d'algues (huiles) la quantité de DHA (acide cervonique) est multipliée par 2 dans la viande de bœuf, par 7 dans le poulet, par 6 dans les œufs, par 20 (au minimum) dans le poisson (le saumon, en l'occurrence).

Fort heureusement, en pratique, pour ne prendre en considération que les oméga-3, une équipe bretonne a montré que substituer une fraction de la nourriture destinée aux animaux par des graines de lin extrudées cuites n'augmente le coût de leurs aliments que de 5 % environ, qu'il s'agisse du bétail ou de la volaille ; ce qui correspond à un accroissement du prix total de l'élevage qui n'excède pas 1 à 2 % environ ! Avec, pour vous consommatrices et consommateurs, un résultat formidablement intéressant. Il devient possible de doubler exactement le contenu d'ALA dans le repas, et de frôler les recommandations. Par exemple, les œufs contiennent 12 fois plus de ce précieux acide gras, le lapin 10 fois plus, le poulet 4 fois plus, la viande de porc et le lait 3 fois plus ! Dans le même temps, préférer systématiquement l'huile de colza tout en gardant le poisson confine à la perfection nutritionnelle... Et tout cela sans modifier les habitudes alimentaires !

Bien que les produits laitiers ne recèlent que de faibles quantités d'oméga-3, le fait qu'ils soient consommés en fortes quantités leur confère une place importante dans les apports. Il en est de même des viandes (surtout de monogastriques, de type de porc ; et des volailles). Les projets d'amélioration de la valeur nutritionnelle des aliments les concernant sont donc intéressants, sinon obligatoires. En fait, il existe des résultats encore plus spectaculaires, mais ils sont le fruit de choix très pointilleux quant aux aliments donnés aux animaux. Leurs coûts ne sont donc pas négligeables.

L'influence de ce que consomment les animaux, avant qu'ils ne se retrouvent sous forme de viande dans une assiette, est illustrée par les traditions culinaires des Esquimaux. Ils mangent goulûment les poissons gras, les mammifères marins (eux-mêmes affamés de poissons), et les ours (quand ce n'est pas l'ours qui les mange), nourris eux-mêmes de mammifères marins ; la boucle est bouclée avec les poissons gras. Les menus de ces populations sont extraordinairement riches en oméga-3, du fait même de l'alimentation de ces mammifères. Ces habitudes alimentaires constituent l'exemple naturel d'animaux carnivores dont la valeur nutritionnelle de la viande dépend de ce qu'ils mangent ; ce qui justifie la possibilité de modifier le profil en acides gras des lipides, en donnant des graines de lin ou de colza à manger à des animaux d'élevage.

Alternative : un porc génétiquement modifié à l'épinard ! En implantant un gène de synthèse des acides gras insaturés de l'épinard à un porc, sa graisse contient 20 % d'acides gras saturés en moins... Un autre exploit a été obtenu, en greffant sur des cochons le gène d'un vers, *coenorabilis elegans* : des cochons oméga-3 ont ainsi été produits. En fait, la composition nutritionnelle a été déterminée sur un muscle particulier, celui de la queue. La queue de bœuf est excellente, et fait partie de notre patrimoine gastronomique, qu'en est-il de la queue de cochon OGM ? Le résultat est décevant : elle ne contient pas plus d'oméga-3 que n'en contiendrait une viande issue d'animaux nourris avec des graines de lin, voire même de ruminants nourris avec de l'herbe de printemps ! Sodomisation d'hyménoptères avec un gant de boxe ou perspective radieuse de nutrition humaine ?

➤ *Quel poisson manger ?*

Il convient de mettre vigoureusement l'accent sur les poissons, dont la valeur nutritionnelle pour l'homme en termes de graisses (de lipides) peut varier considérablement selon la nature des corps gras avec lesquels ces animaux sont alimentés ; en particulier quand il s'agit des quantités d'acides gras oméga-3. Il faut le souligner une fois de plus. L'objectif de prévention de certains aspects des maladies cardio-vasculaires (et d'autres pathologies) peut être atteint, ou au contraire contrarié, selon la nature des acides gras présents dans la chair de poisson, conséquence directe de la nature des graisses avec lesquelles ils ont été nourris. C'est très intéressant dans le domaine de la santé publique, et celle de chacun, car la consommation de poisson est prescrite avec une grande vigueur, parfaitement justifiée, dans tous les pays du monde.

Mais quelle référence prendre comme valeur nutritionnelle de poissons sauvages ? Prenons le saumon : 94 % de ceux que vous consommez proviennent d'élevage. Il existe des tables de composition concernant le saumon du Pacifique américain. Mais, bien que l'animal de là-bas se dénomme saumon, il est *Oncorhynchus*, alors que le nôtre est du genre *Salmo*. Comparer nos saumons atlantiques à ceux du Pacifique correspond donc à prendre un chat comme référence pour un lion. Avec un éleveur norvégien (car il n'y a – avait depuis peu, l'un ayant fait faillite – que deux élevages en France, l'un modeste et l'autre minuscule, hélas !), et pour le compte d'un distributeur, j'ai décidé d'analyser les teneurs en oméga-3 des saumons que nous consommons (Norvège, Écosse et Irlande). Le but fut d'établir les standards de composition pouvant tenir lieu de références pour la production de saumons en élevage. L'objectif est de permettre d'aligner les contenus en oméga-3 des saumons atlantiques d'élevage proposés au consommateur sur ceux de ces mêmes poissons, mais sauvages.

La différence des teneurs en graisses est tout à fait normale car tout poisson d'élevage est plus gras que son homologue sauvage, ne serait-ce que du fait qu'il fait beaucoup moins d'exercice physique. Ces saumons d'élevage (nourris majoritairement avec des huiles de poisson) étaient très riches en DHA (2,0 *versus* 1,1), en EPA (1,1 *versus* 0,6), et donc en oméga-3 totaux (4,7 g/100 g *versus* 2,2 g), et ce en proportion de leur teneur en graisses. Ils contenaient aussi d'appréciables quantités ALA (0,3 g/100 g *versus* 0,1). Il conviendrait donc, compte tenu de la composition des saumons sauvages déterminée dans ce travail, de définir une charte, que les distributeurs pourraient (devraient, selon moi) imposer à leurs fournisseurs, pour votre plus grand bien : les saumons d'élevage doivent présenter des teneurs minimales en EPA + DHA de 12 % à 14 % des acides gras totaux, dont environ la moitié de DHA. Les acides gras saturés doivent représenter moins de 25 % des acides gras, afin notamment de permettre les allégations santé.

Le saviez-vous ?

Le saumon est parmi les poissons les plus gras, donc potentiellement les plus riches en acides gras oméga-3, sauvage ou d'élevage, à condition que ces derniers soient nourris avec des oméga-3. Les teneurs en lipides étaient de 10 % chez le saumon sauvage et de 17 % chez le saumon d'élevage.

➤ *Quels œufs ? Pourquoi ne pas faire pour nos enfants ce que l'on réalise pour les poussins ?*

Dans le budget des ménages, hélas, la part consacrée à l'alimentation est déjà largement inférieure à tout ce qui concerne les dépenses de communication, c'est-à-dire le téléphone et la voiture. Mais il y a plus curieux encore : l'argent destiné aux animaux de compagnie dépasse parfois celui de la santé ! Il n'est donc pas surprenant que le secteur agroalimentaire consacré aux animaux de compagnie représente celui qui a engrangé le plus important taux de croissance et les plus forts taux de profit ces vingt dernières années : un boom que l'on dit de civilisation ! Les aliments pour chiens et chats sont (beaucoup ?) plus étudiés que ceux qui sont offerts à nos enfants ! La longévité des animaux de compagnie augmente, comme celle de l'homme ; et même mieux, plus et plus vite, car on impose aux animaux de manger le progrès, alors qu'ils ne connaissent ni le tabac (sauf le tabagisme passif), ni l'alcool… En d'autres termes, les aliments pour animaux de compagnie seraient plus élaborés que ceux qui sont donnés à nos nourrissons et à nos enfants.

Afin qu'une poule soit au mieux de sa forme, elle reçoit une nourriture optimisée, avec tout ce qu'il faut d'acides gras indispensables, de vitamines, de minéraux et de protéines ! Car une bonne production, économiquement rentable, impose ses exigences. Pour que l'œuf soit de qualité et donne naissance à un superbe poussin, qui deviendra rapidement un succulent poulet comestible, tout est pris en compte. Y compris le développement de son minuscule cerveau de volatile, qui s'élabore avec le contenu du jaune, d'autant mieux qu'il contient des oméga-3. Or, ce type d'œuf – en fait l'œuf naturel, sauvage – fut utilisé pour élaborer les meilleurs laits pour nourrissons (dont la composition est la plus proche de celle du lait de femme). Mais ce n'est pas le cas de tous les œufs, hélas. Malheureusement donc, les œufs que mangent couramment nos petits enfants n'ont pas la valeur nutritionnelle que l'on attend d'eux.

Car un dogme a prévalu jusqu'à une date récente : dès l'instant que la chose était pondue par une poule, qu'elle avait une forme ovoïde et se dénommait œuf, elle se devait d'avoir une composition inaltérable, quelle que soit la nourriture donnée aux poules pondeuses. L'animal était considéré comme une usine de transformation parfaitement efficace, qui produisait des œufs identiques et égaux, indépendamment de sa nourriture. Or, l'oiseau gallinacé n'est pas un animal granivore exclusif obsessionnel, les grains de maïs ou de blé ne sont pas sa seule « pâture » naturelle. Il mange en effet de surcroît force verdure, et même limaces, escargots, vers de terre, voire serpents ; précieux aliments qui lui apportent des oméga-3. Une chercheuse grecque vivant en Amérique du Nord, Artemis Simopoulos, s'en est rendu compte en comparant, à des œufs *made in US* les œufs crétois traditionnels, c'est-à-dire des œufs « sauvages », issus de poules arpentant une vaste campagne leur prodiguant ses bénéfices alimentaires, infiniment plus que les quelques mètres carrés des AOC, label et bio. Résultat étonnant pour l'époque : elle a dosé 20 fois plus d'oméga-3 dans les œufs crétois ! Depuis, des œufs, normalement constitués en oméga-3, sont obtenus en nourrissant les poules pondeuses avec des extraits d'algues, ou bien avec des graines de lin, ce qui est plus aisé et surtout en accord avec la tradition. Toutefois, il est difficile de trouver ces œufs dans les linéaires des magasins, alors qu'eux seuls, ou presque, devraient y être mis en vente.

Les oméga-3 ne sont pas les seuls à pouvoir être valorisés. Récemment un œuf naturellement riche en nombre de nutriments, dénommé Benefic, a été mis sur le marché : en comparaison avec le produit standard actuel, il contient 3 fois plus de vitamine D, 4 fois plus d'acide folique (la vitamine B9), 6 fois plus de vitamine E et de caroténoïdes dénommés lutéine et zéaxanthine (deux caroténoïdes dont il sera question dans quelques lignes), 2,5 fois plus d'iode, 4 fois plus de sélénium. Non pas enrichi, mais tout simplement naturellement « sauvage ». Un œuf qui nous donne à manger ce que la nature a prévu de nous offrir dans les œufs naturels ! Une véritable mine nutritionnelle capable de pourvoir aux ANC (apports nutritionnels conseillés). Incidemment, le terme « enrichi » peut être mal interprété. En effet, ces œufs, riches de manière parfaitement naturelle, ont été interprétés comme étant enrichis. Quelques questions étonnantes ont alors fusé, en particulier : mais comment fait-on pour enrichir en perçant à travers la coquille ? Déconcertant, mais authentique !

Ce type d'œuf est bien évidemment celui qui s'impose à la consommation, il devrait constituer la règle, et non pas l'exception, compte tenu de ses avantages bien définis, mesurés sur le consommateur. La présence de cholestérol n'est plus un inconvénient majeur. Il a même été comptabilisé que ceux qui abusent de ces œufs ne voient pas leur cholestérol sanguin augmenter, au contraire de ceux qui consomment des œufs « standard ». Ils sont bons pour la femme enceinte, dans le cadre de sa santé personnelle, de la qualité de sa grossesse et de la santé de son futur nouveau-né. Pour l'enfant, ils améliorent ses paramètres biologiques et son acuité visuelle. Chez les seniors, ils s'avèrent excellents pour maintenir un bon état cardio-vasculaire, entre autres. Du fait de la présence de lutéine et zéaxanthine, qui s'accumulent dans la rétine, ils pourraient prévenir la DMLA (dégénérescence maculaire liée à l'âge) et même la cataracte. La transparence affichée du luxe de précautions, contre les toxiques et les bactéries, occulte la pauvreté nutritionnelle. AOC, IGP, bio et autres, voilà qui est excellent, mais d'intérêt modeste en termes de valeur nutritionnelle pour le consommateur, si la nourriture de la poule pondeuse n'est pas adaptée à l'animal, dans le respect de sa physiologie et de son développement durable.

Que manger : des animaux sauvages ou d'élevage ? Quels enseignements tirer de l'observation de l'alimentation des animaux sauvages pour nourrir au mieux ceux d'élevage ? À travers l'histoire des civilisations, l'humanité est passée des animaux sauvages (qu'il fallait chasser pour se nourrir, alors qu'il conviendrait maintenant de les préserver), aux animaux apprivoisés, c'est-à-dire domestiques comme leur nom l'indique. Pour devenir des animaux de rente (tel est leur nom officiel), dépersonnalisés, invisibles dans leurs vies et leurs mises à mort, et dont le consommateur ne connaît que les morceaux ; et, parfois, pas même la forme vivante. À l'opposé des animaux de compagnie, élevés au rang d'animaux d'excellence. Refuser de manger des produits animaux, à commencer par les fruits de mer et les œufs, peut générer des dommages de santé considérables, si ce comportement promeut le végétalisme (ni œufs, ni lait et laitages, ni fruits de mer, ni viande d'aucune sorte ; uniquement du végétal). Déjà, les Anglais refusent la viande de cheval, les Américains écartent celle de lapin, au prétexte que les enfants aiment tant ce charmant compagnon. Il n'y a encore que les Chinois pour ne pas souffrir de tabous alimentaires. Pour combien de temps ? Après les exclusions religieuses et les refus intello-dogmatiques, que restera-t-il dans notre assiette ? Tout un programme d'évolution !

Où pourrait se situer la frontière du végétarisme ? Le débat est ouvert et donne lieu à force affrontements et à encore plus d'injures. Si l'on résume le dogme à l'absence de consommation d'êtres vivants qui ont conscience de leur existence, quel critère choisir ? Celui de la douleur se révèle le plus pertinent. Or sa perception implique un début de système nerveux coordonné. Le pugilat végétariens-végétaliens fixe la démarcation entre la moule et la crevette. Notre relation à l'animal et au végétal risque d'être chamboulée ! La crevette aurait plus d'âme que l'huître et la moule, qu'en est-il des plantes et des fleurs, surtout lorsqu'elles sont carnivores !

En fait, le prix de notre complexité biologique à payer, lui permettre de vivre et de s'exprimer, est dépendant de la consommation de produits animaux ; et, bien évidemment, de végétaux aussi. Quelques exemples sont démonstratifs. L'intestin de l'homme, contrairement à celui du primate, n'absorbe que très mal le fer des végétaux, mais il sait capter efficacement celui des viandes, on le dit « fer héminique » ; il faut donc manger les aliments qui contiennent ce fer, au moins des fruits de mer et certains poissons, ensuite de la viande rouge, enfin et surtout du boudin noir. La biosynthèse de la vitamine B12 est extrêmement complexe, aucun animal et presque aucun végétal ne sont capables de la réaliser. Sinon il ne pourrait rien faire d'autre, ou presque. Ce sont donc les bactéries intestinales de certains animaux (notamment les ruminants) et les algues qui en ont la responsabilité, au service de toute forme de vie un peu complexe. C'est pourquoi, elle est présente dans nombre de viandes, dans les produits tripiers, dont le foie, et enfin, en très grandes quantités dans les huîtres et les moules ; sans négliger les œufs.

➤ Trans, *mais pas sympa !*

Les acides gras *trans* posent un problème : leur présence peut créer d'importants risques cardio-vasculaires. Entre autres. Au nom du principe de précaution, ces acides gras *trans* ont été interdits d'existence dans certaines contrées, certains états des États-Unis, par exemple. Absurdité déconcertante, car ils sont présents de manière parfaitement naturelle dans tout ce qui est issu des ruminants, par conséquent dans les viandes, les laits et les produits laitiers. À très faibles doses, certes. Ce n'est pas la présence d'acides gras *trans* qui crée un danger, ni leur absence qui est un gage de bonne valeur nutritionnelle, seule leur dose et leur nature chimique sont à prendre en considération. Une fois de plus, pour répéter l'un des véritables leitmotive de ce livre : *c'est la dose qui fait le poison, tout est bon, tout est poison !*

Il existe deux classes d'acides gras *trans* : ceux présents dans les aliments issus de ruminants et ceux produits par l'industrie (ainsi que par certaines technologies de cuisson). Les premiers pourraient recéler des molécules intéressantes en terme de santé, les autres sont presque uniformément détestables. Les premiers sont chimiquement différents des seconds, bien qu'appartenant à la même famille. Par comparaison, alors que tous deux sont des champignons, le cèpe de Bordeaux n'est pas une amanite.

Les acides gras *trans* existaient en masse dans certains aliments, principalement du fait des processus industriels d'hydrogénation destinés à solidifier les huiles végétales, afin de les transformer en margarines. Ils sont toujours abondants dans nombre de crackers, snacks, apéritifs, biscuits, chips… lesquels sont fabriqués à partir d'huiles mono-insaturées ou poly-insaturées, qui sont chimiquement en partie hydrogénées par l'industrie pour obtenir des acides gras saturés, beaucoup moins fragiles… et moins bons encore pour la santé, à de telles doses ! Il faut savoir que les insaturations (c'est-à-dire les doubles liaisons chimiques entre deux atomes de carbone) sont physiologiquement de nature « cis », exprimant le fait que les deux « morceaux » de la chaîne carbonée sont situés du même côté de l'insaturation, quand on la représente en structure plane. Dans un acide gras *trans*, elles sont de part et d'autre, ce qui n'est pas physiologique.

Afin d'en rajouter dans le chapitre de la terreur, une célèbre émission de télévision a très récemment titré son reportage : « Les acides gras transgéniques. » Voulant sans doute donner un fond de tableau OGM à un sujet qui en est totalement exempt.

➤ *Les micronutriments non indispensables*

Situons ces micronutriments, dont certains sont d'un genre nouveau. Tout d'abord, comme leur nom l'indique, ils ne sont présents qu'en quantités infimes dans notre alimentation habituelle, ce qui n'exclut d'ailleurs pas leur intérêt biologique. Sinon, on n'en parlerait pas. Quelques-uns sont même qualifiés d'indispensables, il s'agit alors des vitamines et des oligoéléments. Depuis quelques années, les micronutriments non indispensables sont valorisés. Parmi ceux-ci émergent les polyphénols, les tanins des vins, les flavonoïdes des huiles végétales vierges (pour ce qui les concerne, ils proviennent presque exclusivement de l'huile d'olive, car c'est à elle que l'on s'intéresse) et enfin les caroténoïdes. Toutes ces substances sont qualifiées de non indispensables, car leur absence ne signifie ni la maladie ni la mort, alors que c'est le cas pour les vitamines et les oligoéléments ; en revanche, *leur présence confère une valeur ajoutée de santé.* Pour ce qui concerne les polyphénols des végétaux, la culture influe sur leur quantité, mais peu sur leur qualité ; le choix de l'espèce et du cultivar s'imposera en fonction de la sélection de l'un d'entre eux dans un objectif de santé du consommateur. Les caroténoïdes sont une classe intéressante de micronutriments ; l'homme les trouve bien évidemment dans les végétaux (nul n'ignore les vertus de la carotte, mais sa teneur en bêta-carotène varie de 1 à 10 selon les espèces), mais aussi dans les produits animaux destinés à la consommation humaine ; point important, leur présence peut y être modulée considérablement par la qualité de la nourriture donnée aux animaux. Il faut donc en parler.

Les caroténoïdes constituent une famille d'environ 500 molécules, principalement formées de pigments solubles dans les lipides (c'est-à-dire liposolubles, dissous dans les graisses, pour rappeler cette définition). Ils génèrent un nombre considérable de couleurs visibles dans la nature. Ils participent par exemple aux innombrables colorations des oiseaux. Comme, sauf famine rare ou maladie psychiatrique grave, nous ne mangeons pas les plumes des oiseaux, nous en « perdons » la majeure partie. Il en reste tout de même 24 environ, trouvés dans le sang et les tissus humains, dont seulement 2 dans les yeux. Les plus étudiés sont le bêta-carotène, le lycopène, la lutéine et la zéaxanthine. Le bêta-carotène appartient à la classe des carotènes. Tout en étant précurseur de la vitamine A, il possède d'importants rôles complémentaires qui lui sont propres. En fait, parmi la cinquantaine de caroténoïdes capables d'être transformés en vitamine A, le bêta-carotène est celui qui possède la plus grande activité provitaminique.

Le lycopène, un autre caroténoïde, abondant dans la tomate, a été très étudié dans le cadre de la prévention de certains cancers, notamment celui de la prostate ; car il est également présent en grandes quantités dans ce tissu. La lutéine et la zéaxanthine (qui appartiennent à une sous-famille des caroténoïdes dénommée xanthophyles) ne sont pas transformées en vitamine A, contrairement au bêta-carotène ; mais elles possèdent des propriétés biologiques intrinsèques exceptionnellement intéressantes au niveau de la rétine, voire de tout l'œil d'une manière générale. Qu'en est-il, que sont-elles ? En quoi, et pourquoi, nos aliments en contiennent des teneurs variables ?

Examinons le cas de l'œuf, qui offre l'avantage de contenir simultanément du bêta-carotène, de la lutéine et de la zéaxanthine, c'est-à-dire trois caroténoïdes majeurs en santé humaine. La lutéine contribue pour 70 % à la coloration des œufs, à côté d'une vingtaine d'autres caroténoïdes. Le premier intérêt porté à la lutéine (et à la zéaxanthine) réside dans sa nécessité de présence dans l'alimentation des poules pondeuses, afin d'assurer la pigmentation du jaune. Dans cet objectif, entre diverses sources végétales, l'utilisation d'algue a même été évoquée ! Mais attention ! La nuance du jaune varie selon les pays (comme d'ailleurs la teinte de la coquille). Les habitants de certaines contrées exigent des jaunes d'une couleur soutenue. Pour l'obtenir, l'éleveur ajoute certains caroténoïdes. Or, sur le plan nutritionnel, tout se joue dans cet ajout, précisément, et ce à deux niveaux. D'abord, nombre de ces substances n'étant pas des précurseurs de vitamine A, leur présence induit une diminution de la valeur nutritionnelle de l'œuf. Ensuite, facteur aggravant, dans le tube digestif de la poule, ainsi que lors de l'élaboration de son œuf, elles entreront en compétition avec les quelques caroténoïdes d'intérêt (lutéine, zaxanthine et quelques rares caroténoïdes qui sont, quant à eux, des précurseurs de la vitamine A), ce qui minore leurs teneurs ; par une sorte d'encombrement au portillon des transporteurs. Prendre un œuf dont le jaune est bien soutenu n'est donc pas systématiquement une bonne précaution, contrairement à ce qui est souvent imaginé, dit et écrit !

Pour ce qui concerne la lutéine et la zéaxanthine, l'œuf se situe à la charnière entre la plante et l'animal. En effet, ces substances sont généralement présentes, en quantités notables, presque exclusivement dans ce qui relève de la botanique, l'œuf faisant donc exception au sein du monde animal. Il contient toutefois moins de lutéine et de zéaxanthine que les végétaux, mais leur efficacité biologique y est bien meilleure pour nous. Car la biodisponibilité des caroténoïdes est fonction de l'environnement alimentaire avec lequel ils sont absorbés. Les autres substances, présentes simultanément dans l'aliment ou le repas, induisent des variations de cette biodisponibilité, positives ou négatives. Des études ont montré que l'association de graisses (les lipides) l'augmente notablement. Par ailleurs la localisation dans la structure de la plante (le chloroplaste) interfère avec la formation de micelles dans l'intestin (par exemple avec la pectine), diminuant cette biodisponibilité ; cette réduction est partiellement levée par la cuisson. L'œuf fait exception. D'autant que la nature lipidique du jaune, avec le cholestérol (200 mg/jaune), les triglycérides (4 g/jaune) et les phospholipides (1 g/jaune), associée aux vitamines liposolubles (vitamine A, E et D), tous augmentent considérablement l'efficacité de capture digestive de la lutéine et de la zéaxanthine. Bref, bien que l'œuf en contienne moins que les végétaux, ils sont très fortement digestibles, donc nutritionnellement efficaces.

Pour la vision, l'intérêt biologique de la lutéine et de la zéaxanthine réside dans leur capacité d'accumulation sélective dans la région maculaire de la rétine (région centrale de la rétine, son « cœur » étant lui-même dénommé fovéa ; elle permet la vision des couleurs et celle des détails), où elles participent à l'efficacité de la vision. Anatomiquement, en allant du centre vers la périphérie de la rétine, la concentration en zéaxanthine décline rapidement, tandis que celle de la lutéine décroît plus progressivement. Ces deux substances pourraient donc prévenir la dégénérescence maculaire liée à l'âge (dont l'acronyme, très connu est : DMLA), une maladie de la vision qui affecte environ 20 % des personnes âgées de plus de 75 ans ; en France, elle menace directement 1,2 million de personnes de plus de 50 ans. Elle s'avère aussi la première cause de cécité (définie comme étant une acuité visuelle inférieure ou égale à 1/20 pour le meilleur œil). Or, actuellement, cette maladie est pratiquement incurable (sauf, depuis très peu, des injections de facteurs de croissance, directement dans l'œil) ; les stratégies prophylactiques sont donc capitales. Ces substances se retrouvent aussi dans le cristallin, leur rôle dans la prévention de la cataracte est donc très logiquement pressenti. Des travaux très récents montrent que ces molécules peuvent être quantitativement augmentées dans l'œuf par une alimentation appropriée des poules pondeuses. Résultat spectaculaire, la consommation d'œufs ainsi enrichis de manière parfaitement naturelle a permis d'accroître les concentrations des deux caroténoïdes dans le sang de volontaires humains, ce qui induit leur augmentation dans la rétine. Il est maintenant admis que la cataracte comme la dégénérescence maculaire liée à l'âge, sont presque deux fois moins fréquentes chez les sujets dont la teneur du sang en ces substances est élevée par rapport à ceux dont la teneur est basse.

L'un des rôles de la lutéine et de la zéaxanthine est de rendre meilleure la vision, et de la préserver, en particulier par protection de la rétine contre les UV et par filtration de la lumière bleue, qui est nuisible à la structure et donc à l'activité des photorécepteurs visuels, et d'ailleurs aussi à l'épithélium pigmentaire rétinien. Le rôle d'antioxydant est certainement important, d'autant que la rétine et le cristallin sont soumis à un stress oxydatif notable, conséquence de la présence simultanée de lumière (qui favorise la formation d'espèces chimiques radicalaires) et d'oxygène, comme en témoigne, par exemple, leur grande vascularisation. En tout état de cause, la lutéine et la zéaxanthine constituent de meilleurs antioxydants que l'alpha et le bêta-carotène.

Existe-t-il d'autres micronutriments non indispensables ? Vaste sujet. En effet, d'autres molécules peuvent être impliquées : les CLA (dont l'un, acide gras *trans* digne d'intérêt plutôt que de rejet, porte le doux nom d'acide ruménique, car fabriqué dans le rumen des ruminants !), et même peut-être une nouvelle « vitamine » décrite récemment comme telle, la vitamine PQQ (pirroloquinoline quinone), qui relèverait du groupe des vitamines B. Les vigueurs de leurs recommandations au titre de la précaution en vue d'entretenir une bonne santé n'ont d'égales que le flou des argumentations scientifiques et médicales qui l'étayent. Il faut attendre encore quelque temps pour en parler valablement, sinon sérieusement.

➤ *Productivité ou qualité ?*

La productivité des élevages se doit d'augmenter, mais sans laisser pour compte la valeur nutritionnelle. Le prix des protéines animales n'a cessé de décroître, si bien que la poule au pot du dimanche a fait place à la cuisse de poulet journalière. Simultanément, les teneurs en graisses ont beaucoup diminué, le rapport poids de graisse sur poids de carcasse a chuté de 50/50 en 1960 à 20/80 quarante-huit ans plus tard, mais dans le même temps la note gustative est passée de 3 à 1, qu'elle soit attribuée par des jurys ou par M. Tout-le-Monde… Cela est-il moins bon parce que moins gras, ou est-ce le gras lui-même qui est moins appétissant ? Les porcs sont abattus à 5 mois : rapidité de croissance actuelle et rapport optimal entre le coût des aliments et celui de l'élevage des animaux. Un poisson est comestible à 2 ans, un poulet au terme de quelques semaines. Est-ce seulement spécifique à chacun de ces animaux ou bien la longueur de « maturation » induit-elle un goût plus agréable associé à une meilleure valeur nutritionnelle ?

Craindre la vache folle et dévaster les mers

Impuissants à agir sur la réalité, les maîtres censeurs prétendent la plier au verbe.
Élisabeth LÉVY, *Les Maîtres Censeurs*

À la suite d'un duel course-poursuite médiatique entre un président de la République et son Premier ministre, tous deux de bords politiques différents pour ne pas dire opposés, il a brutalement été décidé d'exclure, totalement et sans nuances, les farines animales de l'alimentation animale. Mais, vache folle oblige et principe de précaution impose, celles issues des animaux terrestres. Les farines sont des protéines. Négligeant que nombre d'animaux, terrestres et marins, pour ceux que l'homme consomme, sont carnivores (dont 70 % des poissons) et souvent exclusivement carnivores, carnassiers. *Ils ne peuvent donc pas s'affranchir de manger des produits issus d'autres animaux.* C'était oublier que les poissons que nous consommons sont le plus souvent d'élevage (94 % du saumon, près de 100 % des truites), que toute poule pondeuse doit ingérer quelques protéines animales pour être capable de pondre suffisamment, de même qu'une truie pour être apte à engendrer tous ses petits, une vache laitière pour produire un minimum (un maximum ?) de lait. Absurdité de la précaution poussée à l'extrême, on est allé jusqu'à interdire aux animaux les restes des carcasses de ceux que nous avions nous-mêmes consommés (exclusion évidemment de tout le système nerveux et des amygdales, entre autres) ! Il a bien fallu aller chercher les protéines animales encore autorisées, là où elles se trouvaient : dans les mers.

Cette précaution démesurée génère deux dangers bien réels : la dévastation des mers, véritable catastrophe écologique, aggravée de la perte d'une irremplaçable classe d'aliments pour l'homme !

Le fourrage des mers ! Tel est le nom prêté à la « récolte » de la pêche minotière. Le poisson est ainsi affublé du nom d'un végétal. Car, par définition, le fourrage est constitué de plantes servant à la nourriture du bétail et son étymologie signifie « paille ». Or près de la moitié de la pêche mondiale actuelle est dévolue à la production industrielle d'aliments pour animaux… Quelle perte et quel gâchis ! D'autant que les besoins en protéines des poissons sont importants, eux qui retiennent dans leurs seuls muscles 50 à 70 % des protéines synthétisées par l'ensemble de leur corps, alors que pour les mammifères le pourcentage n'est que de 25 à 35 %. Malheureusement, *pour les poissons, les protéines végétales terrestres sont manifestement inappropriées, dans la mesure où il leur manque quelques-uns des fameux acides aminés indispensables* ; la nature n'a pas prévu que les poissons mangent de la luzerne, du pois, du lupin ou de la féverole ; en attendant le topinambour.

Le saviez-vous ?
Pour produire 1 kg de saumon, il faut pêcher 4 kg de poisson « tout-venant » pour en extraire les protéines…

Globalement, nourrir des poissons avec exclusivement des protéines végétales exclusivement ne se révèle pas adéquat, à plusieurs niveaux. Tout d'abord en ce qui concerne l'appétence : ils ne les apprécient que modérément. Ensuite, sur le plan de leur digestibilité, qui est généralement réduite. Puis leur impact sur l'état sanitaire : elles induisent chez les poissons une immunodépression, évidemment regrettable, même en élevage. Ensuite, elles affectent la fécondité et la reproduction : trop de protéines végétales diminuent de moitié environ le nombre de mâles ! Enfin, sur le plan organoleptique, ce n'est pas bien pour le consommateur, qui juge l'aliment moins bon ; surtout cru, impact moins perceptible quand il est cuit, curieusement.

En pratique, ce respect des besoins en acides aminés indispensables constitue le problème majeur de la nutrition du poisson. Car les choses ne sont pas aussi simples que ne le laissait présager la découverte d'Osborne et Mendel : des rats nourris avec la gliadine de blé (« la » protéine de cette céréale) finissent par en mourir. Dès que l'on ajoute du tryptophane, un acide aminé présent en quantités trop restreintes dans la céréale, on stabilise le poids. Quand on ajoute en plus de la lysine (un autre acide aminé indispensable, trop faiblement représenté dans cette protéine), la croissance pondérale reprend. En effet, toute protéine végétale est généralement déficitaire en un ou deux parmi les dix acides aminés indispensables ; ils sont les mêmes pour le mammifère et le poisson, mais les exigences s'expriment à des degrés différents. L'organisme animal, quel qu'il soit, en a obligatoirement besoin, alors qu'il est incapable de les fabriquer ; il doit impérativement les trouver dans son alimentation. La tentation est bien entendu de prendre une farine de protéines végétales, de l'enrichir avec l'acide aminé dont il est déficient, et de penser que le tour nutritionnel est joué. Faux. Car le tube digestif ne sait pas bien capter l'acide aminé « tout nu ». Pour être biodisponible, celui-ci doit en réalité (et en pratique) constituer la partie intégrante d'une chaîne d'acides aminés divers, soit courte (on parle alors de peptide) soit plus longue (il s'agit de protéine). Avec des différences selon les espèces. Actuellement, rien n'est maîtrisé ou presque, surtout au niveau de la grande production pour les élevages. Ainsi donc, la juxtaposition besogneuse d'acides aminés purs s'avère insuffisante, car la physiologie de ces poissons conserve encore une bonne part de mystère ; incidemment, celle des humains est encore plus énigmatique.

Soit dit en passant, en Australie, les kangourous ont largement été utilisés pour faire des farines animales. Mais pas encore les autruches, ce qui est prudent, car ce sont les seuls oiseaux qui puissent subir l'encéphalopathie spongiforme. En effet, un cas au moins a été découvert dans un zoo de Berlin.

➤ *Élevage des poissons : l'avenir ?*

Pour nourrir l'humanité, l'élevage des poissons est devenu une absolue nécessité. D'autant que, si l'on n'y prend garde, seul le poisson d'élevage risque de pouvoir être à terme garanti sur le plan sanitaire. En effet, de nombreuses mers sont polluées, sous toutes les latitudes, par toutes sortes de substances, y compris par le fameux mercure qui défraie régulièrement la chronique, par les dioxines, les PCB, la radioactivité. Récemment, les redoutables perturbateurs endocriniens y ont été démasqués. Réellement préoccupants, ils devraient remporter un immense succès en termes de communication médiatique : pensez donc, toucher aux « coucougnettes » des garçons ! Au point qu'il risque de devenir impossible de garantir la sécurité des produits de la pêche, sauf à imposer toutes sortes de dosages au débarquement de chaque chalut, ce qui est évidemment tout aussi utopique qu'onéreux. Soit dit en passant, fût-ce au risque de choquer, les pêches – et donc *a fortiori* les élevages de poissons – sont comparables à des forêts : il n'y a aucun risque pour l'environnement, ni pour la pérennité du biotope, si les individus sont tués ou prélevés avant leur mort naturelle. L'important est que le stock soit renouvelé, pour être constant. La forêt est plus belle, à l'échelle humaine, quand les arbres sont régulièrement coupés, sans attendre que les sujets adultes dépérissent et meurent : cela représente une perte de temps aggravée de risques sanitaires. Pendant les dernières années de leur existence, ils ne gagnent presque plus en volume, et ne prennent donc plus de valeur ; en revanche, ils accumulent les maladies.

Les variétés de poissons d'élevage sont désormais très nombreuses : saumon, bar, truite, flétan, turbot, daurade et même esturgeon depuis peu ; sans compter les espèces élevées dans des pays exotiques, aussi lointains qu'opaques. Il devrait être imposé que leur nourriture soit judicieusement sélectionnée, pour leur permettre d'élaborer, et donc de contenir, ces nutriments si précieux pour l'homme qui les consomme. Sachant que leurs chairs en abondent quand ils vivent à l'état sauvage. Car tous les poissons d'élevage ne contiennent plus forcément de fortes quantités de vitamine D, ni les fameuses précieuses bonnes graisses, les oméga-3. En effet, seuls sont capables d'en stocker ceux qui mangent ce que la nature leur a prévu comme nourriture, c'est-à-dire des zooplanctons ou d'autres poissons, pour ceux qui sont qualifiés de carnivores. Si tel n'est pas le cas, leur chair n'en offrira que très peu.

Cela pourrait devenir de plus en plus rare, à cause des réglementations toujours plus draconiennes, et de la disparition de la ressource marine.

Le saviez-vous ?

Le saumon d'élevage peut contenir vingt à quarante fois moins de « médicament naturel » (les oméga-3) que celui qui est sauvage ; sauf à être nourri avec des huiles de poisson... Fort heureusement, la plupart des fermes européennes (ce n'est pas le cas ailleurs) élèvent encore les poissons en leur donnant des graisses sélectionnées et conformes à leurs besoins en oméga-3.

Pourquoi ? Parce que les huiles de poisson constituent actuellement les sous-produits des protéines, c'est-à-dire des farines de poisson ; comme telles, elles ne sont pas chères. En effet, étant donné leur fragilité (du fait précisément de leur richesse en oméga-3), elles s'oxydent aisément, rancissent donc. Le résultat en est un goût détestable (même pour du poisson) associé à une odeur épouvantable. Les farines de poisson sont donc dégraissées, pour être commercialisables. De plus, nombre de contaminants (les dioxines par exemple) solubles dans les graisses, vont se concentrer dans l'huile en question. Ils sont donc désormais presque absents des farines – dégraissées –, les valorisant d'autant. Nombre de ces huiles sont détruites, car leur outrancière contamination par la dioxine (ou d'autres substances) dépasse la limite imposée par le législateur ! Pour respecter la norme, quelques producteurs d'huiles destinées aux élevages de poissons parviennent à contourner les règles, en mélangeant une huile très peu contaminée, avec une autre qui l'est fortement ; de manière que le résultat soit juste en dessous de la barre. Cette pratique défavorable devrait être interdite, ce qui ne manquera pas d'enchérir le coût des huiles de poisson. En bref, moins de poisson « tout-venant » du fait de la dévastation des mers pour produire des farines induit « mécaniquement » moins d'huile disponible. À cela s'ajoutent des règles sanitaires plus draconiennes. Tout concourt à une élévation du coût, au point d'obliger à utiliser d'autres corps gras. Le nœud et le cœur même du problème, le site du drame nutritionnel et sanitaire pour le consommateur. Selon le choix de ce corps gras !

Le saumon ne sachant que difficilement élaborer les bonnes graisses (parmi les oméga-3, il s'agit du DHA et de l'EPA) à partir des précurseurs trouvés dans les huiles végétales (les composants de la vitamine « F » que nous avons rencontrés), il n'existerait que deux possibilités : soit les nourrir avec des graisses d'autres poissons, soit faire fabriquer ces composés par des plantes OGM… Quelques autres solutions sont heureusement envisageables : nourrir les poissons herbivores comme les carpes, pour qu'elles servent d'alimentation aux espèces carnivores, mais est-ce rentable économiquement ? Ou encore cultiver à très grande échelle des algues ou des micro-organismes dans des réacteurs (tel est le nom de ces lieux de production). En tout état de cause, les poissons puisent leur énergie principalement dans les graisses, car ils ne savent pas bien digérer les glucides complexes ; il suffit d'ailleurs d'observer les mers pour constater que les céréales y sont pour le moins rares !

Les lisiers et les déjections des animaux d'élevage sont l'objet de campagnes de sensibilisation bruyantes, en Bretagne particulièrement, comme nul ne peut l'ignorer. Mais la mer est, elle aussi, atteinte. Par exemple, la Norvège produit plus de matière fécale avec ses élevages de poissons qu'avec ses humains... Ils le savent, osent le dire et résolvent le problème au mieux, par des mesures de filtration, entre autres. La difficulté de gestion de l'environnement n'est donc pas toujours là où l'on pense qu'elle se trouve. La situation est pour le moins trouble avec nombre de pays, en Asie et en Amérique du Sud, pour ne donner que deux exemples. Outre les déjections, que dire des restes de nourriture ? En théorie, pour des raisons économiques, cela ne devrait pas exister. C'est alors que se pose le problème de l'origine de ce qui est donné à manger aux poissons. Avec un vocabulaire qui n'aide pas à la tâche : un déchet pour l'homme ne l'est pas pour les animaux ou les plantes ! Donc plutôt parler de sous-produits ou de coproduits ! Car le mot déchet souffre d'une connotation négative ; alors, que traditionnellement, les animaux de ferme étaient nourris avec les restes et les déchets de l'alimentation humaine.

➤ *Précaution consternante : poisson plutôt que bifteck*

Une vieille précaution, en fait un très ancien précepte, prétend que la viande la plus maigre serait plus grasse que le poisson le plus gras ! Comme s'il y avait le monde des poissons, dont l'extrémité la plus grasse touche le monde des viandes par son bout le plus maigre. Totalement faux. Il faut tordre le coup aux poissons qui sont tous maigres et aux viandes toutes grasses. Contrairement à cette idée imposée, la totalité des poissons n'est pas maigre, tous ne sont pas gras non plus ; pas plus que l'intégralité des viandes n'est pas plus grasse que n'importe quel poisson. Il suffit de consulter la moindre table de composition des aliments pour en être convaincu.

Le saviez-vous ?
Le jambon cuit et le bifteck se situent au beau milieu des poissons maigres ; le rosbif, l'escalope de dinde et le faux-filet dans la zone des poissons mi-gras. Finalement, l'entrecôte et les côtelettes de mouton ou de porc sont moins grasses que certains poissons, comme le maquereau ou l'anguille. Bien mieux, le maquereau est aussi gras... que le camembert.

Toutefois, ses graisses n'ont pas la même composition, ni la même valeur nutritionnelle.

Pour ce qui concerne les poissons crus, les teneurs en graisses sont extrêmement variables. Pour ne considérer que des poissons usuels, les teneurs ne sont que de 1 % environ pour la limande et le cabillaud cru (ou cuit à la vapeur), mais environ 10 % pour la sardine crue et le saumon cru (un peu plus quand il est fumé ou cuit à la vapeur), de 15 % pour le hareng cru, de 18 % pour le maquereau (21 % quand il est cuit au four, ce qui augmente logiquement la teneur en graisse) par déshydratation. Attention : une même dénomination peut cacher deux poissons dont la teneur en graisse est très différente : le thon albacore contient 2 % de graisses, le thon commun 6 %.

Les graisses constituent la « poésie » des viandes : elles participent à leurs goûts caractéristiques et parfois subtils. L'expérience est bien connue, réalisée avec des dégustateurs professionnels ou des consommateurs : un morceau de blanc de poulet (haché menu pour éliminer l'identification de la texture) a le goût du porc, du poisson, du veau ou de cheval selon la graisse qui lui est ajoutée ! Ce qui peut provoquer des méprises. Ainsi, au printemps, pour perdre quelques kilos il est fréquent d'entendre conseiller de manger de la volaille. Comme la consommatrice n'est pas masochiste, elle choisit le pilon car il a du goût ; elle ignore simplement que cette qualité est la conséquence de la présence de gras.

Le saviez-vous ?
Avec sa peau, un petit pilon de poulet contient huit fois plus de graisse que le bifteck. Sans la peau, il reste tout de même encore quatre fois plus de graisse !

Certes, lc cochon est plus gras que le mouton, qui l'est plus que le bœuf, qui l'est lui-même plus que le poulet ; mais dans chacune de ces espèces certains morceaux sont maigres et d'autres sont gras.

Par conséquent, deux recettes de pot-au-feu peuvent induire des teneurs en graisses très différentes, selon qu'ils sont confectionnés avec du plat de côte (16 % de lipides) ou du jarret (4 % de lipides). D'ailleurs, tout cuisinier amateur sait bien qu'un minimum de plat de côte doit apporter son onctuosité et son goût, sinon le mets est trop « sec ».

Après le choix du morceau, la cuisson a-t-elle une influence sur la teneur en graisses ? La grillade – par précaution – n'élimine pas toutes les graisses, loin s'en faut ; de même que l'utilisation de matière grasse dans une préparation n'est pas toujours un facteur déterminant de la teneur en lipides. En effet, une grillade peut parfois être plus grasse qu'un plat en sauce. Par exemple, une part d'entrecôte grillée contient encore 12 % de lipides, alors qu'une part « réglementaire » (c'est-à-dire non consommée à la louche) de bourguignon n'en contient que 7 %.

L'anecdote est instructive et amusante. Pour définir les propriétés perçues par les sens, Eugène Chevreul se distingua ; lui qui inventa la chimie et l'industrialisation des graisses, et qui vécut cent trois ans. En étudiant les corps gras, il proposa de les qualifier d'organoleptiques ; mot qu'il forgea à partir du grec *organo leptikos*, qui signifie « organe qui prend ». En effet, il se trouva dans la quasi-obligation de créer cet adjectif en tentant de mesurer les propriétés physiques et chimiques de substances et d'aliments ; car il constata que leurs aspects, leurs couleurs et surtout leurs goûts ne pouvaient pas se mesurer, ni même simplement s'évaluer, sans introduire dans la bouche une substance grasse. D'autant que les corps gras (beurre, saindoux, suifs, graisses diverses) ne donnent ni la même sensation ni le même goût selon la température, les consistances étant différentes. Le *Littré* de 1865 atteste de cette origine.

Il est même possible pour un consommateur – *a fortiori* pour un membre de jury de dégustation – dont le palais n'est pas trop inerte, de faire la différence entre un saumon d'élevage qui a été nourri avec des aliments contenant des huiles de poisson et un autre avec des huiles végétales !

CHAPITRE 4

Pollutions et infections

Jusqu'ici, cet ouvrage a surtout dénoncé idées reçues, fausses croyances, manipulations diverses. Mais de vrais dangers nous guettent bel et bien au détour de notre assiette, vous dites-vous. En particulier le « chimique », que ne suscite-t-il comme craintes ! Là encore, vous allez le voir, les choses ne sont pas si simples. Voici comment vous y retrouver.

L'allergie alimentaire

La peur de l'allergie pourrait conduire à ne plus rien manger. Par précaution. Car tout le monde est allergique à quelque chose, toujours. Il existe des allergies fréquentes, à l'arachide ou au latex, par exemple. D'autres sont plus rares. Sans oublier le blé, de moins en moins rarement mis en cause. *La précaution est donc de lister sur les étiquettes l'intégralité des composants présents* (fût-ce à l'état de trace), au titre du risque d'allergie… et de joindre une loupe gratuite pour que l'acheteur parvienne à la lire !

Le saviez-vous ?

Pour ce qui est des enfants, 90 % des allergies sont dues aux œufs, au lait, aux arachides.

Principe de précaution oblige, en restauration collective, une multitude d'aliments sont désormais exclus, au (juste) prétexte qu'une personne pourrait être allergique à l'un d'entre eux. À ce titre, on prive donc la collectivité, c'est-à-dire la quasi-totalité des convives, d'une diversité alimentaire qui leur est pourtant indispensable. Ainsi crée-t-on un véritable danger de déficits, voire de carence. Cette politique ayant montré ses limites, nombre de municipalités isolent les enfants allergiques dans des lieux qui leur sont réservés et où ils mangent des repas préparés par leurs parents. Les dangers administratifs susceptibles de découler d'un accident allergique à l'école devenant énormes, de grosses municipalités envisagent d'interdire les cantines aux allergiques déclarés ! En effet, laisser les enfants allergiques au milieu de leurs copains et copines pendant la « cantine » s'est avéré dramatique dans certains cas exceptionnels, car certains ont subi la très mauvaise plaisanterie d'un autre qui leur glissait subrepticement l'aliment dangereux dans leur repas, quand ce n'était pas de manière innocente ou accidentelle. Parfois même, l'enfant allergique absorbait lui-même l'aliment dangereux, sous le chantage du « t'es pas cap » !

➤ *Trop de précautions, danger pour les nourrissons ?*

Donner à nos nourrissons des formules lactées qui leur sont adaptées relève de la nécessité la plus élémentaire, évidemment ; elles ne doivent pas être source d'allergies. Cette obligation se transforme en une outrancière précaution pédiatrique, en France, qui compte plus de 200 formules en rayonnages de pharmacies et distributeurs, alors que le Canada n'en dénombre que 20 et la Suède 2. Pensez-vous sérieusement que les petits de ces pays soient mal pris en compte ? Cette prolixité hexagonale cache une mauvaise maîtrise des problèmes. Ces formules lactées hypoallergéniques sont d'ailleurs différentes selon les pays. Il s'agit d'hydrolysats de protéines, poussés à des degrés divers. C'est-à-dire que les peptides sont plus ou moins grands, alors que les résidus de protéines allergisantes sont de longueurs diverses. Sachez qu'il existe encore mieux : le comté, très affiné (pendant deux ans). Il ne contient plus que des acides aminés et n'est donc, en rien, allergisant.

Au prétexte des allergies, on voudrait retarder la diversification alimentaire des nourrissons. Or, à partir de 4 mois, ils attrapent tout ce qui est à portée de leur main, pour le mettre dans leur bouche, y compris des aliments, des morceaux de pain par exemple. Cet état d'avancement neurologique est compatible avec une alimentation.

Le saviez-vous ?
Il vaut mieux donner au tout-petit du lait entier, plutôt que demi-écrémé. Ne serait-ce que pour respecter ses besoins énergétiques.

Et ne pas se laisser impressionner par la joute titanesque de quelques pédiatres, qui affirment que la diversification trop précoce induit des allergies, pour ensuite se rendre compte que le fait d'attendre en crée encore plus, faute d'avoir préparé l'organisme.

Le saviez-vous ?
À partir de 4 mois, il faut garder le lait et ajouter d'autres aliments.

En cas d'allergie au lait de vache, il existe des laits élaborés avec des protéines parfaitement hydrolysées pour les besoins de la cause : ils ne sont donc absolument plus allergisants, tout en conservant l'intégralité de leurs avantages nutritionnels, en particulier quant aux rapports entre les acides aminés indispensables.

Le saviez-vous ?
Le lait de soja doit maintenant être refusé sans aucune restriction.

➤ *Éviter le bouc émissaire*

Très importante en pratique, la sensibilisation, déterminée par les tests, n'est pas une maladie qui impose de supprimer les aliments incriminés, surtout lorsqu'on en consomme régulièrement !

L'allaitement maternel protège l'enfant de son environnement, c'est-à-dire de celui de sa mère elle-même. En revanche, les laits de femmes pris dans des banques de lait sont pratiquement sans intérêt sur les infections infantiles. Incidemment, le lait de femme protège immédiatement le nourrisson contre les infections, mais ne prévient pas l'obésité à 80 ans, ce qui a tout de même été avancé !

Le saviez-vous ?

Certains enfants, dont la diversité alimentaire avait été énormément réduite par les parents après la découverte de réactions aux tests de sensibilisation, sont devenus maigres, leur croissance et leur prise de poids se sont considérablement ralenties. Après renutrition, tout est rentré dans l'ordre. L'allergie se définit par la clinique, confirmée par des tests associés à des dosages biologiques.

Souvent évoquées à tort, mais restant malgré tout encore fréquemment sous-estimées, les vraies allergies alimentaires sont, en pratique, de diagnostic assez difficile. Comment réagir devant une manifestation cutanée anormale qui pourrait être attribuée à une allergie alimentaire ?

D'autant que l'allergie constitue une sorte de joker médical : on fait parfois (souvent ?) appel à elle quand on ne sait trop quoi diagnostiquer ! La modestie est de rigueur, la science et la médecine ne savent pas tout sur tout, loin s'en faut.

Le saviez-vous ?

Les symptômes doivent se manifester moins de trois heures après l'ingestion de l'aliment incriminé ; avec quelques variations qui peuvent porter le délai à cinq heures ou être induites par l'aspirine, l'alcool ou le sport. Accuser un aliment consommé deux jours avant relève de la fantaisie.

Tout n'est pas allergie alimentaire ; souvent, pour la mettre en cause, le pas est franchi, qui sépare l'extravagance de la folie ! La contrariété ne constitue pas une allergie, le voisin indélicat n'a pas besoin d'être croqué pour donner des boutons. De même pour une allergie à la campagne, à la musique rap ou bien à une politique autant désapprouvée qu'incomprise.

Six allergies sur dix surviennent chez des personnes reconnues comme ayant une tendance constitutionnelle ou héréditaire à présenter des réactions d'hypersensibilité immédiate (elles sont qualifiées d'atopiques) ; l'association avec un syndrome respiratoire est très fréquente. L'hyperconsommation d'un aliment peut être à l'origine d'une réaction, de même que les perturbations des défenses et du fonctionnement du tube digestif ; en fait, dans ce dernier cas, il s'agit de fausse allergie alimentaire.

Le saviez-vous ?

Concernant la véritable allergie aiguë, ses manifestations cutanées sont très variables. Elle débute brutalement peu de temps après la prise de l'aliment, l'intervalle de temps allant donc de quelques minutes jusqu'à une ou deux heures, tout au plus, en général. Elle peut être déclenchée par un effort physique. Un œdème peut se démasquer, en particulier au niveau des lèvres qui gonflent démesurément. À l'extrême, elle peut provoquer un grave choc anaphylactique ; rarement une gingivite ou une stomatite.

Les irritants du tube digestif sont parfois impliqués. En effet, la muqueuse intestinale peut être rendue perméable aux allergènes (antigènes) alimentaires. Sont fréquemment incriminés l'aspirine, les anti-inflammatoires non stéroïdiens (c'est-à-dire ceux qui ne sont pas à base de corticoïdes), certains antibiotiques… et même les laxatifs, l'ingestion régulière de moutarde et d'épices, les candidoses intestinales, les colites de fermentation dues à l'excès de féculents, les parasitoses et… l'alcoolisme. Les aliments libérateurs d'histamine sont mis aussi en cause, comme ceux qui en sont riches. Mais l'« allergovigilance » est d'actualité… car les cellules de notre sang recèlent dix fois plus d'histamine qu'il n'en faut pour nous tuer. Il serait malvenu de provoquer une avalanche de cette substance.

Les allergies chroniques évoluent de façon progressive ou par poussées, sans être obligatoirement accompagnées de signes cutanés, digestifs ou respiratoires. Les substances déclenchantes sont généralement les mêmes que pour l'allergie aiguë, mais les allergènes sont plus difficiles à identifier : aliments simples, « classiques », mais aussi additifs, conservateurs et même contaminants. Les manifestations chroniques sont principalement représentées par une urticaire, une aggravation de la dermatite atopique, un eczéma des paumes des mains ou de la plante des pieds, et bien d'autres symptômes encore.

Le saviez-vous ?
L'eczéma se manifeste au-delà de 24 à 48 heures de contact, jamais en quelques minutes. Alors que seulement 5 % des urticaires sont allergiques (urticaire type : celle provoquée par les orties), la réaction doit se faire en moins de 12 heures pour les aliments, moins de 24 heures pour les médicaments.

L'urticaire chronique n'a presque rien à voir avec l'allergie, rien avec la tartrazine, qui a pourtant défrayé la chronique.

➤ *Qu'est-ce qu'une allergie ?*

Une protéine allergisante est constituée d'un long enchaînement d'acides aminés, replié plusieurs fois sur lui-même. On distingue deux types d'épitopes, c'est-à-dire de sites (formés de successions d'acides aminés) allergisants. Tout d'abord les « points de colle » au niveau des repliements. Présents sur l'aliment cru, ils sont détruits par la chaleur de la cuisson. Voilà pourquoi certains sont allergiques à la pomme crue, mais pas à celle qui est cuite. D'autres enchaînements spécifiques en acides aminés résistent ;

l'allergie se manifeste alors quelle que soit la forme d'absorption. Ils sont parfois proches de ceux qu'on trouve sur un aliment totalement différent : on dit alors qu'il y a allergie croisée.

Inversement, une substance peut porter le même nom dans nombre d'espèces. C'est le cas de l'albumine. Mais la formulation chimique de la protéine n'est pas identique chez chacune d'entre elles. Selon le degré de parenté, le risque de réaction allergique sera plus ou moins important. Ainsi, l'albumine de lapin ressemble à 91,3 % à celle de l'homme, celle de cheval à 87 %, de porc à 70 %, de bœuf ou d'agneau à 65 %, de poulet à 45 %. En théorie, moins il y a de différence, plus grand est le risque de développer une allergie. Mais n'éliminez pas pour autant par précaution le poulet, car les allergiques à cet oiseau sont pour le moins rares.

Le saviez-vous ?

Finalement, le même aliment peut être la source de trois types d'allergies différentes. Prenons pour exemple le thon : qui risque d'être impliqué au titre de son histamine, de la présence d'anisakis et du fait de la nature propre de ses protéines !

Des protéines très allergisantes, que l'on dénomme « protéines de transfert lipidique », existent dans des végétaux très divers, qui n'affichent aucune parenté botanique. Plus complexe encore, l'allergie dépasse les clivages entre les mondes végétaux et animaux, elle ne s'intéresse pas aux particularités des espèces. La chitnase des fruits de mer croise avec la banane, l'avocat, la châtaigne et le latex !

Le saviez-vous ?

Attention aux allergies croisées : l'allergie à un pollen peut induire celle à un aliment ! Gare aussi aux allergènes masqués, qui se retrouvent plus ou moins subrepticement dans une multitude d'aliments : l'arachide, la moutarde, le sésame, le céleri, les épices, etc.

En Suède, de nombreux décès ont été déplorés à la suite d'une consommation de soja. Ainsi, il y a quelque temps, l'accident est resté dans les mémoires, une chaîne de grande distribution a été accusée d'avoir causé la mort d'une jeune fille qui avait absorbé des nems contenant de l'arachide. La responsabilité du vendeur réside alors dans le défaut d'inscription de sa présence sur l'étiquette. L'arachide est d'ailleurs cachée dans bien d'autres aliments ; plus particulièrement sa protéine, qui, peu onéreuse, sert de support d'arômes. L'huile de première pression contient des allergènes, contrairement à l'huile raffinée (cela a été vérifié, y compris chez des allergiques reconnus). Mais pas d'affolement : en France ne meurent chaque année (ce qui reste beaucoup trop) que 100 personnes environ par choc anaphylactique, un quart d'entre elles à la suite de piqûres d'hyménoptères, probablement autant à la suite de l'absorption d'aliments. Éliminer le risque consisterait à ne plus manger, ce qui est somme toute infiniment plus dangereux que de prendre le volant (huit mille morts par an) ou même que d'être hospitalisé (autant de morts par maladies dites iatrogènes) ; ou bien encore de fumer la cigarette du condamné, qui tue à coup sûr.

Le saviez-vous ?

En mars et avril, les allergiques au pollen de bouleau découvrent que les pommes, les noisettes, les poires, les abricots, les prunes, les cerises, le céleri leur sont inconfortables : il s'agit de réactions croisées. En revanche, pas de problème avec les fruits cuits, car les allergènes sont le plus souvent détruits par la cuisson.

Dans le même esprit, les traitements non seulement culinaires, mais industriels, peuvent faire disparaître les substances, rendant consommable un produit dangereux à l'état natif.

Il convient de prendre des gants avec l'allergie ! Vérifiez ainsi que les personnels de cuisine de votre « cantine » habituelle n'utilisent pas de gants en latex : des microfragments pourraient se retrouver subrepticement dans votre assiette et provoquer des crises. Car le latex contient 250 protéines identifiées, dont 65 sont allergisantes. Le latex-OGM-analergique n'est pas encore au point ! Si le kiwi arrivait aujourd'hui sur le marché hexagonal… il serait immédiatement interdit du fait des nombreuses allergies qu'il induit. Car le fameux principe de précaution rend frileuses les administrations.

La nature étant bien faite, quand un être vivant est stressé, fût-il une plante, il réagit. Notamment en élaborant des protéines spécifiques, que l'on dénomme protéines de choc. Or celles-ci sont particulièrement allergisantes ; d'autant que, par définition très robustes, elles résistent à la chaleur de la cuisson, au pH des préparations culinaires, aux enzymes qui se libèrent lors des processus de cuisine. Or, pour forcer la maturation après la cueillette, on utilise par exemple l'éthylène, ce qui constitue un authentique choc ! Chez le modeste navet, il donne une protéine proche de l'hévéine. Donc, attention non seulement au caoutchouc, mais aussi à tout ce qui « croise ».

Ce n'est pas du folklore : l'allergie peut même se manifester sous forme pulmonaire, à la suite d'une fausse route, provoquant l'inhalation de fragments d'aliments.

Excellente nouvelle : aucune allergie au cacao n'est connue !

➤ *Quand le naturel est pire que le synthétique*

Petite histoire de colorants : à l'époque de Napoléon Ier, les uniformes devaient être très vivement colorés. Car, conséquence de l'énorme fumée engendrée par la poudre, notamment par celle des canons, le champ de bataille devenait très rapidement un vaste nuage dans lequel il était difficile de différencier les amis des ennemis. Seule la vive couleur des uniformes permettait d'éviter des méprises catastrophiques. Plus tard, quand la poudre devint moins fumeuse, cette obligation vestimentaire se retourna contre les soldats : ils devenaient des cibles trop visibles pour des fusils de plus en plus précis et performants. La prévention se devait donc d'habiller les soldats de la couleur de la nature. Ce que ne fit pas l'état-major criminel des armées avant la guerre de 1914, conservant un temps les uniformes rouges, teintés d'un colorant naturel, la garance, produite dans le sud de la France. Pour deux motifs. Le premier était très martial : tradition et honneur. Le second était misérable : assurer la survie d'une industrie bien représentée à la Chambre des députés. Quand l'hécatombe fut manifeste et surtout après que les incompétents furent limogés (les généraux furent exilés dans la bonne ville limousine de Limoges), les uniformes furent moins rutilants, donc moins dangereux.

Le saviez-vous ?
Les colorants les plus dangereux sont de loin ceux qui sont naturels !

Le naturel n'est pas forcément le moins allergisant. Par exemple, le rouge carmin (obtenu en écrasant des femelles de cochenille grillées) est très allergisant, tout comme le paprika.

Le bisulfite donne un eczéma de contact, qui n'est pas une allergie ; il est bien connu des blanchisseuses. Les bisulfites libèrent du SO_2, très irritant pour les bronches ; on en trouve dans les vins, les fruits séchés, les aliments blanchis. Nombre de vins rosés sont blanchis au SO_2, qui y barbote pendant un certain temps.

Gare donc, si vous êtes vulcanologue amateur !

Le saviez-vous ?
Une exploration de volcans peut être mortelle pour ceux qui souffrent d'asthme, car le SO_2 dégagé aggrave considérablement les crises.

Les tatouages estivaux (ou d'autres saisons) sont réalisés avec des produits peu purs, pour ne pas dire pollués, surtout quand il s'agit de henné qui contient, entre autres, du paraphenylène diamine. Par allergie, il provoque une inflammation locale, dans la zone du tatouage, suivie d'une dépigmentation ! Le tatouage est ainsi surligné, hélas ! Mais il y a eu sensibilisation à cette substance, qui est présente dans 80 % des colorants.

En tout état de cause, ce n'est pas le repas de réconfort après la séance de tatouage qui doit être incriminé !

Le saviez-vous ?

Pour nombre de tatoués, il devient impossible de pratiquer quelque teinture capillaire que ce soit. Pire, la molécule contaminant le henné se retrouve dans de multiples colorants de vêtements, en particulier ceux qui sont noirs ou foncés, qu'il leur devient impossible de porter...

Que penser du glutamate ? C'est une substance naturelle, qu'on trouve dans le corps, sous forme libre ou bien comme partie prenante dans la composition de nombreuses protéines, y compris alimentaires. Dans le cerveau, elle constitue un neuromédiateur. Le cerveau doit être protégé par une structure de fortifications biologiques extrêmement puissante, la barrière hémato-encéphalique, sinon l'intrusion du glutamate alimentaire provoquerait des courts-circuits.

Les allergies aux protéines des OGM sont massivement évoquées et servent de puissants repoussoirs à leur encontre. La vérité oblige à dire qu'un fruit OGM s'est effectivement révélé allergisant du fait de l'introduction d'une nouvelle protéine, mais il n'a jamais dépassé le périmètre du laboratoire. Il n'a évidement jamais été commercialisé. Si l'on en parle, c'est uniquement parce que les expérimentateurs ont eu l'honnêteté de le révéler. Mais il reste évident que ce risque n'est pas absent des innovations que le futur nous réserve. Il suffit de lire la liste intarissable des ingrédients figurant sur les étiquettes pour subodorer que de nouvelles allergies peuvent se dévoiler avec de nouvelles substances : les glucides « tripatouillés » et les multiples amidons modifiés (comment, avec quoi ?), les dextrans, le mannitol, pour n'évoquer que les noms simples.

Le saviez-vous ?

Le célèbre syndrome du restaurant chinois n'est que l'accumulation de fantasmes et de manifestations subjectives, il ne repose sur aucune nosologie sérieuse.

La prudence des toxicologues, les frayeurs du législateur

L'abus du principe de précaution a pour effet pervers d'éliminer des aliments pourtant intéressants, voire indispensables. Le développement considérable des dosages des substances, en précision comme en sensibilité, explique que des quantités infinitésimales deviennent aisément détectables. Par ailleurs, les techniques de dépistage ont progressé en nombre et en qualité. Paradoxalement, la diminution des seuils de détection provoque une augmentation du seuil d'émotion ! Mais pourquoi donc, bien souvent par précaution, appeler les toxicologues, puis le législateur pour épiloguer, alors qu'il ne s'agit le plus souvent que de simples traces de substances inoffensives à de tels niveaux ?

Les progrès des techniques de dosages laissent croire, par effet de prisme, que la pollution s'amplifie. Car on finit par trouver de tout, presque partout. Les activistes de la contamination, arc-boutés sur le lobby des dosages et ses appareils ultrasensibles, imposent des normes de plus en plus basses, pas toujours justifiées. Alors qu'il est évident que chaque fois qu'on se situe en dessous du seuil toléré par la législation, on n'entre pas forcément dans la zone dangereuse. Certains journaux n'en font pas moins leurs choux gras en publiant des listes d'aliments dans lesquels on a découvert des substances indésirables. Cette présence ne signe pourtant pas un risque de toxicité ! Finalement, par précaution, on ne pourra bientôt plus rien manger, car on trouvera toujours quelque chose ! 0 résidu, 0 détection de contaminant reste impossible.

La médecine n'échappe pas à ce travers. Les progrès des techniques de dépistage donnent de la même manière l'impression que les risques s'amplifient, avec l'accroissement de la sensibilité des détections.

Encore faut-il rester prudent et ne pas s'affoler. En effet, bien que beaucoup plus de cancers soient détectés, la mortalité n'augmente pas en proportion, elle diminue même souvent. Car, du fait de son dépistage précoce, la tumeur est traitée très tôt, et peut alors être définitivement éradiquée. Incidemment, des dizaines de milliers de nouvelles molécules ont été synthétisées entre 1930 et 1950. Si leur avènement était en relation avec les cancers, ceux-ci auraient dû exploser trente ans après, c'est-à-dire dans les années 1960-1980, ce qui n'est pas vraiment le cas. Le tabagisme reste le seul coupable de l'accroissement de certains cancers, comme ceux du poumon.

Le saviez-vous ?

L'augmentation du nombre des cancers du sein est plus que partiellement liée à la généralisation des mammographies ; celui de la prostate, avec les dosages des PSA.

Le saviez-vous ?

Le déséquilibre alimentaire contribue de plus en plus à l'augmentation des cancers. Globalement, si le tabac et l'alcool sont responsables de 50 % d'entre eux, il le serait à hauteur de 20 % (pour ceux du sein, de l'utérus, de la prostate, du rein et du colorectum).

Il faut impérativement rappeler que les progrès de l'hygiène de vie ont contribué à une diminution de nombre de pathologies. En cinquante ans, le nombre de cancers de l'estomac a énormément diminué, grâce au réfrigérateur, comme nous l'avons déjà vu.

Un nombre immense de molécules sont sans danger pour l'homme, car son organisme sait ne pas les digérer (elles se retrouvent alors dans les selles) ou bien les neutraliser (en particulier dans le foie) pour les excréter, dans les urines entre autres.

Le saviez-vous ?

Chaque repas apporte environ 20 000 substances diverses, qui sont écartées pour la quasi-totalité d'entre elles. Si elles étaient toxiques, il y a bien longtemps que l'on aurait arrêté de manger, faute d'être vivant !

➤ *L'enfer des seuils*

Le problème n'est donc pas de savoir ce qui est présent dans un aliment, mais s'il est réellement toxique. Où est l'avenir à cet égard ? Non pas dans le développement des performances des dosages, mais dans la mise au point des normes biologiques. Au lieu de quantifier une molécule précise, il serait plus pertinent d'évaluer les effets d'un produit (combinaison d'un grand nombre de substances) sur un système biologique donné. Si la réponse était positive, alors la recherche des substances à incriminer se justifierait. Ainsi, récemment, des tests ont été mis au point pour discerner la présence de perturbateurs endocriniens. Ils avaient recours à des cultures de cellules, mais aussi à l'expérimentation animale, car l'intégration biologique totale est constituée par l'être vivant, si possible un mammifère, proche de nous. Mais quels animaux sélectionner ? Et faut-il même en utiliser ? L'angélisme de la précaution – finalement dangereuse – a trouvé une triste illustration au Parlement européen : il a interdit les tests cosmétiques menés sur les animaux. Résultat : il a validé implicitement les enfants cobayes, à l'époque en Roumanie, ailleurs depuis que ce pays est intégré à l'Europe ! Le législateur ne devrait-il pas se préoccuper aussi de l'efficacité des cosmétiques, et pas seulement de leur absence de toxicité ? Sinon, le cobaye devient le consommateur. Désirez-vous vous badigeonner la peau avec un onguent qui n'a été testé nulle part ?

Détecter la présence d'une substance est certes utile, mais le dosage de sa quantité constitue une obligation. D'autant que, dans une certaine mesure, l'accumulation n'a pas toujours vocation à être toxique ! D'ailleurs, face à ce problème, la réaction est très variable d'un pays à l'autre. Entre le Canada et les États-Unis, la dose réglementaire acceptable de dioxine varie dans une fourchette de 1 600 !

Le débat sur l'effet de seuil fait rage. Nous avons déjà parlé de quelques escarmouches. Il repose sur des modélisations qui sont loin de faire l'unanimité. En particulier pour ce qui concerne le cancer. L'illustration en a été donnée avec le « saumon cancérigène ». Selon l'existence de cet effet ou non, en fonction des méthodes de calcul, des recommandations, sur la base des mêmes chiffres de contamination, le même auteur préconise une consommation allant de 1 fois par mois, devant un auditoire, à 2 fois par semaine, devant un autre ; expert girouette ! C'est consternant !

➤ *Que faire, en pratique ?*

Le toxicologue se donne des marges de sécurité considérables. Tout d'abord, il expérimente sur au moins trois espèces d'animaux : rat, ruminant (vache ou chèvre) et poule pondeuse. La dose sans effet (DSE) est déterminée par une intoxication sur le rat pendant deux ans, c'est-à-dire pendant toute sa vie, ce qui correspond à quatre-vingt-dix ans pour l'homme. Cette DSE déterminée, il calcule alors la dose journalière acceptable (DJA) en la divisant une première fois par 10 pour tenir compte des différences interspécifiques (l'homme n'est pas un rat), puis encore par 10 pour inclure les variations intraspécifiques (tous les hommes ne sont pas identiques). Lorsqu'il s'agit des enfants, quand notamment les *babyfoods* sont en question, il divise encore par 10 ; ce qui ne relève pas de la simple précaution, mais de la parfaite logique, car le foie et le rein du petit enfant sont 10 à 100 fois moins efficaces pour éliminer les déchets, donc les toxiques. Étant donné qu'un rat, un lapin, une poule ou un homme ne pèsent pas le même poids, la DJA est exprimée en quantité de substance par kilo de poids vif. Soit observé en passant, le facteur 100 correspond à la différence de taille entre une herbe sauvage et un baobab.

Comme la dose est généralement proportionnelle au poids, la DJA × 60 donne le crédit toxicologique (car l'homme moyen pèse 60 kg). Ce mode de présentation est obligatoire.

DSE et DJA concernent le toxique, mais qu'en est-il en pratique pour les aliments ? Pour répondre à cette question, le toxicologue détermine d'abord l'AMJT (apport journalier maximum théorique), qui inclut un facteur de consommation (le foie gras peut en théorie se payer le luxe d'être plus pollué que le pain, car on en consomme très peu) ; puis il calcule un facteur de réduction inhérent à l'aliment (la cuisson, le chauffage, le traitement, le fait de peler, etc.), ce qui permet de déterminer l'AJE (apport journalier estimé). En pratique, on commence par calculer l'AJMT, si la valeur obtenue est dans la norme, il est inutile d'aller chercher plus loin. En revanche, si la valeur est limite, on détermine alors l'AJE, qui donne, presque par définition, une valeur plus basse.

Réalité que la précaution fait oublier fréquemment, *il ne faut pas systématiquement s'affoler de l'absorption unique d'un aliment pollué* ! De même qu'une « cuite » ne rend pas cirrhotique, une surdose ponctuelle de toxique n'est pas obligatoirement dangereuse. Dans cet esprit, les toxicologues, outre les DJT, ont créé une nouvelle notion : l'excursion temporaire au-delà de la DJT ! En effet, il est quelque peu excessif de fixer des normes très sévères pour tous les aliments, dans toutes les conditions. *La limite exigée par le législateur ne correspond pas encore au début de la toxicité. Dès l'instant qu'elle se trouve dépassée, il existe une marge de sécurité qui est souvent (presque toujours) considérable.* L'intoxication par un homard contaminé avec un produit chimique est restreinte en proportion directe de l'épaisseur du porte-monnaie ! Certaines substances sont d'un usage extrêmement limité. Ainsi, le tétraborate (le borax), quant à lui, n'est utilisé que dans le caviar. Le risque de toxicité est donc limité par celui de sa consommation ! Le célèbre Francisque Poulbot participa, en son temps, à un concours d'affiche publicitaire pour le borax ; mieux, il s'agissait du « bi-borax oriental ». Il le gagna, à l'âge de 19 ans seulement, grâce à son merveilleux coup de crayon ; dans un style Toulouse-Lautrec, d'ailleurs. Il dessina une petite fille qui débarbouillait sa poupée. La publicité rédactionnelle stipulait que le produit était « pour la toilette, l'hygiène et la beauté de la peau, dans les soins intimes, pour nettoyer, fortifier et embellir les cheveux, pour conserver et nettoyer les dents, pour nettoyer les brosses, peignes et éponges. Pour la conservation des aliments et pour laver les légumes, pour le nettoyage de tous les objets de cuisine et vêtements, pour le soin des animaux ». L'antiseptique universel ! Largement utilisé en son temps, pratiquement interdit aujourd'hui. Nos parents y ont bien résisté. Le toxicomane au caviar n'a donc que peu de souci à se faire !

Pour ce qui est des toxiques, en consommer au-delà de la limite, n'est donc pas systématiquement dangereux ! De plus, si un aliment dépasse la réglementation, il faut tenir compte de tous les autres. Par exemple, pour les œufs, la norme est de 2 pg de dioxine ; le risque d'intoxication devrait être pris en compte dès 20 pg – ou 10 pg si vous êtes inquiet –, et non pas juste au-dessus du seuil. Sauf si le consommateur a mangé de surcroît l'ensemble de ses aliments contaminés à la dioxine ! Autre exemple, unique peut-on espérer, inacceptable pour la santé, encore plus (?) pour l'environnement : la fraude à la pêche au poisson dans un lac africain, plus expéditive que la canne, le filet ou la grenade, car réalisée en déversant des quantités énormes d'insecticides… retrouvées dans nos assiettes ! Évidemment, dès que le distributeur s'en est aperçu, ou plutôt que les services des fraudes lui aient signalé l'anomalie, les poissons ont immédiatement été retirés de la vente. Mais un grand nombre de personnes en avait déjà mangé. Ce qui, finalement, n'a pas posé de problème, car beaucoup de consommateurs en avaient absorbé un peu, alors que le problème de santé publique aurait été réel si, à l'inverse, quelques-uns seulement en avaient ingurgité de grandes quantités de ces poissons.

Logiquement, le phénomène se complique à outrance : les dosages sont plus performants, les inquiétudes enflent, le niveau des connaissances scientifiques explose, n'importe quelle substance peut se trouver incriminée à peu près partout, menaçant donc d'effets indésirables en tout lieu ; tout serait à interdire réglementairement. Mais, comme il faut bien continuer à respirer et à manger, on propose des limites qualifiées d'Alara, qui veut dire « *As Low As Reasonably Archiveable* ». La bonne volonté et le sérieux étant de rigueur, il faut se borner à faire aussi bien que possible, compte tenu des capacités du moment. Soit dit en passant, si tout produit toxique à 100 fois la dose autorisée est interdit, que pensez-vous qu'il va advenir de vous après avoir bu 100 litres d'eau ?

En réalité, outre leur complexité d'élaboration et de calcul, ces déterminations sont insuffisantes, car elles ne prennent pas en compte les possibles interactions entre les substances, dont certaines peuvent être des potentialisations. Plutôt que de simples DJA, le toxicologue recherche maintenant les synergies et les antagonismes. Quand il s'agit de molécules de la même famille chimique, il suffit de les ajouter les unes aux autres, car leurs effets s'ajoutent. Une synergie de toxicité pourrait apparaître entre plusieurs substances qui sont pourtant présentes en quantités inférieures aux normes admises dans un aliment donné. Il faut suivre à la trace les toxiques et distinguer résolument l'environnement de la chaîne alimentaire. Or ce n'est pas fait ; et la confusion est funeste en termes d'interprétation et de prévention à prendre, d'où maintes précautions inutiles. Bien pire : on déplace souvent le problème. Par exemple, la distinction existe entre la toxicité intrinsèque (pour l'homme) et le risque d'accumulation (pour l'environnement). Certaines substances ne sont que peu dangereuses, bien que hautement toxiques, car elles sont très peu bioaccumulables. La bioconcentration et la bioaccumulation sont à prendre en compte.

« Réglementation » et « DJA » sont aussi différents que « risque » et « danger » ! En effet, d'une manière générale, la réglementation se réfère en fait à une liste positive : par exemple tous les additifs énumérés dans celle-ci sont autorisés, alors que n'importe quelle autre substance est interdite, par définition. Un additif a pour vocation d'être volontairement ajouté, dans un but bien précis, il est donc toléré. Il faut le distinguer des auxiliaires technologiques, qui ne doivent plus être présents dans le produit final, alors qu'ils ont participé, et même parfois présidé, à sa fabrication. En revanche, les contaminants ne sont pas maîtrisables, ils sont parfois accidentels, inopinés, voire incontournables. C'est pourquoi il faut leur attribuer une DJA. Mais un additif peut lui-même être contaminé ! Que faire alors ? On a ainsi découvert que l'amarante russe était cancérigène, alors que celle qui était produite aux États-Unis ne l'était pas ! Le réflexe immédiat fut d'interdire définitivement la substance ; décision inadaptée car il suffisait d'exiger une plus grande pureté. Le contaminant est parfois toléré, mais dans une stricte mesure, sa présence est strictement encadrée ; quand aucune alternative n'existe pour remplacer le produit contaminé.

Il est difficile de synthétiser des colorants azoïques sans impuretés. Or celles-ci sont fréquemment toxiques. Il est donc prudent de les supprimer tous, d'autant qu'il existe des solutions de rechange. Moins onéreuses ? C'est au consommateur de décider. Les bonbons, déjà contestables sur le plan nutritionnel, constituent de véritables mines de colorants. Avez-vous remarqué que certains bonbons bleus ont été supprimés ? Car le colorant est toxique, d'autant plus que ce sont les enfants qui les absorbent en nombre, en variété et en quantité. *A contrario*, le naturel n'est pas le gage d'innocuité. Par exemple, le rocou, produit éminemment naturel, largement utilisé en agriculture biologique, a provoqué de graves accidents allergiques ; car, mal purifié, il peut contenir des protéines très allergisantes.

L'agropharmaceutique est en fait de l'agrosanitaire. Les produits sont composés de trois classes de substances : la matière active, les adjuvants (qui n'ont pas d'activité biologique, mais exaltent celle de l'agent actif) et la charge interne (qui, par exemple, améliore la dispersion, comme l'argile qui assure un meilleur poudrage). Tout ce petit monde peut être toxique, à des degrés divers. Le cas de l'agriculteur n'est pas comparable à celui du consommateur. Le premier se trouve exposé à des doses considérables, qu'il répand sur des hectares ; alors que le consommateur n'est en présence que de résidus. Le danger est donc infiniment plus grand pour l'agriculteur que pour le consommateur. Chez les agriculteurs, 8 études sur 10 concluent à une relation entre la maladie de Parkinson et l'utilisation de pesticides, mais uniquement chez les agriculteurs. À bon trembleur, salut ! Alors que le consommateur ne risque presque rien. D'autant que le délai d'attente (obligation quasi légale) entre le dernier traitement et la récolte permet l'élimination d'une bonne partie des molécules phytosanitaires. Il en est de même avec les hormones chez les animaux ou avec toutes les médications vétérinaires.

Sachez qu'il existe de véritables « pots belges » en traitement des cultures, sorte de pots gascons pour le dernier qui a défrayé la chronique (eau de Javel, white-spirit, pesticides et autres…). L'effet *process* est une autre histoire, car il engendre des composés dont certains sont toxiques. Ainsi, les hydrocarbures présents dans les aliments sont dus à 90 % à leur cuisson.

À ce rythme, l'inquiétude s'insinue partout ! La caféine est manifestement cancérigène : il est d'ailleurs toujours recommandé aux femmes enceintes de restreindre leur consommation. Quelle témérité que d'en boire ! Le poivre contient aussi une substance toxique, mais fort heureusement il n'est pas goulûment ingurgité en quantité. La peau de pomme de terre contient de la solamine : cancérigène ! Quel danger que de la manger, pour le paresseux qui ne l'épluche pas ! Il y a quelque temps, les anesthésistes de Chicago demandaient que la bonne patate soit incluse dans un questionnaire alimentaire, avant toute intervention chirurgicale, car ils ont une dent contre elle (ainsi que l'aubergine et la tomate). Car Parmentier n'avait pas noté que ses tubercules contenaient une sorte d'insecticide naturel (un glycoalcaloïde) susceptible d'interférer avec le métabolisme de certains anesthésiques. Il y aurait court-jus avec l'acétylcholine, médiateur chimique qui assure entre autres la communication entre le nerf et le muscle.

Ils ont rendu de fiers services, ont participé à la fabrication de substances qui se sont révélées indispensables, mais il faut les éliminer pour cause de toxicité. On interdit donc les polychlorés ; mais il faut bien trouver autre chose pour remplir leur fonction. L'amiante interdit, on utilise alors les polybromés (BFR), notamment dans tous les circuits électroniques. Or les bromures halogènes sont plus costauds que les chlorés (PCB), leur teneur au sein de certaines populations double dans le sang tous les cinq ans, attestant l'accroissement de l'exposition proportionnelle à l'augmentation de leur utilisation (on s'ignifuge, en quelque sorte). Qu'en est-il des enfants chinois, qui « dépiautent » les ordinateurs du monde entier pour en récupérer les composants :

quel est leur avenir en termes de santé ? Après les piles riches en mercure, comment collecter tous les déchets ? C'est ainsi que l'on trouve des toxiques émergents, promis à un « bel » avenir : les phtalates et les alkylphénols, qui sont aussi des perturbateurs endocriniens.

➤ *Contaminations naturelles et thermalisme*

En face d'une même substance, véritable schizophrénie, la précaution impose qu'on la boive, mais interdit qu'on la mange. Les éruptions des volcans engendrant en quantité l'arsenic et le fluor, il est normal que les eaux volcaniques en contiennent des teneurs importantes.

Le saviez-vous ?

Les eaux de La Bourboule, justement réputées pour traiter l'asthme infantile, contiennent beaucoup trop d'arsenic. De quoi affoler les écolos. Dans l'eau de Saint-Yorre, il y a assez de fluor pour induire une fluorose chez un potomane qui boirait ses 3 litres par jour, alors que ce n'est pas aussi excessif que cela.

Certaines eaux d'Auvergne sont très riches en fer. Celles de La Roche-Posay, dont l'efficacité est réelle, sont très riches en sélénium, bien au-delà des limites réglementaires ! Or elles ne sont pas seulement bues, car elles servent à confectionner d'excellents produits dermatologiques, entre autres. *Une même boisson ou un même aliment, du fait de sa forte teneur en certains oligoéléments, peut donc se trouver refusée au titre de la précaution ou bien prescrit au motif de traitement*, dans une station thermale par exemple.

Thermalisme signifie « chaud » par définition. Les eaux thermales sont donc chaudes, en théorie. Elles sont différentes des eaux minérales ; d'ailleurs ces dernières se découplent de plus en plus de la station thermale qui les produit, dans leur marketing notamment. D'autant qu'un curieux arrêt de la Cour de Luxembourg en 1997 dit que les eaux minérales n'ont pas d'effet sur la santé ! Il n'en reste pas moins étonnant que certaines soient plus chères que d'excellents vins de Bordeaux. Pour ce qui concerne le thermalisme, une bonne trentaine d'essais répondent aux critères modernes d'obtention des résultats : la plupart concernent la rhumatologie, quelques-uns les problèmes artériels et veineux ; rares sont ceux qui touchent à la sphère ORL et l'asthme. Pour la douleur du dos, les cures ont exactement la même efficacité que les traitements médicaux et que la chirurgie !

Toute la question réside dans la nature physico-chimique des eaux. Parmi celles-ci, les eaux du robinet, dont les qualités sont radicalement différentes selon les régions, quant aux goûts et aux contaminations. Mais il existe aussi les eaux de source et les eaux non minéralisées, à boire obligatoirement lors de pathologies rénales et recommandées pour préparer les biberons.

Le saviez-vous ?

Par rapport au lait de femme, le lait de vache contient 3 fois trop de minéraux, 6 fois plus de phosphore. Il faut donc le diluer avec des eaux non minéralisées.

D'autant que les procédés de fabrication des laits en poudre ayant pour objectif de diminuer la teneur en minéraux, il serait imbécile d'en ajouter en usant d'une eau minérale fortement minéralisée. Pour ces dernières, il est possible de faire des allégations, selon le minéral et selon son accompagnement : par exemple, la présence de sulfate peut diminuer de manière importante la biodisponibilité du calcium.

Finalement, n'oubliez pas que les eaux minérales sont différentes des eaux embouteillées.

Pour ce qui est des nitrates, en 2010, les teneurs devront être inférieures à 50 mg/litres.

Le saviez-vous ?

Nombre d'eaux minérales parfumées devraient perdre de facto le qualificatif de minérales, de même celles qui sont sucrées sont à mettre à l'index : les qualifier de minérales est un détournement de l'éthique, et de la santé du consommateur ; au moins sur le plan de la santé et de la nutrition.

➤ *Surveiller la technologie plus que l'aliment*

Quand il est réalisé dans de mauvaises conditions, le séchage des aliments peut les polluer gravement en y fixant entre autres d'importantes quantités de dioxines. On a pu l'observer à grande échelle par exemple avec des citrons (lors de la fabrication de concentrés), car l'air était pollué du fait de la mauvaise conception de la production de l'air chaud. Le séchage à la tourbe, présumé sympathique et souvent vanté, contamine énormément ; or ce procédé est encore utilisé dans nombre de pays, dont certains ont récemment rejoint l'Europe ! De ce fait, la teneur en dioxines, PCB et autres contaminants est considérable, tout du moins par rapport aux normes. Les hydrocarbures aromatiques polycycliques (HAP) présents dans les produits céréaliers proviennent des méthodes de séchage des graines, en moyenne à hauteur de 10 %. Si le gaz d'échappement entre en contact direct avec les graines, il y dépose tous ses résidus…

Le saviez-vous ?
Le séchage des céréales à l'aide de carburants de mauvaise qualité, utilisés dans une technologie douteuse, les pollue beaucoup plus que l'utilisation de pesticides lors de leurs cultures !

L'objectif de cette obligatoire dessiccation est d'éviter que les champignons ne prolifèrent et ne produisent de redoutables toxines, les aflatoxines ; il est donc pour le moins judicieux que cette technique n'apporte pas d'autres molécules toxiques en échange ! Car leur présence ne fait rien gagner à l'affaire. D'ailleurs, il existe environ 300 champignons, et on est loin de connaître toutes leurs toxines, notamment celles de pays exotiques. En pratique, il existe au moins 250 mycotoxines, mais on ne sait encore en doser qu'une dizaine seulement ! On passe donc à côté de problèmes éventuels, puisque de nombreux champignons poussent sur les produits d'origine lointaine. À propos de champignons et de production de substances toxiques : le risque de souffrir d'un cancer du cerveau est supérieur à la moyenne chez les vignerons, conséquence de l'utilisation d'antifongiques. La très probable originalité réside dans le fait que ces substances ne sont pas cancérigènes en elles-mêmes ; alors qu'en revanche, leurs dérivés fabriqués par les plantes le sont.

➤ *Les dioxines*

On craint, sans en être certain, que la dioxine ne soit toxique pour le cerveau humain. En effet, les grandes intoxications ont été suivies d'« épidémies » de maladies psychiatriques ; mais il n'est pas impossible que l'effroyable et hideuse atteinte dermatologique qu'on appelle la chloracnée ait rendu les malades mal dans leur peau, c'est le cas de le dire, en déréglant leur psychisme. Souvenez-vous du visage du président de l'Ukraine !

Le problème de la dioxine a été porté au grand jour par les œufs et poulets belges, voilà quelques années. Deux hypothèses. La première suppose que le consommateur soit allé tous les jours au même fast-food approvisionné par le même élevage. Étant donné que la contamination a été révélée par la découverte d'élevages manifestement bien malades (et non pas à la suite d'une vérification de routine), il a mangé des poulets gravement intoxiqués (et non pas seulement contaminés). Ce consommateur risque donc le cancer dans les dix à vingt ans. Après le sang contaminé et l'amiante, avec la dioxine, certains hommes politiques pourraient se retrouver ennuyés vers les années 2015. La deuxième hypothèse, optimiste et fort heureusement de loin la plus plausible (d'autant que la dioxine cancérigène serait absente, au moins pour le moment), postule que la « dioxine concentrée » vendue par le fabricant s'est diluée dans une forte quantité d'aliments pour animaux ; puis, ensuite, dans un grand nombre d'animaux ayant nourri une multitude d'humains. De ce fait, les faibles quantités retrouvées dans les aliments consommés par l'homme pourraient être non toxiques.

Pour fabriquer de la dioxine, il faut de la chaleur (plusieurs centaines de degrés), de la matière organique (avec son carbone, son hydrogène et son oxygène) et du chlore (présent, entre autres, dans les plastiques). Les gros producteurs de dioxine sont actuellement les grands incendies de forêt, ceux des raffineries de pétrole (provoqués par des bombardements il y a quelques années...), les centrales thermiques et surtout les usines d'incinération mal réglées. Il n'y en a pratiquement plus en France. En effet, lorsque la température de combustion des déchets n'était pas suffisante pour détruire la dioxine ainsi engendrée ou quand les filtres étaient mal entretenus, ces usines émettaient des dioxines qui se répandaient sur l'herbe environnante. Elle-même était broutée par les animaux, qui la concentraient dans leurs graisses, par conséquent dans leur lait. C'est exactement ce qui s'est produit dans le Nord, il y a quelques années. Cela reste d'actualité dans de nombreux pays. Incidemment, il faut savoir que la dioxine se dissout dans les graisses : elle ne peut donc pas se trouver en quantités appréciables dans les farines animales, qui sont des protéines dégraissées !

Deux classes de molécules sont en réalité fréquemment regroupées sous le terme de dioxine : les dioxines proprement dites (dénommées PCDD, pour polychlorodibenzodioxine) et les dibenzofuranes (PCDF, pour polychlorodibenzofuranes). Parfois, les PCB sont même abusivement ajoutés. Or, chimiquement, le nombre de substances possibles recensées est de 75 pour les PCDD, 135 pour les PCDF, 209 pour les PCB ! Mais, parmi toutes ces molécules, 14 sont connues comme toxiques et l'une est particulièrement cancérigène : le

2, 3, 7, 8 TCDD (TC pour tetrachloro). La mesure réellement efficace consiste donc à doser cette molécule.

Dans un but simplificateur, pour évaluer le risque global des innombrables substances, les spécialistes, économistes législateurs et toxicologues font appel à une sorte de dénominateur commun : l'équivalent toxique. En pratique, chaque congénère est affecté d'un coefficient de toxicité (le TEQ), qui varie de 1 pour le 2, 3, 7, 8 TCDD, à 0 pour des molécules reconnues comme d'une totale innocuité pour l'homme, puis on calcule la somme des chiffres obtenus. Elle présente un intérêt informatif et d'alerte, mais elle ne permet pas d'estimer le risque toxicologique réel et se trouve même à la source d'erreurs, car le PCB n'a rien à voir avec les autres composés ! Cette méthode de calcul, peu raisonnable, ne devrait plus avoir cours.

Seveso a imprimé dans l'opinion le souvenir tenace d'une énorme catastrophe écologique et sanitaire emblématique d'un dérapage de l'information. Quand une usine est classée « Seveso », il est hors de question de s'y aventurer les mains dans les poches : le mot est devenu synonyme d'horreur écologique. En vérité, les seules véritables victimes sont d'une part le directeur de l'usine, qui a été assassiné en représailles par un terroriste, et d'autre part trente femmes enceintes qui se sont fait avorter, de peur de donner naissance à un enfant mal formé. Or l'examen a montré qu'ils étaient en réalité tous parfaitement normaux ! Il n'en reste pas moins vrai que la dioxine est nuisible, à éradiquer résolument.

Le saviez-vous ?

Les poissons sauvages véhiculent 33 % de dioxine, 47 % du mercure et 8 % du plomb. Mais comme la dioxine terrestre diminue considérablement du fait de la meilleure gestion des incinérateurs, la part des poissons va augmenter d'autant ! On absorbera de moins en moins de dioxine, mais de plus en plus en provenance du poisson, en valeur relative.

Il n'y a pas de quoi s'affoler, puisque la quantité totale de dioxine diminue ! Sauf dans la Baltique, contaminée pour des centaines d'années, et dont la dioxine se dilue petit à petit dans les océans… Les dioxines et autres HAP provenant des industries papetières et surtout métallurgiques, résultat du nettoyage de pièces métalliques avec du pétrole ou du trichlo, puis de leur chauffe en vue d'être refondues. D'où la création de quantités faramineuses de dioxines.

➤ *Radioactivité : de la bombe au pacemaker ?*

Rappelez-vous qu'il faut un milliard de fois plus de matériel pour détecter la présence de la substance qu'il n'en faut pour déceler sa radioactivité, étant donné le fossé qui sépare la sensibilité des techniques qui déterminent le poids ou qui mesurent le rayonnement radioactif. Les publicités vantant certaines eaux radioactives, au début du XXe siècle, étaient sans doute dans le vrai : il est scientifiquement démontré sur de nombreux modèles animaux que l'absence de radioactivité nuit à la santé. Car il existe même des faibles doses, néanmoins utiles.

Le saviez-vous ?
Il y a de nombreuses années, un chercheur toulousain a démontré que des animaux élevés dans une grotte profonde, loin des rayonnements cosmiques qui atteignent la terre, vivaient moins longtemps et souffraient de plus de maladies, que ceux qui étaient élevés exactement dans les mêmes conditions, mais en plein air.

Cela porte un nom : *hormésis*. Un chercheur a tout d'abord montré que des amibes et autres paramécies se multipliaient très bien dans son laboratoire à Toulouse, mais très mal au fond d'un tunnel sous les Pyrénées, lieu dépourvu de radiations naturelles ! Ce résultat a été confirmé sur nombre d'espèces vivantes. Cette expérience aurait dû clore le faux débat du danger des faibles doses pour la santé. Il n'en fut rien, car la radioactivité reste le cheval de bataille des « antinucléaires ». Parmi les multiples mécanismes impliqués, l'un d'eux est facile à décrire, donc à comprendre. Un rayonnement faible affecte les cellules, qui sont obligées de réagir, de se réparer, de se guérir. Si elles n'y parviennent pas, un mécanisme totalement physiologique se met alors en route et elles se suicident. Laissant ainsi la place à de nouvelles. C'est ce qu'on appelle l'apoptôse. La vie continue donc dans les meilleures conditions. L'organisme apprend à réagir, se « vaccine » en quelque sorte. Quand le rayonnement est beaucoup trop fort, les cellules sont endommagées, créant une anarchie qui les rend cancéreuses. La précaution systématique contre toute radiation est donc absurde. Il existe en effet un seuil en dessous duquel les choses vont moins bien et un autre au-delà duquel elles vont très mal. Or on voudrait extrapoler aux faibles doses ce qu'on observe aux fortes. Ce qui est tout simplement biologiquement faux.

Autre exemple : une substance est utilisée, qui plus est sous forme radioactive, dans l'imagerie médicale, afin de rechercher les tumeurs cancéreuses. Sans le moindre risque pour le patient. À forte dose, elle est pourtant redoutablement toxique ! *Le risque que représente un danger est fonction de sa dose*… L'irradiation par un scanner est identique à celle d'un aller-retour New York en avion. Donc pas de terreur avec les radios modernes ! Un vol en avion de ligne à l'altitude d'un peu plus de 10 000 mètres fait subir une dose de radioactivité 200 fois supérieure à celle reçue pendant le même temps passé au sol.

Il n'en reste pas moins vrai que la radioactivité des aliments doit être suivie de près avec beaucoup de sérieux, celle des champignons ne fut pas négligeable, à la suite de Tchernobyl ! Même en France, bien que le nuage ait été officiellement respectueux de nos frontières, craignant sans doute l'efficacité de nos douanes… Allez donc à Kiev visiter le musée de Tchernobyl qui relate sans tabou l'incurie, l'inconscience et l'incompétence qui présidèrent à la catastrophe. Vous y verrez une modélisation sur ordinateur de la trajectoire du nuage radioactif : il a bien recouvert l'Europe de l'est à l'ouest et une bonne partie de la France. En revanche, très opportunément, il n'est pas trop descendu dans le sud de l'Ukraine, contournant habilement la capitale, avec beaucoup de bonté. À qui peut-on faire confiance ? Si vous êtes breton ou limousin, vous pouvez cultiver vos champignons dits de Paris dans votre cave, splendidement faite d'un superbe appareillage de pierre de taille en granit… qui est radioactif ! Encore que…

➤ *De la bonne chère à l'œuvre de chair : les cuisses de grenouille*

Ce charmant batracien que la précaution voudrait chasser de nos assiettes peut réunir, sur son seul nom, tous les problèmes de l'alimentation : sa valeur nutritionnelle dépend de sa nourriture ; il est critiqué, car source, excusez du peu, de polluants organiques et minéraux, de radioactivité ; il est ionisé et finalement trop mal nourri pour soutenir les joies d'un sexe boulimique ou défaillant.

Le saviez-vous ?
Les grenouilles sont 100 % naturellement contaminées par les salmonelles, qui font partie de leur flore écologique microbienne normale. C'est pourquoi il est indispensable de les stériliser en les ionisant.

Car la grenouille, mais pas n'importe laquelle, est l'un des rares authentiques aliments poussant au sexe. Sauvons donc les vraies grenouilles ! Exigeons celles qui sont non seulement nourrissantes, mais « viagratiques » ! Car elles peuvent l'être. Beaucoup plus que la mandragore, le ginseng, les cornes de rhinocéros ou de diverses espèces, et autres vulves de truies ou pine de cerf. Que les grenouilles ne soient pas ionisées, bonne idée, mais surtout qu'elles soient bien nourries ! Or elles sont menacées par les herbicides ! Elles développent un hermaphrodisme et une démasculinisation du larynx, ce qui nuit évidemment aux conversations érotiques de ces charmantes bestioles. Un herbicide relâché dans l'environnement entraîne des perturbations du développement endocrinien, s'attaque aux amphibiens en général, et pourrait même les éliminer !

Quels aliments peuvent susciter l'érotisme ? Vaste sujet, avec ses préparations culinaires ou médicinales qui s'étendent de la suggestion et de l'illusion (parfaite illustration de l'illusion psychosomatique) à l'efficacité réelle de l'aliment, qui a le « bon goût » de contenir une substance réellement efficace, un médicament (tel précisément les cuisses de grenouille !). Depuis les temps les plus immémoriaux, la recherche d'aphrodisiaques capables de décupler les performances amoureuses fut toujours aussi acharnée que celle de l'élixir de jouvence ou d'immortalité, que la quête de la pierre philosophale… Que de palliatifs ont été imaginés pour réveiller les libidos au point mort, physiquement ou psychiquement !

Sacha Guitry, lui-même, disait : « Je suis contre les femmes, tout contre. » Et d'ajouter : « Vous autres les femmes, vous pouvez toujours, tandis que nous, les hommes… » De manière presque exclusive pour l'humanité masculine dominante et machiste, on a recherché avidement des substances capables de remettre d'aplomb les sexualités sinistrées ou d'exacerber les passions amoureuses. La trouvaille des temps modernes réside dans des implants au silicone (300 000 personnes en sont équipées aux États-Unis). En revanche, les aliments, onguents, élixirs, médicaments ont toujours, ou presque, négligé la sexualité féminine. Si ce n'est que les remèdes étaient étudiés pour permettre à leurs partenaires de les honorer convenablement !

Les hommes n'ont parfois pas hésité à flirter avec le danger pour rehausser le désir, et surtout connaître des érections aussi éblouissantes que prolongées. Un succès justement mérité auréole la fameuse cantharidine, substance préparée à partir d'un insecte méditerranéen, la cantharide ou « mouche espagnole ». Il est connu depuis la nuit des temps pour ses vertus aphrodisiaques et sexuellement stimulantes. D'ailleurs, le marquis de Sade faisait usage de la fatale cantharide qui planait sur ses funestes banquets, transformés en orgies sadiques. Il s'est ainsi retrouvé emprisonné à Vincennes pour avoir empoisonné, involontairement semble-t-il, deux filles de joie avec des confiseries bourrées de cantharide.

Le cardinal de Richelieu lui-même raffolait d'élixirs et onguents. Il possédait, paraît-il, un énorme stock de variétés de pastilles galantes, qui, dit-on, lui avaient été offertes par ses innombrables admiratrices, courtisanes et courtisans qui voulaient le flatter en encourageant son vice. Soucieux des deniers de l'État, pour éviter le monopole des Italiens, précurseur du nationalisme économique, il aurait même ordonné la production de pastilles françaises, encore plus efficaces, lesquelles eurent l'honneur de porter son nom. Les fameux « bonbons à la cantharide de Richelieu » étaient réputés infaillibles parce qu'ils renfermaient des mouches mystérieuses, capables de muscler la verge ! Jusqu'à la veille du XXe siècle, la pilule du Cardinal fut particulièrement recherchée, sa rareté et son prix étaient en quelque sorte la garantie de son efficacité. La comtesse Du Barry gavait Louis XV de « mouches espagnoles » afin de réveiller respectueusement sa royale ardeur, affaiblie momentanément.

Comme le rappellent opportunément flatteurs et détracteurs, les Français sont des mangeurs invétérés de cuisses de grenouille. Par ailleurs, la fierté nationale et la reconnaissance des visiteuses accordent aussi (parfois) aux descendants des Gaulois (un des rares mots français actuel, dérivé du gaulois, est curieusement le mot braguette) un certain goût pour les conquêtes amoureuses. Y aurait-il une relation causale entre ces deux constatations ? Des chercheurs américains très curieux (sans doute plus ou moins envieux, peut-être perturbés, sûrement obstinés) ont peut-être trouvé une explication scientifique de l'efficacité des grenouilles.

Le saviez-vous ?

Les grenouilles se nourrissent essentiellement d'insectes, et particulièrement de cantharides. Elles ingurgitent par conséquent une grande quantité de cantharidine, substance produite par le métabolisme de ces mouches. Or la cantharidine est réellement efficace et se retrouve dans les cuisses de grenouille, qui aiment à se gaver de cette mouche.

Le pouvoir vésicant (qui fait gonfler) de cette substance était connu des apothicaires, les illustres ancêtres de nos pharmaciens. Elle congestionne les parties génitales, provoquant ainsi une érection prolongée, encombrante puis douloureuse. On en trouve sur les marchés de nombreux pays sous le nom de « poudre de cantharide », qui n'est autre qu'un broyat de moucherons séchés…

Selon les chercheurs américains, une grenouille bien nourrie pourrait détenir dans ses cuisses des doses de cantharidine suffisantes pour être tout à fait efficaces, sinon toxiques (5 mg dans 100 g de muscle), ce qui, pour un grand mangeur de cuisses de grenouille, pourrait ne pas être négligeable… Tiens… tiens ! À condition, bien entendu, que ces animaux aient été nourris avec leur alimentation naturelle.

Le saviez-vous ?

La cantharidine est un toxique puissant : de 10 à 100 mg peuvent s'avérer mortels ; à forte dose, elle peut conduire à une hémorragie rénale et entraîner la mort ; des quantités moins fortes peuvent provoquer un priapisme, une érection permanente aussi embarrassante que douloureuse ; à faible dose, une congestion de l'appareil génital est fréquente.

C'est tout de même mieux que certains traitements acrobatiques : en Grèce les anciens, pour provoquer une érection, se faisaient piquer par une abeille spécialement dressée dans ce but, au bon endroit et au bon moment. On imagine les prouesses des dresseurs et s'interroge sur le devenir de ceux qui étaient allergiques ! Actuellement, l'apiculture étant beaucoup plus pacifique, le médecin se transforme en abeille en démontrant d'abord au patient atteint de lésions nerveuses que l'érection reste encore possible et en lui injectant un peu de papavérine dans la verge. Le malade peut apprendre cette technique et se piquer lui-même au moment qu'il juge opportun. L'injection intracaverneuse de papavérine donne de bons résultats, mais l'érection ne doit pas dépasser… deux heures très exactement, sinon le danger est au bout du nez : douleur, déformation, fibrose, priapisme. De rigoureuses mesures techniques d'hygiène et de propreté doivent évidemment être respectées ; les précautions sont à prendre. L'injection doit être réalisée au dos et au milieu de la verge, près de la racine. Il faut néanmoins éviter la veine dorsale facilement identifiable par son relief. Toute blessure veineuse entraîne un hématome inesthétique, et gênant. Malheureusement, au bout de quelque temps, des mois ou des années selon les usagers, la dentelle de vaisseaux de la verge se bouche. L'organe se sclérose et il faut alors changer de produit. À défaut de changer de verge.

Quelques métaux peu reluisants

➤ *Poissons, mercure et quotient intellectuel*

Le mercure est l'acteur d'une incroyable histoire, remontant à plusieurs décennies. Un court rappel historique s'impose donc, afin de démêler le vrai du faux. Précisons d'emblée que trois formes chimiques sont à prendre en considération : le mercure métallique, le mercure sous forme de sel et le mercure organique. C'est ce dernier qui concerne les produits de la mer.

Plantons le décor, aussi pusillanime que dangereux, car non étayé : la précaution serait de limiter la consommation de poisson, car le danger du mercure contrarierait (annihilerait, dépasserait même, pour les plus inquiets !) le bénéfice oméga-3 (sans oublier l'iode, les vitamines D et B12 et le sélénium, excusez du peu !). C'est oublier que la consommation de poisson, notamment gras, permet à la femme enceinte d'optimiser le cerveau de son enfant, comme l'ont montré de multiples études. La dernière est spectaculaire, elle date de fin 2007. Une équipe américaine dirigée par Joseph Hibbeln étudiant une population anglaise, a montré que le QI des enfants âgés de 8 ans était proportionnel à la quantité de poissons mangés par leur mère pendant sa grossesse. On considérait le QI comme influencé par vingt-cinq facteurs (dont beaucoup sont culturels, économiques, sociaux ; aucun n'était alimentaire, sauf donner le sein), la consommation de poisson représente maintenant le vingt-sixième. Ne vous immolez pas par le feu si votre mère n'en a pas mangé, car l'alternative n'est pas entre Einstein et le crétinisme : la différence ne concerne que moins de quelques points de QI ! En fait, ce que ces chercheurs ont démontré est plus subtil : la probabilité que les enfants présentent un QI trop bas est augmentée en proportion de la restriction de consommation de poisson. D'ailleurs, outre le QI, des paramètres de sociabilité suivent les mêmes variations. Tout cela grâce aux oméga-3 ! Or l'effet se manifeste avec plus de netteté encore à des niveaux de consom-

Le saviez-vous ?

Chez nous, au prétexte de la précaution, en limitant la consommation de poissons, on écarte un risque faible, sinon théorique (celui de l'intoxication au mercure de la personne qui consomme de l'espadon ou du thon rouge, plusieurs fois par semaine), pour créer un danger bien réel, celui de donner naissance à un enfant dont l'intelligence ne sera pas optimale !

mation qui dépassent les limites demandées (exigées !) par les toxicologues, du fait du risque mercure.

Cela a été mesuré sur des populations différentes : supprimer le poisson induit, au seul titre de leurs oméga-3, de bien réels problèmes de santé pour la mère (dépression majeure, prééclampsies, prématurité multipliée par 20 au plus, etc.) et pour son enfant ! Sans oublier l'iode (souvenez-vous du crétinisme), de la vitamine D (l'ossification !), la vitamine B12, etc.

Le saviez-vous ?
Deux auteurs, Myers et Davidson, ont écrit en février 2007 qu'en dehors du Japon on n'a jamais trouvé un seul enfant intoxiqué au mercure du fait de la consommation de poisson !

La très respectée revue médicale mondiale de référence *The Lancet* a publié un éditorial pour tenter de mettre fin à cette mercurophobie poissonnière.

Pour être exact, une telle contamination par le mercure a été suspectée en 2006 (mais pendant la période prénatale) aux îles Féroé, toutefois les femmes y ont une alimentation très particulière, incluant force viande et blanc de baleine. Au contraire, chez les Seychellois, bien qu'ils mangent dix fois plus de poisson que nous, on n'a rien noté en termes de pollution métallique. Chez les enfants eux-mêmes, il est difficile d'incriminer leur consommation de poisson dans l'intoxication mercurique. Sauf situation alimentaire absolument exceptionnelle : il faut aller en Nouvelle-Zélande, dans certaines communautés restreintes, pour trouver ceux qui mangent force viande de requin, comme cela a été décrit en 1998.

Qu'en est-il donc de l'intoxication due aux dérivés organiques du mercure ? En 1956, la première a été observée lors de la catastrophe de Minamata, dans la préfecture de Kumamoto, au Japon. Elle a été à l'origine d'une longue série de travaux, qui ont permis de découvrir l'extraordinaire pouvoir de concentration du mercure dans les chaînes alimentaires, en milieu aquatique, par suite de sa transformation en mercure organique. Ce dernier s'accumule plus dans les cellules et les organismes, parce qu'il est liposoluble. L'intoxication massive par le mercure s'est soldée par 121 cas d'intoxications, à symptomatologie nerveuse, dont 54 décès. La population touchée était une communauté de pêcheurs qui consommaient une forte quantité de chair de poisson contenant du méthylmercure. Il provenait de la méthylation, par des bactéries proliférant dans les eaux stagnantes de la baie de Minamata, du mercure minéral contenu dans les eaux résiduaires d'une usine produisant du chlorure de vinyle (qui sert à fabriquer des matières plastiques) en utilisant le chlorure et le sulfate de mercure comme catalyseur. Une autre intoxication collective s'est produite en 1965 sur les bords de la rivière Agano, dans la préfecture Niigata. En 2000, on dénombrait encore 2 265 intoxiqués vivants. Où se situe le mercure organique dans le monde marin ? Moins de 5 % dans les eaux et sédiments, 15 % dans les algues, 20 % dans les invertébrés et jusqu'à 80 % dans les poissons. Car le facteur de bioconcentration est important. S'il est présent dans un aliment absorbé, il se dissout dans les graisses de l'organisme, pour ne pas en repartir. En moyenne, dans la nature, le facteur de concentration est de 8 000 ; pour l'homme il peut atteindre le million, comme à Minamata.

L'intoxication touche aussi les poissons de certaines rivières d'Amazonie, car le mercure est utilisé par les chercheurs d'or, s'ajoutant à celui qui est naturellement présent dans ces terrains. La contamination mercurielle de farines provenant de plantes traitées par des fongicides (à base d'alkylmercure) a été observée à Pont-Saint-Esprit, en 1951 et en Irak, en 1971-1972. Les malheureux avaient préparé leur pain avec des semences désinfectées avec un dérivé du mercure !

Le méthylmercure, absorbé à plus de 80 % par le tube digestif, constitue un neurotoxique puissant. Dans les conditions de contamination habituellement rencontrées, il conduit, après quelques semaines ou quelques mois de latence, à des paresthésies des membres et de la région péribuccale, ainsi qu'à des troubles visuels, qui peuvent aller jusqu'à la cécité. L'intoxication s'accompagne souvent d'une baisse de l'acuité auditive, de difficulté dans l'élocution, de troubles moteurs comme des tremblements, de troubles mentaux. Ces symptômes sont très souvent irréversibles, conséquence de lésions du cerveau et des nerfs périphériques. Le petit enfant se montre particulièrement sensible en raison de la fragilité de sa barrière hémato-encéphalique, qui protège moins bien son cerveau.

Les très inquiets experts de l'Afssa, toxicologues pointilleux, écrivent dans leur rapport intitulé *Calipso*, publié en 2007 : « Compte tenu de la sensibilité particulière du système nerveux central humain au méthylmercure durant son développement, et sur la base des données de contamination disponibles, il est recommandé aux femmes enceintes et allaitantes ainsi qu'aux jeunes enfants de favoriser une consommation diversifiée des différentes espèces de poissons, d'éviter, à titre de précaution, la consommation des poissons prédateurs sauvages et de ne pas dépasser plus d'une portion par semaine (150 g pour les femmes enceintes et allaitantes, et 60 g pour les enfants jusqu'à 30 mois) de ce type de poissons, en plus des autres poissons consommés. Cette recommandation est limitée aux femmes enceintes et allaitantes, et non à toute la catégorie des femmes en âge de procréer, dans la mesure où, contrairement à d'autres contaminants qui s'accumulent tout au long de la vie, le méthylmercure est excrété et métabolisé. » Sachez que les poissons prédateurs sauvages définis par l'Afssa sont : anguille et civelle, bar, baudroie ou lotte, bonite, brochet, congre, daurade, empereur, escolier noir, escolier serpent et rouvet, espadon, esturgeon, flétan, grand sébaste, petit sébaste, grenadier, lingue bleue ou lingue espagnole (julienne), loup de l'Atlantique, marlin, palomète (c'est une bonite, sorte de thonidé), pailona commun (qui ressemble à la roussette), raie, requins, sabre argent et sabre noir, siki (une sorte de requin), thon et thonine, voilier de l'Atlantique (un sorte de marlin). Vous voulez encore manger quelque chose ? N'oubliez pas, par précaution, de supprimer de votre assiette ces poissons dont, pour certains, vous ignoriez jusqu'à l'existence et dont les noms ne figurent pas dans les dictionnaires !

Les dérivés organiques ne sont pas toujours les résultats de pollutions ou de contaminations. Ils sont parfois fabriqués dans un but bien précis. Ils sont alors surtout utilisés comme antiseptiques désinfectants, fongicides, algicides et insecticides (le mercurochrome !). En réalité, ce seraient plutôt ses sels minéraux qui devraient poser problème, car ils sont employés comme pigments, catalyseurs, antiseptiques, explosifs. On s'en est même servi comme éclaircissants cutanés (encore aujourd'hui dans certains pays). Le nitrate mercurique est utilisé pour le bronzage des métaux et la fabrication du feutre. En France, les piles usagées représentent près du dixième du mercure rejeté dans les ordures ménagères, source de pollution considérable et préoccupante. La principale manifestation de l'intoxication par ce métal se déclare sous la forme d'une encéphalopathie. Au début, les manifestations cliniques sont discrètes et peu spécifiques : maux de tête et fatigue anormale, émotivité, irritabilité, troubles du sommeil, difficulté de concentration, diminution de la libido, troubles de la mémoire. Ensuite apparaît un tremblement, puis un manque complet de coordination des mouvements et une importante détérioration intellectuelle.

Le mercure s'est révélé, d'une façon inattendue, à l'origine d'une maladie très particulière qui affectait les nourrissons et les petits enfants : l'acrodynie. Débutant insidieusement, quelquefois avec de la fièvre, elle se caractérise par une insomnie, une anorexie, une irritabilité, une grande instabilité psychomotrice, alternant avec des phases d'apathie. Les mains et les pieds sont rouges, gonflés, humides et douloureux, avec une violente démangeaison. Le visage, la muqueuse nasale participent souvent à cette vasodilatation et à cette irritation. L'atteinte du système nerveux périphérique se manifeste par l'hypotonie, le manque de sensibilité à la douleur, la diminution des réflexes. Le pronostic est toujours favorable, avec une guérison spontanée complète. Longtemps considérée à tort comme une maladie infectieuse, en faveur de laquelle semblait plaider une recrudescence saisonnière, cette intoxication s'accompagne régulièrement d'une élimination anormale de mercure dans les urines, mercure apporté par des pommades, des désinfectants, elle était fréquente avec la prise de calomel (une substance qui était utilisée comme purgatif et antiseptique intestinal).

Le saviez-vous ?
Pour l'arsenic, c'est l'inverse du mercure : le métal est plus toxique que son dérivé organique. De nombreux crustacés contiennent d'importantes quantités d'arsenic organique ; sans pour autant s'avérer dangereux à la consommation !

En fait, le mercure est l'arbre qui cache allégrement la forêt ! Car, pour ce qui est des contaminations, on ferait mieux de se préoccuper des PCB. En Suède et en Norvège, il est maintenant recommandé aux femmes enceintes d'éviter le poisson plus d'une fois par mois ! Comment en est-on arrivé à proférer pareille énormité ! Curieuse prescription une fois encore, quand on connaît l'utilité des bonnes graisses contenues dans ces aliments ! La responsabilité en incombe à la contamination massive des bancs de poissons des mers nordiques avec, entre autres, des dioxines et des PCB (on ne parle pas encore de radioactivité, bien que la mer soit une poubelle pour sous-marins atomiques, mais ils n'affichent pas trop de fuites pour le moment, officiellement du moins). Or les jeunes femmes de ces pays consomment actuellement des poissons pêchés dans la Baltique, qui est outrageusement polluée. L'histoire du saumon cancérigène d'élevage européen qui a défrayé la chronique, alors que le sauvage américain était prétendu excellent, a coûté la modique somme de 4 millions de dollars ! Le prix d'une guerre économique. On a comparé les saumons d'élevage de l'Atlantique avec des saumons du Pacifique, ce qui est désastreux, car il ne s'agit pas de la même espèce : *Salmo* dans un cas, *Oncorrhinchus* d'autre part. Le principe du calcul repose sur la recherche de la dose qui provoque 1 cancer pour 100 000 habitants sur une vie entière (10^5). Il est admis qu'au-delà, c'est-à-dire à 10^6, il n'y a pas de risques. La limitation du nombre de repas a été basée sur l'alimentation américaine présumée habituelle, à défaut d'être recommandable. C'est ainsi que le grammage d'une portion de poisson est, chez eux, de 228 g.

➤ *De la chute de l'Empire romain aux tajines ? Le plomb*

Le saturnisme inquiète toujours, à juste titre. L'unique accusé est le plomb des vieilles peintures, dans les immeubles plus ou moins insalubres (quoique pas toujours). Les enfants, qui ne mangent pas toujours à leur faim, le grignotent sans retenue ; d'autres lèchent les murs ou absorbent leurs fragments tombés en décrépitude, les portant machinalement à la bouche. Ce qui donne l'occasion de hurler contre les propriétaires (privés, mais aussi publics, car il n'y a rien de tel que l'État pour s'affranchir de la loi). C'est une intoxication « alimentaire » classique, notamment dans les pays en voie de développement. Elle est due à une ingestion de débris de peinture à la céruse, provoquant les tristes encéphalopathies à la « pica ». Son nom dérive de celui de la pie, par allusion à sa voracité de cleptomane et à son un goût prononcé, mais morbide, pour des substances non comestibles. Mais tout un chacun peut être concerné, comme le montre un article récent affirmant que les tajines peuvent être largement incriminés. Il s'agit de plats artisanaux, décorés avec des peintures riches en plomb, mis au contact prolongé d'aliments pendant la cuisson, attaqués par des préparations plus ou moins acides, comme la vinaigrette. Voilà qu'arrive chez nous un problème lointain, connu ailleurs. Car l'intoxication alimentaire au plomb résulte souvent des ustensiles utilisés en cuisine et de l'utilisation de matériel culinaire, plus spécialement des poteries et des céramiques colorées par des émaux plombifères, qui provoquent une absorption journalière de quantités anormales de plomb. Certaines de ces poteries vendues de nos jours à des fins décoratives, mais utilisées comme saladiers, ont même été à l'origine d'intoxications aiguës.

Cette forme de contamination, toujours d'actualité, est très ancienne, elle a même été incriminée pour expliquer la chute de l'Empire romain. De quoi s'agit-il ?

Le plomb, l'un des métaux le plus anciennement connu, est un élément ubiquiste que l'on trouve naturellement dans les sols à la moyenne de 10 mg par kilo. La découverte d'une statuette en plomb dans les ruines de Troie ferait remonter les origines de son emploi à 3500 av. J.-C. Les Égyptiens utilisaient le plomb 2 500 ans avant notre ère comme agent de soudure ; les Assyriens en avaient fait leur monnaie. À cette époque, il était extrait des mines de Sardaigne et de Carthage dans le golfe de Tunis. Les Romains usèrent abondamment de ce métal, en Grande-Bretagne occupée, à un degré tel qu'il faudra attendre le Moyen Âge pour en compter un tonnage équivalent. Ils recouraient à des feuilles de plomb pour assurer l'étanchéité des joints de leurs aqueducs. Un alliage d'argent et de plomb leur servait à traiter la surface de leurs ustensiles de cuisine en cuivre.

L'un des usages le plus courant consistait à employer le plomb dans la fabrication et la conservation des vins. Il était obtenu par la réduction (au tiers de son volume) du jus de raisin, chauffé dans des récipients en bronze dont la surface intérieure était recouverte d'un film de plomb. Le sirop ainsi préparé, appelé *sapa*, servait ensuite principalement à traiter le vin pour lui conférer une saveur particulière, appréciée des gourmets, et à faciliter sa conservation. Une reconstitution a montré que ces vins devaient contenir environ 100 mg de plomb par litre ! Ce métal servait également à sucrer et à conserver les olives, ainsi que différentes sortes de fruits ; le sucre de canne, importé à l'époque de l'Inde, n'était pas alors d'un usage courant, car son prix était exorbitant. Le plomb était aussi employé dans les peintures ; mais l'ornementation des assiettes était lentement dissoute par les aliments acides, intoxiquant d'autant mieux et d'autant plus vite le gourmet qu'il était plus riche, c'est-à-dire que ses ustensiles étaient très décorés et qu'il les renouvelait plus souvent. On a effectivement retrouvé des teneurs en plomb énormes dans les ossements romains, à la suite de fouilles. En analysant le mode de vie et en étudiant l'évolution démographique des différentes classes de la société de l'époque, des médecins érudits et des chimistes avertis ont constaté que le plomb a joué un rôle déterminant dans la chute de l'Empire romain par diminution de la durée de vie et de la fertilité de la classe dirigeante, plus exposée que les autres aux pratiques de luxe. Les familles patriciennes ont été décimées par les intoxications au plomb. Les écrivains romains ont d'ailleurs bien décrit ces femmes et ces hommes, fussent-ils empereurs, paralysés, épileptiques, goutteux et stériles.

En Angleterre, les épidémies de goutte, survenues aux XVIIIe et XIXe siècles dans l'aristocratie, provenaient de la consommation de vins de Porto contaminés par addition de plomb, sans doute volontaire, pour en améliorer sa saveur. Plus récemment, des intoxications endémiques par le plomb ont été notées aux États-Unis au temps de la Prohibition. Elles étaient consécutives à la consommation de whisky distillé frauduleusement au moyen de dispositifs rudimentaires de condensation constitués de vieux radiateurs automobiles comportant des soudures au plomb. En France, on décrivait encore, il y a quelques dizaines d'années seulement, des cas d'intoxications familiales par consommation de cidres aigres neutralisés par la litharge (un oxyde de plomb, jaune rougeâtre, qui entre dans la fabrication des vernis pour poterie et des huiles de peinture). Les artistes peintres utilisaient autrefois un blanc au plomb (du carbonate de plomb), la céruse. Antoine Watteau en est mort. Il humectait systématiquement avec sa salive les poils de ses pinceaux.

Le saviez-vous ?
L'intoxication chronique par le plomb, le saturnisme, a été la première maladie professionnelle officiellement reconnue en France.

La voie digestive a toujours joué un rôle essentiel dans les intoxications par le plomb. Il constitue, avec l'arsenic, un des poisons les plus anciennement connus.

De ce fait, les différentes formes d'intoxication aiguë et chronique par le plomb ont été longuement décrites dans leurs manifestations cliniques. Mais un aspect nouveau de la toxicologie de ce métal est apparu depuis quelques décennies, avec les tonnages importants répandus dans l'environnement par l'intermédiaire des gaz d'échappement d'automobile. Les États-Unis utilisaient chaque année 200 000 tonnes de plomb, le cinquième de leur production annuelle, comme antidétonant dans l'essence ! On estimait à environ une tonne le rejet journalier de plomb par les gaz d'échappement automobiles dans l'air de Paris. Sait-on, par ailleurs, que des activités individuelles comme la chasse entraînent une libération surprenante de plomb ? Il suffit d'une salve de tous les chasseurs de France pour en répandre 60 tonnes, chaque cartouche en contenant 34 g.

Le plomb est utilisé dans l'industrie pour sa résistance à la corrosion. Cependant, il est lui-même très facilement corrodé dans certaines conditions, en présence de l'oxygène de l'air, par des acides faibles tels que l'acide carbonique dû au gaz carbonique dissous dans les eaux de consommation dites agressives. Il est aussi attaqué par des acides organiques des fruits ou des préparations culinaires (comme les acides citrique, tartrique et malique). Les acides gras libérés par le rancissement de certaines huiles insaturées, telle l'huile d'olive des Romains, le dissolvent eux aussi facilement.

Le pourcentage de pénétration du plomb ionisé à travers la paroi intestinale est faible, moins d'un dixième. Mais il peut atteindre des proportions beaucoup plus élevées et varier de manière importante en fonction de l'âge, de l'imprégnation alcoolique, du contenu en glucide (le lactose facilite son absorption intestinale), en lipides ou en vitamines (les vitamines C et D augmentent aussi l'absorption intestinale). Fort heureusement, les aliments sont, en général, peu contaminés naturellement par le plomb.

L'eau de certaines sources a été longtemps soupçonnée d'être à l'origine de nombreux cas de saturnisme. En réalité, elle n'est pratiquement pas contaminée par le plomb, même après passage sur un sol souillé par des retombées atmosphériques. En effet, le plomb s'y absorbe et s'y fixe, à la différence du cadmium. C'est la distribution, par des canalisations en plomb neuf, d'eaux agressives en provenance de terrains granitiques qui était en réalité à l'origine de ces intoxications. Fort heureusement, cet usage est désormais interdit dans les nouveaux locaux d'habitation et le nombre de ces accidents est, depuis vingt ans, en constante régression.

Le vin a pu être à l'origine d'une imprégnation non négligeable. La précaution a donc demandé d'éviter le vin, au prétexte de son contenu en plomb. Comment cela ? Pour la (bonne ?) raison que, en France, la consommation de vin, quand elle était excessive, contribuait notablement à l'apport quotidien de plomb ! Le vin ordinaire pouvait en contenir 0,25 mg par litre, surtout pour le blanc et le rosé, à caractéristique généralement plus acide. Cette pollution résultait des traitements des vignes, pendant des décennies (avec de l'arséniate de plomb). Elle était également due au stockage au contact de surfaces métalliques étamées ou recouvertes de minium, sans qu'elle ait rien de comparable à l'apport beaucoup plus massif observable sur des vins capsulés. En effet, l'extrémité du goulot de la bouteille de vins de qualité supérieure était généralement recouverte d'une chape prétendument d'étain, mais constituée en réalité principalement de plomb. Lors de la conservation de vins fins, pendant plusieurs années de vieillissement, la perméabilité toute relative du bouchon permettait l'écoulement de quelques gouttes de vin, dont l'alcool s'oxydait en acide acétique (le vinaigre), lequel attaquait la capsule, formant de l'acétate de plomb qui revenait à son tour contaminer la masse du liquide. La consommation de nombreuses bouteilles millésimées n'étant pas quotidienne, le risque était étalé dans le temps. De tels vins acquéraient parfois en moins de six mois des taux de plomb de l'ordre du milligramme par litre ! Il y a quelques années, cette réalité fut exploitée par le gouvernement américain afin de mettre à l'index les vins français, protégeant ainsi les leurs, chez eux comme à l'exportation. Comment ? En dosant le plomb dans une très vieille bouteille d'un cru bordelais, puis en faisant croire que toutes les bouteilles – actuelles – sont contaminées avec la même ampleur ! La supercherie a hélas fonctionné.

Un autre mode de contamination provenait de l'utilisation très répandue d'emballages métalliques. Voilà plusieurs décennies, la plupart des boîtes de conserve comportaient une soudure métallique, à la base du plomb pratiquement pur. Il pouvait en résulter, lors de la coulée du métal ou lors de l'ébarbage (opération qui consiste à limer l'aspérité de la soudure), une contamination interne due à la conservation plus ou moins prolongée d'aliments à réaction acide. Il n'était pas exceptionnel d'en déceler plus d'un milligramme par litre de jus de fruits, considéré pourtant comme une boisson de choix pour les jeunes enfants. Il n'y a plus de souci à se faire ; il est absurde de refuser la conserve par précaution contre le plomb, car cela fait bien longtemps que ce métal n'est plus autorisé.

Les intoxications par le plomb peuvent cependant être professionnelles, encore de nos jours, chez les travailleurs de l'extraction et de la métallurgie du plomb et du zinc ou chez les récupérateurs de vieux métaux. Les sources de contamination sont nombreuses : découpage au chalumeau de ferrailles peintes, soudures de canalisations de distribution et d'évacuation d'eau, fabrication et utilisation de munitions ; autrefois, du temps de la typographie, avec la manipulation de caractères d'imprimerie.

Le tableau de l'intoxication chronique associe diversement des troubles cliniques et biologiques. L'encéphalopathie est plus fréquente chez l'enfant que chez l'adulte. Quand elle est grave, elle se manifeste, de manière variable, par un délire, un coma, des convulsions. Chez l'enfant, le tableau observé est habituellement celui d'une hypertension intracrânienne. En milieu professionnel, l'atteinte neurologique centrale est presque toujours bénigne : maux de tête et fatigue anormale, troubles de la mémoire, irritabilité, difficultés de concentration, diminution de la libido, troubles du sommeil. Les formes graves de l'encéphalopathie saturnine sont responsables du décès de l'intoxiqué dans un quart des cas. Chez les survivants, les séquelles neurologiques et psychiatriques sont fréquentes.

Les atteintes neurologiques périphériques se caractérisent par une paralysie. Sa première manifestation clinique est l'impossibilité d'extension du médius et de l'annulaire, le malade fait les cornes avec une main « en griffe » autrefois couramment décrite chez les ouvriers fortement exposés. La paralysie s'étend ensuite aux autres doigts et au poignet. L'atteinte sensitive est inconstante et toujours discrète. D'autres régions du corps peuvent être touchées. Certains signes d'imprégnation saturnine, parfois spectaculaires et marquant les mémoires, ne sont, en fait, que rarement observés, bien que proposés comme des manifestations classiques du saturnisme. Ils bénéficient d'appellations exotiques : le liséré de Burton est un liséré gingival, bleu ardoisé, localisé au collet des incisives et des canines ; il est dû à l'élimination salivaire de sulfure de plomb. Les taches de Gubler sont également bleu ardoisé, elles sont situées sur la face interne des joues. Le semis de Sonkin est un piqueté visible au fond d'œil.

➤ *Le cadmium et les autres*

Le cadmium se transfère faiblement du sol vers le végétal, ce qui le différencie donc du plomb. Mais les êtres marins sont capables de le concentrer : le record est détenu par certaines huîtres qui l'accumulent trois cent mille fois par rapport à leur milieu environnant. L'homme, après avoir ingéré du cadmium, ne l'élimine pratiquement pas. Ce métal est hautement cumulatif : moins de 1 % est éliminé dans les urines. Sa demi-vie dans le rein est supérieure à quarante ans. Le cadmium et ses sels sont utilisés par exemple pour la fabrication de pigments, de matières plastiques. Il contamine les minerais de zinc, les engrais phosphatés. Il est aussi présent dans la fumée de cigarette, redoutable souillure pourtant négligée ; comme cela a déjà été signalé dans les pages précédentes à propos du rein et de la vitamine D. La principale source de pollution par le cadmium est constituée par les abats, mais aussi par l'eau de boisson qui peut être contaminée par le système de distribution. En effet, les conduites en plomb, interdites, ont été généralement remplacées par des canalisations en fer galvanisé, dont le zinc, toujours impur, peut relâcher, lorsque l'eau stagne plus ou moins longtemps, des quantités de cadmium non négligeables. On a signalé la corruption de boissons comme le café lors de sa préparation dans des appareils automatiques comportant des pièces métalliques à la base d'alliages de cadmium. Enfin, la technologie alimentaire peut également être à l'origine de diverses contaminations, non pas dans les conserves en boîtes métalliques mais dans des poteries et des céramiques dont certains émaux colorés peuvent libérer, au contact d'aliments à réaction acide, des quantités importantes de cadmium, outre le plomb !

Le saviez-vous ?

L'intoxication au cadmium, qui jaunit l'émail des dents, se traduit principalement par une symptomatologie osseuse, liée à un trouble du métabolisme du calcium ; elle touche notamment les femmes, après la ménopause, chez lesquelles elle entraîne de violentes douleurs dans le bassin et les membres inférieurs. Ces douleurs ont justifié, au Japon, la désignation, par onomatopées, de la maladie nommée itai-itai disease. Elle est aussi appelée ouch-ouch disease par les Américains ! Chez nous, ce serait la maladie « aïe aïe ». Le cadmium provoque en outre essentiellement des risques d'hypertension et de cancer.

L'augmentation de la production mondiale de ce métal correspond à ses utilisations industrielles sans cesse croissantes. En effet, de 12 tonnes en 1900, elle est passée à plus de 1 600 tonnes, deux tiers de siècle après, et on estime qu'elle double tous les dix ans, ce qui devrait avoir pour conséquence de multiplier par deux la concentration de cadmium dans la chaîne alimentaire tous les vingt ans. Il y a là matière à grave préoccupation. D'autant que sa présence naturelle n'est pas négligeable. Ainsi, celui qui se trouve dans la Gironde provient des mines de la Vieille Montagne dans le Lot.

La seule épidémie connue concerne l'ingestion, au Japon, de riz contaminé, car il était cultivé avec une eau très polluée. Le cadmium diminue par ailleurs les tests d'apprentissage et perturbe le comportement en augmentant l'agressivité de l'animal. Qu'en est-il chez l'homme ?

➤ *L'aluminium emboîte-t-il l'Alzheimer ?*

L'aluminium, que la précaution alimentaire demande d'écarter, est un constituant fréquent de l'environnement naturel des végétaux. Il est largement répandu sous forme minérale et parfois aussi sous forme organique. Certaines espèces végétales en accumulent d'énormes quantités ; tel le chêne *Cardwellia sublimis* qui en renferme jusqu'à 20 % de son poids sec, sous forme de succinate. En dehors de cet exemple, la présence de l'aluminium s'avère défavorable au développement des végétaux, qui constituent notre principale source d'absorption alimentaire de cet élément. Présent dans la nourriture sous forme très peu soluble, l'aluminium est dissous dans l'estomac et reprécipité dans l'intestin. Très faiblement absorbé, il est éliminé en quasi-totalité dans les matières fécales. Le régime alimentaire normal aboutit à une ingestion de 2 à 3 mg par jour, dont seule une très faible fraction est absorbée, pour ensuite se répartir dans les tissus. L'accroissement de l'absorption peut être dû à l'emploi de l'hydroxyde d'aluminium, ou d'autres composés aluminiques, comme antiacides dans le traitement de l'ulcère. D'usage limité dans le temps, à condition que le fonctionnement des reins soit bon, cette application ne semble pas avoir entraîné de troubles neurologiques.

L'élimination urinaire est majeure. Elle est susceptible d'être multipliée par quarante, tant que la fonction rénale est normale. Une surcharge alimentaire est donc bien maîtrisée. En revanche, il y a quelques décennies, l'emploi de préparations d'aluminium chez l'insuffisant rénal chronique (en vue de diminuer l'absorption des ions phosphates) a, par contre, contribué à l'installation de maintes encéphalopathies, car l'administration s'effectuait pendant de nombreuses années, alors que la fonction rénale est diminuée ou même totalement absente, par définition, chez ces malades. L'insuffisant rénal dialysé s'intoxiquait donc avec l'aluminium et, outre des troubles osseux et une anémie, il développait une encéphalopathie. Quels étaient les symptômes de l'intoxication ? À l'imparfait, car, bien évidemment, cette utilisation est strictement arrêtée depuis de nombreuses années.

L'atteinte neurologique, d'abord fluctuante, était caractérisée par la survenue de bégaiement et de difficultés d'élocution, de troubles du débit verbal voire même de mutisme transitoire, d'épisodes confusionnels temporaires, de secousses musculaires brusques et anarchiques, involontaires, à intervalles variables (ou myoclonies), de troubles des fonctions supérieures (mémoire, attention, jugement, calcul), de modifications du caractère, d'accès de somnolence diurne. La discrétion et la labilité des symptômes à la phase initiale en laissaient généralement mésestimer la signification. Par la suite, ces troubles devenaient permanents pour conduire à une détérioration intellectuelle, qui aboutissait finalement au syndrome appelé « démence des dialysés ». Des crises d'épilepsie pouvaient s'y associer, conduisant parfois à l'état de mal épileptique. Contrastant avec la sévérité du tableau psychiatrique, il n'existait habituellement pas de déficit sensitif ou moteur. Dans les formes sévères, on observait également une dénutrition progressive et la survenue d'infections graves, voire de septicémies qui entraînaient alors la mort.

L'aluminium franchit la barrière hémato-encéphalique et se fixe sur le cerveau, en particulier sur la substance grise et le cervelet ; sa concentration pouvait y être décuplée lors des encéphalopathies. Ces fortes concentrations ne sont pas liées à un pouvoir particulier de concentration du tissu nerveux, mais à son incapacité d'éliminer les précipités insolubles. Les neurones n'ayant aucun pouvoir de division, ils amoncellent l'aluminium, sous forme de phosphate, grâce aux ions phosphates libérés à partir de substrats biologiques tel l'ATP (la monnaie énergétique de la vie), et finissent par en mourir.

Chez celle ou celui qui est atteint par la maladie d'Alzheimer, la concentration en aluminium est parfois quatre fois supérieure à celle des sujets sains de même âge. Les patients atteints de démence sénile n'étant pas plus exposés que les autres, on s'est d'emblée interrogé sur le rôle causal de l'aluminium dans cette affection. Il semble toutefois que l'aluminium soit une conséquence plus qu'une cause, car les modifications histopathologiques observées ne sont pas provoquées expérimentalement par l'aluminium. D'autres observations d'ordre enzymatique confirment cette opinion.

Les mécanismes biochimiques de l'intoxication par l'aluminium sont mal connus, car le problème est d'emblée complexe. En effet, l'énorme accroissement de sa concentration bouleverse la répartition des anions minéraux physiologiques (tels que les phosphates, les carbonates, les sulfates), des ions organiques (comme l'acétate, le citrate, le tartrate) ou encore des protéines à fonction hormonale (parathormone) ou enzymatique. Les relations de l'ion alumi-

Le saviez-vous ?

À condition que la fonction rénale soit normale, les intoxications à l'aluminium ne sont plus à craindre. Refuser les ustensiles de cuisine en aluminium, par précaution, paraît donc sans fondement, tout comme l'est le rejet de la feuille d'aluminium grâce à laquelle de succulentes papillotes peuvent être préparées.

nium avec les anions, les acides aminés aromatiques ou hétérocycliques (histidine) sont aussi impliquées. Dans le sang, la majeure partie de l'aluminium est liée à des protéines de haut poids moléculaire (et à la transferrine). L'aluminium altère de nombreux mécanismes : il inhibe, entre autres, la production d'un neuromédiateur, l'acétylcholine, il réduit également l'activité de la première enzyme du métabolisme du glucose. Enfin, l'aluminium perturbe les mouvements du calcium.

Des bactéries, des parasites et des hommes

Un aliment contaminable ne doit pas être écarté par précaution, mais au contraire préservé avec soin, car cela signifie qu'il est nutritionnellement riche, pour les bactéries comme pour le consommateur ! Le danger des micro-organismes doit être évité. D'autant qu'il existe une différence de perception du danger par les consommateurs : le chimique est jugé beaucoup plus grave et menaçant que le bactériologique. Ce qui est souvent bien loin de constituer la réalité ! Le danger bactérien reste somme toute modeste en France, comparé aux dangers connus du déséquilibre alimentaire, notamment au niveau des glucides et des graisses. Ainsi, la consultation du *Bulletin d'épidémiologie* montre la survenue de quelques milliers d'embarras intestinaux mais de trois morts annuels « seulement », en raison de TIAC (toxi-infections alimentaires collectives). Bien plus, quand les œufs sont responsables, ils proviennent pour 40 % de productions artisanales ou domestiques, alors qu'elles ne représentent que 1 % de la consommation ; pour ce qui est des fruits de mer, il s'agit presque toujours de collecte récréative ou de ventes sauvages par des personnes qui ne sont pas habilitées et qui de plus travaillent souvent dans des régions interdites, précisément en raison des pollutions… Les intoxications sont le plus souvent le fait de produits non commerciaux. Une alimentation variée, certes, mais pas avariée !

Quid des « germes à l'ancienne » ? La viande de chasse à courre est immangeable, la preuve en est apportée par les chiens, qui n'en veulent pas trop. Lors de la chasse, toute blessure à l'abdomen devrait conduire à éliminer l'animal, par risque de provoquer une grave contamination bactérienne… Le faisandage est réservé exclusivement au faisan et à la perdrix. Aucune autre espèce n'en bénéficie, sauf à être polluée. Cette particularité est la conséquence de spécificités microbiennes, en particulier intestinales, avec les germes pseudo-lactiques.

La précaution peut ruiner ! Comme à la suite de la découverte un vendredi soir de *E. coli* dans un échantillon de viande hachée industrielle. La tranquillité du laboratoire d'analyse, et une administration soucieuse de ne pas avoir d'ennuis, associés à la perspective d'un week-end sans problèmes, ont induit une déclaration. D'où rappel de produits, scandale, perte de confiance des clients. Le mercredi on apprend qu'il s'agit d'une des multiples souches, inoffensive. Merci pour le délai, mais le mal a été fait. Simple erreur de laboratoire, aux conséquences industrielles dramatiques.

Le saviez-vous ?

Même les visites des enfants dans de bonnes fermes du terroir sont dangereuses. Ils peuvent en repartir avec des souvenirs, en particulier une bonne diarrhée due à E. coli 0157 H7. Ne pas oublier que l'oreille est un lieu ou les microbes pullulent, retenus par les poils. D'ailleurs, les vétérinaires affectionnent de faire des prélèvements à ce niveau : indolore, sans conséquence pour l'animal. Le bisou à l'oreille n'est donc pas très recommandé !

➤ *Il existe des bactéries sympathiques !*

Les bactéries intestinales sont classées en d'innombrables « races », dont certaines sont encore presque inconnues, ne serait-ce que parce que ce ne sont pas les mêmes chez chaque individu, selon les climats, les régions, les pays, les latitudes, les longitudes, la couleur de la peau. Le précieux équilibre s'acquiert dès la naissance, il s'agit de ne pas le perturber. L'infection intestinale perturbe en détruisant de manière plus ou moins importante ce subtil équilibre, induisant une perte d'eau, une réduction considérable de l'assimilation des aliments, un dérèglement de la santé. Qui peut aboutir à la mort, comme avec le choléra, à l'extrême.

Le saviez-vous ?

Il existe dans nos intestins 10 fois plus de bactéries qu'il n'y a de cellules dans tout notre corps ! Elles y occupent des rôles absolument fondamentaux dans le cadre de sa physiologie générale et plus particulièrement celles de la digestion, acte primaire et indispensable dans les mécanismes de la nutrition, source de santé.

La nutrition est là pour assurer la pérennité de ce petit monde pullulant, par exemple en bouchant les trous avec des bactéries, qui permettent à celles qui sont physiologiques de se redéployer, empêchant celles qui sont toxiques de le faire. Mais manger des bactéries vivantes, fussent-elles présentes dans les laitages de type yaourt, n'est pas obligatoirement efficace pour peupler les intestins, en attendant que la population indigène se reconstitue. D'autant que l'efficacité comporte un degré placebo. Dans cet esprit, selon la « philosophie » du consommateur, la même bactérie porte un nom différent suivant les pays, car il est imaginé en fonction de la perception de son

Le saviez-vous ?

70 % de l'immunité totale du corps se situe dans la sphère digestive !

efficacité. D'après le marketing, il s'agit de : *Lacto bacillus casei* en France, *defensis* en Allemagne, *immunologicus* en Italie !

Par prudence, faut-il contaminer ? Oui, dans certaines conditions. Par exemple, les bactéries ne demandent qu'à pousser là où elles trouvent de la place. C'est ainsi qu'il est devenu très efficace de « contaminer » avec des germes « inoffensifs » des surfaces de travail de certaines industries agroalimentaires, après les avoir très soigneusement nettoyées. Ainsi, elles privent les germes pathogènes de place disponible, tels que *Listeria*, salmonelles, *E. coli* et autres hôtes indésirables. Illustration du fait que la nature est le siège d'une compétition acharnée entre des organismes vivants présents par le fruit du hasard, le moins adapté étant voué à disparaître.

Quand la précaution renvoie le boomerang ! Avec une curiosité : il a été découvert que les intoxications alimentaires… protègent contre certains cancers digestifs ! Les toxines des entérobactéries (en particulier de *E. coli* pathogène) ont la propriété de protéger les personnes qu'elles infectent contre les cancers colorectaux ! Telle est la conclusion de l'observation constatant la faible incidence de ce type de cancer dans les populations du tiers-monde ; elles pourraient prévenir le développement hyperprolifératif et néoplasique des cellules épithéliales de l'intestin. Affaire à suivre…

➤ *Le yaourt à l'assaut des candidoses vaginales*

L'observation attentive a permis de constater que la consommation de yaourts contenant du *Lactobacillus acidophilus* diminue la fréquence de la candidose vaginale, une affection déterminée par un champignon microscopique du groupe *Candida*, comme son nom l'indique, entraînant des pertes blanches (des écoulements d'odeur nauséabonde), des démangeaisons désagréables et bien évidemment une invalidité sexuelle plus ou moins poussée. Ces résultats ont été très sérieusement confirmés par une étude menée sur quelques dizaines de femmes atteintes de candidose vaginale à répétition, alors qu'elles ne prenaient évidemment pas de traitement immunosuppresseur, ni d'antibiotique de longue durée, médicaments qui ont pour effet adverse de détruire la flore naturelle et d'engendrer par contrecoup des candidoses, entre autres.

Le saviez-vous ?

Pendant six mois, les patientes ne mangeaient pas de yaourts et durant les six mois suivants, elles en mangeaient 240 g par jour. On nota significativement moins d'épisodes de candidose vaginale, pendant les six mois de consommation des yaourts que pendant la période de non-utilisation.

Parallèlement, la colonisation par le *Candida*, systématiquement recherchée, était moins fréquente : le nombre moyen de colonisations positives devenait quatre fois plus faible. Après vérification, bien entendu, qu'aucun changement de partenaires ou d'habitudes alimentaires ou sexuelles n'accompagnait cette diminution.

Évidemment, le yaourt n'est pas à prescrire en application locale, tout du moins pas encore (ce qu'ont cependant fait de nombreuses personnes qui avaient mal interprété ces résultats !). Qui eût cru que le yaourt ait la performance d'éviter la douleur pour permettre le plaisir !

Dans le même esprit, il est inutile de boire goulûment – par précaution – du lait de coco, bien que des chercheurs français aient récemment trouvé qu'il contient une substance capable de maintenir vivace le spermatozoïde car ce résultat a été obtenu seulement dans le tube à essai du laboratoire, malheureusement pour le moment.

➤ *Intoxications et épidémies*

Il convient de s'entendre sur la signification des mots qui parsèment les communiqués de presse, entre autres. Un mot nouveau, au sens flou, ne manquant jamais de susciter l'inquiétude : anadémie. Il s'agit d'une infection collective à partir d'un aliment contaminé, qui peut se transformer en épidémie si la transmission se fait d'homme à homme, par le vomi par exemple (il existe même de véritables aérosols de virus, avec les norovirus qui restent en suspension dans l'air). Cela survient en collectivité : sur une croisière, dans un institut, une maison de retraite, une cantine. Une intoxication banale dans un restaurant de mauvaise qualité n'est pas répertoriée, sauf si les clients sont tous très malades et hospitalisés dans le même service hospitalier, au même moment (exception faite de quelques souches qui font l'objet de déclaration obligatoire). En effet les symptômes des norovirus sont diarrhées, vomissements, crampes, sans fièvre. Par conséquent, un individu contaminé ne s'inquiète pas, la relation ne peut se faire que si une collectivité est touchée, voire confinée, et en parle.

Le saviez-vous ?

Avec ces norovirus dont il suffit d'un tout petit nombre pour induire une maladie : si les défécations sont directement rejetées à la mer, la selle d'une seule personne atteinte par ce virus peut contaminer 20 km de côtes sur 10 m de large, sur 10 m de profondeur.

Toute personne qui boit d'une eau polluée peut contracter la maladie. Interdit donc de déféquer dans les zones d'élevage et de culture, sinon il y aura problèmes pour les fruits de mer, les huîtres et les moules, qui, de plus, les concentrent. D'une manière générale, en moyenne pourrait-on dire, une selle humaine en mer pollue une portion de mer de 1 km sur 100 m de large sur 2 m de profondeur. Si elle est contaminée, bonjour les dégâts ! Un administratif cynique affirmait : « La solution à la pollution est la dilution. » Vrai pour les toxiques chimiques, mais faux en bactériologie ! Finalement, le monocoque n'est pas une maladie qu'on attrape en mer ; en revanche, le méningocoque attaque gravement les méninges ! En pratique, toutefois, l'alimentation peut avoir bon dos dans nombre de cas.

Le saviez-vous ?

Pour ce qui est des enfants, de nombreuses diarrhées sont dues à des rotavirus, qui n'ont rien à voir avec l'alimentation, mais qui provoquent tout de même en France 50 morts par an.

Le défaut d'hygiène peut être particulièrement insidieux. Ainsi, la *Listeria* et quelques virus se retrouvent, par exemple, sur les framboises (d'importation), dont les cueillettes ont été réalisées à la main par des personnes différentes. Si leur hygiène est défectueuse, le risque de contamination est grand. En d'autres termes, pour faire pratique, il faut que les saisonniers aient des toilettes à leur disposition, et surtout de quoi se laver les mains, avec l'obligation de le faire. Chez nous le problème ne relève plus que du vocabulaire. Avec les dénominations réglementaires incongrues, un travailleur saisonnier dans les récoltes, tout comme une cuisinière de restauration collective, ne doit plus obligatoirement dire qu'il s'est lavé les mains en sortant des toilettes, mais clamer qu'ils ont réalisé un « programme prérequis opérationnel » ! Excusez du peu d'emphase. Le non-respect de ces règles d'hygiène élémentaire cause incontestablement beaucoup plus de maladies que les pesticides utilisés sur ces mêmes plantes !

Le saviez-vous ?

Bon an, mal an, on dénombre en France 400 à 500 foyers de salmonellose, soit entre 7 000 et 10 000 cas, mais très peu de décès.

On déplore beaucoup plus de salmonellose en Grande-Bretagne, du fait des œufs du petit déjeuner. Le nombre d'intoxications est très disparate selon les pays. Il y a environ 200 cas de listériose, rillettes et fromages au lait cru en sont les principaux responsables. *Listeria* par steaks : 70 cas en France par an, mais 500 en Grande-Bretagne et 20 000 aux États-Unis ! Dans ce pays, les infections alimentaires sont au nombre de 76 millions par an, ce qui entraîne 323 000 hospitalisations et 5 000 décès. Un Américain sur 4 souffre d'une infection alimentaire chaque année, 1 sur 100 est hospitalisé. La détection demande des enquêtes fines : 101 cas de L. monocytogènes ont été identifiés dans 22 États des États-Unis, avec à l'origine une seule production de hot-dog. Parmi la liste des 27 pathogènes listés, 13 d'entre eux ont été identifiés les 25 dernières années. 82 % des 13,8 millions de cas et 61 % des 1 800 décès sont dus à ces 13 nouveaux. Les pathogènes majeurs d'avant 1900, *Brucella*, *Clostridium botulicum*, *Salmonella thyphi*, *Trichinella* et *Vibrio cholerae* ne représentent plus que 0,01 % des cas et moins de 1 % des morts en 1997. En moyenne, on découvre un nouveau pathogène tous les deux ans. Un mauvais jeu de mots du STEC dans le steak ! Vrai car le STEC est « *Shigo-toxin producing Escherichia coli* ». Qui empoisonne les biftecks ; comme le fameux O157 H7.

Il ne faut pas oublier que les salmonelles sont abondantes dans la terre, quelle qu'elle soit, sauf à être stérilisée. Selon les salmonelles, le risque est très variable : *Entéridis* peut tuer avec 100 bactéries seulement (au-delà de 10 000 tout le monde est malade), alors que *Gallium* peut rester inoffensif avec 1 milliard de bactéries. Quand une poule pondeuse est infectée, 1 œuf sur 200 l'est *de facto*. La température intérieure de la poule étant de 41-42 °C, les bactéries y vivent donc très heureuses. Incroyable : un coq peut se mettre à pondre des œufs : s'il a la tuberculose ! Mais cela pourrait s'avérer dangereux pour le consommateur, car il risque d'attraper, peut-être, la maladie de Crohn, avec le *Micobacterium avium*… donc nul ne se risque à utiliser des coqs tuberculeux pour augmenter la production ! Ouf, on respire !

Au passage, concernant les œufs, notez une curiosité des législations : un œuf au froid n'est pas un œuf frais, car il est… conservé ! Il doit donc être présenté à température ambiante, et jamais sur des linéaires réfrigérés. À revoir, car cette prescription date de 1930.

Incidemment, avec des bouteilles en verre, il est possible de stériliser de l'extérieur. En revanche, c'est impossible avec les bouteilles en plastique. D'où la nécessité d'ajouter des agents chimiques, tel l'acide benzoïque !

➤ *Antibiotiques et hormones : le sexe et la secte !*

Refusez vigoureusement les antibiotiques dans la viande d'importation. Ils y constituent un véritable danger, car la résistance aux antibiotiques n'est pas une vue de l'esprit. Un exemple historique le démontre parfaitement, hélas ! Dans certains pays, certains animaux destinés à la boucherie ont été traités avec un antibiotique vétérinaire, dénommé quinolone. Quelques années plus tard, les médecins ont voulu utiliser ce médicament chez les humains, notamment pour guérir des infections à *Campylobacter*, un micro-organisme peu sympathique qui provoque des diarrhées. Mais avec des résultats décevants. Car les patients étaient devenus résistants à cet antibiotique, simplement pour avoir mangé de la viande en contenant de faibles quantités ! L'acquisition de la résistance est un fait patent, qu'il ne faut pas traiter à la légère, d'autant que se développe maintenant sur terre des micro-organismes devenus résistants à presque tous les médicaments connus (c'est le cas de celui provoquant la tuberculose en Asie). Soit dit en passant, il arrive même que les arbres fruitiers soient traités avec des antibiotiques ! N'est-ce pas étonnant, sinon consternant ? Le problème concerne aussi les virus. Dans le cas de la grippe du poulet, seul le Tamiflu est efficace pour l'homme, mais aucun des autres rétroviraux (comme l'amantadine), car les Chinois les ont utilisés dans les élevages. Les consommateurs sont donc devenus résistants !

Il faut prendre le taureau par les cornes !

À moins que la viande hormonée ne soit meilleure ? Oui ! Tout du moins si l'on veut bien accorder quelque crédit aux calculs *big* mais pas *beautiful* étalés par les Zorro de la guerre économique du GATT puis de l'OMC. (Poliment nous parlons d'accords, comme ceux de Blair House il y a quelques années, alors que les Américains ont une autre conception de la négociation, qu'ils dénomment *round*... avec, il est vrai, un secrétaire d'État qui était un ancien militaire, chef de l'état-major, excusez du peu.) Ils prennent comme exemple une molécule, le diéthylstiboestrol. Cette redoutable substance provoqua des cancers du vagin chez 0,2 % des *filles* nées de femmes qui avaient été traitées pendant leur grossesse avec elle. Mais alors, quel est le mode de calcul qui leur permet de prétendre que le danger n'existe pas avec le bœuf ? Il semble apparemment cartésien. Les femmes ont été traitées avec 250 mg, alors que les animaux n'ont reçu que 1 µg de cette molécule, pour ses vertus anabolisantes, soit 250 000 fois moins. Pour atteindre la dose toxique, une femme devrait s'empiffrer de la modique quantité de 250 000 kg de foie de bœuf, soit 750 g par jour pendant cent ans ! Autant dire que personne ne mangera une telle quantité ; ce qui autorise à dire que le danger est nul. Erreur ! Pourquoi ?

Le saviez-vous ?

Si les antibiotiques étaient supprimés de l'alimentation animale, la résistance diminuerait ; mais pas autant que l'on pourrait le croire, car le mal est déjà fait quelque part. En effet, les micro-organismes ont appris à se méfier, à se défendre : ils s'adaptent beaucoup plus facilement. Ils seront donc rapidement résistants à un nouvel antibiotique. Le problème est réel, les dégâts sont déjà perceptibles.

Parce que chacun n'est pas tout le monde ! Car les chiffres sont fondés sur des moyennes, alors qu'en réalité la réponse des individus constituant une population se fait selon une courbe de Gauss. Pour certains, une dose faible peut être toxique, tandis que pour d'autres, il en faut beaucoup plus que la limite de sécurité. L'exemple spectaculaire en a été trouvé avec l'amiante. Des dizaines d'ouvriers ont travaillé dans la poussière d'amiante pendant des années sans être malades, alors qu'un autre – fumeur le plus souvent, qui plus est – a été frappé par le cancer en perçant de temps en temps dans des cloisons floquées !

L'effet cumulatif ne consiste pas en une simple addition. Pour atteindre un seuil toxique, il faut avoir absorbé une quantité certaine de la substance incriminée. Ne serait-ce que parce qu'elle est plus ou moins stockée dans le corps. La dioxine ou la radioactivité en sont deux preuves bien connues ; nous les avons déjà rencontrées. Mais, outre la réponse individuelle, les réactions ne sont pas aussi linéaires qu'il y paraît. L'exemple connu date de… 1958. Il s'agit d'un colorant jaune, utilisé à cette époque notamment pour donner sa teinte au beurre, il fut donc logiquement dénommé jaune de beurre. D'après les calculs, à l'aide d'expérimentations animales, dans un premier temps, il apparut qu'il fallait en accumuler une dose de quelques grammes pour développer le cancer, indépendamment du temps mis, qu'il s'agisse de jours ou d'années. Mais on s'est rapidement aperçu que la moitié de la même quantité, répartie sur deux fois plus de temps, s'avérait finalement aussi toxique ; ou encore, pour simplifier, le quart sur quatre fois plus de temps… La dose totale compte, tout autant que la durée mise à l'accumuler : plus on met de temps, plus la quantité totale toxique est faible.

Le saviez-vous ?

Les critères d'évaluation sont parfois différents, sur un même problème. L'interdiction du bœuf aux hormones illustre bien cela, avec le conflit entre l'Europe et les États-Unis. Chacun, avec sa méthode de calcul et sa vision sociétale, avait raison, ou tort, au choix. La prévention du risque n'était pas évaluée de manière identique.

Quand la réalité dépasse bien l'affliction, à défaut de fiction ! Un grand hebdomadaire français affirmait qu'il ne fallait pas manger – par précaution – de poissons d'élevage importés du Vietnam, car ils recevaient… des hormones d'urine de femmes enceintes. La crainte du ridicule n'a pas trop gêné le rédacteur, ni le bon sens le plus élémentaire. A-t-il imaginé que l'on faisait uriner, dans des containers spéciaux, toutes les femmes enceintes de ce pays pour faire grossir plus vite les poissons dans les élevages ? Il confondait tout. Quelle est l'histoire ? Un jour, on a constaté que les poissons de la Tamise étaient presque tous du même sexe. Pour la grande tristesse des pêcheurs, car évidemment le nombre de poissons avait beaucoup diminué. Le coupable a été retrouvé après une recherche à la Sherlock Holmes : il s'agissait de l'urine des femmes enceintes et de celles qui prenaient des contraceptifs ! Les hormones n'étaient pas éliminées par les traitements des eaux et se trouvaient donc rejetées dans les rivières, les fleuves, la Tamise en l'occurrence. Incidemment, il est facile, avec un seul traitement aux hormones de l'animal femelle juvénile, de la transformer momentanément en mâle, qui adulte, deux ans plus tard, produira cependant des spermatozoïdes XX, lesquels rencontreront des ovules XX et n'en feront que des femelles. Cela peut être pratiqué dans les élevages qui produisent des poissons dont le poids est supérieur à 250 g (celui d'une part « individuelle »), car pour aller au-delà de ce grammage, il faut passer la puberté. Or celle-ci, chez les mêmes, s'accompagne de plus de maladies, d'une plus grande mortalité et surtout d'un fléchissement de la croissance, c'est-à-dire de la prise de poids, toutes choses incompatibles avec des bénéfices maximaux. Bien mieux ou pire en l'occurrence, le poids des organes sexuels est considérable : il peut représenter 30 % du poids total de l'animal ! Ils sont nourris pour cher, mais pour rien. L'hormone « unisexualisante » est donc très intéressante sur le plan économique. Et pour notre santé ?

En Suède, les restes de contraceptifs rejetés provoquent la même inquiétude : les poissons mâles se raréfient ! Ce sont les patchs qui sont incriminés, qui contiennent encore jusqu'à 500 µg de l'hormone féminine de synthèse, l'éthynilestradiol. Retard dans la spermatogenèse, avec même présence dans les testicules d'ovocytes immatures : la féminisation est galopante ! Or, dans une rivière moyenne, un seul contraceptif jeté tous les trois jours libère une quantité d'hormone suffisante pour que sa concentration dans l'eau soit suffisante pour contaminer l'aval d'un centre de retraitement des eaux. Le conseil des autorités est d'incinérer ces déchets, car les enterrer est tout aussi dangereux : les eaux de ruissellement contaminent les nappes phréatiques, qui à leur tour polluent les rivières, et donc atteignent les poissons.

En Thaïlande, au Pérou, en Équateur, les mers sont stérilisées, dévastées par les élevages de poissons : utilisation massive de produits chimiques, d'antibiotiques, déchets produits par les poissons eux-mêmes. Le seul objectif est d'augmenter la productivité, comme c'était le cas pour l'agriculture il y a cinquante ans. Mais le problème est plus grave : en effet, en agriculture terrestre, la pollution reste à peu (beaucoup ?) près sur place, alors que les eaux des mers circulent ! Des territoires maritimes sont dévastés, car les polluants se répandent petit à petit dans toutes les mers du globe.

➤ *Botulisme, nitrates, nitrites, céleris et épinards*

Il y a plusieurs bactéries. À l'origine, une histoire belge. Une fanfare enterre l'un des siens. Après la cérémonie, un déjeuner réunit les convives chez la veuve. Le lendemain, la moitié de la fanfare est morte. 1 mg de la toxine tue 1 000 tonnes de matière vivante. C'est 3×10^7 fois plus puissant que le cyanure ! Et 10 000 fois plus que le venin de cobra. Le botulisme n'existe plus avec les appertisés industriels, grâce à l'utilisation du HACCP depuis des décennies. En revanche il persiste dans les conserves et les salaisons de jambons crus familiales. Dans 77 % des événements, on ne déplore qu'une seule intoxication parmi les convives. En effet, la toxine n'a généralement pas diffusé dans toute la boîte, elle ne contamine qu'une petite fraction du contenu : un endroit dans le saucisson, un petit volume dans le pâté ; seul celui qui a la malchance de tomber sur ce morceau est touché.

Le saviez-vous ?
Entre 1939 et 1944, il y eut 5 000 cas de botulisme en France, car les gens se débrouillaient et faisaient des conserves de mauvaise qualité, non pas au titre des aliments, mais de la technique elle-même, insuffisante pour réellement stériliser.

Pour l'anecdote, l'animal sensible est la souris ; elle est donc souvent mise à profit, véritable kamikaze. Attention : elle est aussi vulnérable à l'asperge ! De ce fait, des contaminations – fausses évidemment – ont été signalées dans ce type de conserve ! La volonté de réduire les sels non nitrités (en raison des nitrosamines, dérivés toxiques) risque d'augmenter les cas de botulisme.

Petit rappel : dans les charcuteries, principalement mais pas exclusivement, il faut ajouter des nitrates, qui se transforment en nitrites ; l'alternative est d'ajouter directement des nitrites. Pour trois raisons incontournables. Tout d'abord pour préserver la couleur naturelle, ensuite pour conserver les arômes naturels (sinon, des dégradations se produisent, laissant place à des substances donnant mauvais goût). Enfin, pour protéger contre les organismes pollueurs, particulièrement le grand danger microbien, dont le pire est représenté par les *Clostridium botulinum*, bactéries produisant la redoutable toxine botulinique (qui dans les temps anciens, tuait beaucoup plus que les guerres et même les famines). Sans donner dans la provocation, les nitrates sont les garants de la naturalité ! Pas de quoi construire une effroyable montagne de méchanceté. Or, véritables polluants de l'environnement, on concentre sur eux toute la lutte écologique de préservation de la nature, persuadant de leur redoutable toxicité alimentaire ; ils deviennent emblématiques, un peu l'arbre qui cache la forêt. Donc, *a priori*, tintamarre médiatique oblige, on n'aime pas en trouver dans les aliments. Principe de précaution oblige, nous dit-on.

Comment faire, puisqu'ils sont indispensables à bien des égards ? En détournant très astucieusement, par un remarquable rideau de fumée, la haine entretenue du consommateur contre les nitrates. Comment est-il berné ? En utilisant des épinards (en Grèce) ou du céleri (en France). Qui permettent d'afficher haut et fort qu'ils sont indemnes de tout conservateur. De quoi s'agit-il ? Les nitrates sont présents partout. Pourquoi faut-il que les engrais en apportent autant ? Pour faire pousser les végétaux, pardi. Car ils en ont besoin et en accumulent des quantités plus ou moins grandes (selon le lieu et la variété de la plante, tige, feuille ou fleurs ou fruit, l'heure de la journée). Parmi nos fruits et légumes habituels, les épinards et le céleri comptent parmi ceux qui contiennent naturellement le plus de nitrate. Plutôt que d'ajouter du nitrate (donc d'afficher un conservateur), on saupoudre généreusement avec du céleri qui en est bourré. Grâce à lui, le produit reste dans la gamme du naturel. En réalité, ce sont les nitrites, dérivés des nitrates, qui sont actifs. On compte donc sur les bactéries, présentes de manière naturelle, pour transformer le nitrate du céleri en nitrites. La technique peut faire encore mieux. Ou pire, au choix. En effet, il est possible de traiter les céleris pour en extraire un jus. Pour qu'il contienne des nitrites, on lui fait subir les attaques de micro-organismes par ailleurs autorisés, donc acclamés comme naturels. Du deux fois naturel, ou mieux quand on veut faire savant, du *clean label.* En fait, du plus blanc que blanc. L'efficacité maximale demande de faire pousser le céleri ou les épinards sur un terrain outrageusement traité avec des engrais azotés pour finalement mettre dans l'aliment plus de nitrates et de nitrites qu'avec les conservateurs classiques, mais honnis. Le consommateur n'est-il pas véritablement trompé ? Le seul acceptable serait-il que les céleris soient bio ? Eh non, car il s'agit toujours de nitrates !

Les premiers trompés furent les Grecs, mais le produit, à base d'épinards, a été « retoqué » par l'administration européenne, qui a estimé qu'il s'agissait bien d'un conservateur ; et que les épinards, par leurs nitrates transformés en nitrites, n'étaient que des agents de conservation, donc des conservateurs. Incidemment, depuis des temps immémoriaux, on rajoutait du salpêtre, nitrate de potassium de par sa formule chimique. Pour préserver les viandes, et, aussi, faire la poudre noire pour les cartouches des fusils et envoyer les boulets. Le célèbre hôpital de la Pitié-Salpêtrière, à Paris, en témoigne de son nom.

Le saviez-vous ?

Pour un grand nombre d'aliments, y compris par exemple les huiles de table, l'atmosphère contrôlée est généralement constituée d'azote, qui évite toute réaction de destruction, génératrice de molécules indésirables. Car l'ennemi est bien l'oxygène (éventuellement allié à la température et à lumière), qui enclenche des réactions chimiques de destructions et de pollution, de pertes de valeur nutritionnelle.

Le consommateur peut encore être abusé autrement. En effet, la couleur rose des viandes et charcuteries est due à la présence d'hémoglobine. Une viande laissée longtemps sur l'étalage brunit, par perte de cette belle hémoglobine. On a donc inventé une parade : mettre les viandes dans des sachets étanches, sous atmosphère contrôlée. Mais dans ce cas, pour préserver la superbe couleur rose de l'hémoglobine, on ajoute de l'oxygène. Avec pour résultat, la destruction rapide des vitamines. Question valeur nutritionnelle, il faut donc aller chercher ailleurs. Finalement, peu.de nitrates, une belle couleur, mais un pouvoir nutritif affaibli.

Dernière frayeur : les nitrosamines (qui sont les dérivés dangereux des nitrites) sont présentes en quantités importantes dans les eaux traitées avec du chlore, mais contenant encore beaucoup de matières organiques. Elles polluent donc les aliments qui sont d'abord lavés et ensuite préparés avec elles. Mais cela se passe vers l'Asie, suivez le regard des récriminations.

➤ *Trichinose de cheval, ténia et souci dans le sushi ?*

Après les virus et les bactéries, qu'en est-il des parasites ? Surprise : les chevaux ont été atteints de trichinose. Fait étonnant, car cette bestiole ne se reproduit que dans les rats, souris et mulots, que le cheval ne mange jamais, même quand ils sont morts. Il y a donc eu un parcours particulier. Au Canada, les chevaux étaient nourris avec des farines animales élaborées à partir de phoques qui étaient porteurs du parasite, en provenance de l'ours. Incidemment, pour éviter des incidents diplomatiques, les chevaux polonais ont été mis en cause, alors qu'ils n'étaient pas coupables, sauf détours en provenance d'Amérique du Nord.

Il existe diverses variétés de ténia, dont l'agressivité est différente : le ténia du bœuf n'est que peu agressif, celui du porc peut tuer ! Fort heureusement, il a presque disparu de France. Mais il pourrait revenir, par le biais des importations. La vigilance doit donc persister. Le ténia du bœuf touche 100 000 personnes en France, si l'on en croit les calculs émanant de la Sécurité sociale sur la base du nombre de boîtes de vermifuge vendues. Le ver a bon dos ! Fort heureusement, le nombre d'hospitalisation n'est que de 14, dans tous les cas il s'agit de problème de susceptibilité individuelle au médicament, et non pas la cause de la toxicité de la bébête elle-même. Comment se fait la contamination ? Tout d'abord, de façon massive, par l'agriculteur qui incite son veau à téter en lui donnant son doigt à sucer. Or, si l'éleveur est atteint, cela le démange, il se gratte, se contamine les doigts… Par manque d'hygiène, faute d'un lavage soigneux des mains, le doigt reste contaminé par des millions d'œufs ! Une autre source de dispersion des œufs se trouve dans les eaux d'épuration : la mousse, celle du vendredi soir, qui effraie les techniciens, entraîne les œufs, qui échappent possiblement aux traitements. L'épandage sur les champs répand les œufs, qui sont mangés par les animaux qui… la boucle est reprise… Les eaux usées doivent donc être traitées avec le pus grand soin. Autre origine de contamination non négligeable : la SNCF.

Le saviez-vous ?

200 m sont pollués de chaque côté de la voie… Une personne contamine donc des surfaces gigantesques, surtout si le train va vite. Sauf avec le TGV, bénéficiant de toilettes chimiques.

Des risques classiques réapparaissent. La douve du foie, qui terrorisait dans les campagnes, due aux déjections des moutons sur le cresson, fait son retour : des ragondins, qui prolifèrent, peuvent s'avérer des transporteurs, et donc contaminer le cresson d'eau ! Or ils font également d'excellents pâtés dans le Marais poitevin. Il faut donc toujours bien cuire cette succulente variété de rat. Il en est de même, dans une moindre mesure, pour la mâche et le pissenlit ; qui, eux, ne se mangent que crus. Vous en reprendrez bien un ver ? Ou bien préférez-vous un vermisseau ?

Le parasite étant vorace, celui qui l'héberge maigrit, car il lui subtilise ses aliments. Pour maigrir, il y a donc mieux que l'anneau ou le vomissement forcé : les cistiterques, que les Américains vendent pour maigrir. Deux œufs, et la garantie est au rendez-vous ! Ridicule. Le seul moyen d'éviter le parasite est de congeler, ce qui le tue, mais à – 15° C au moins. Un peu comme avec *Anisakis*, qui popularise la congélation des poissons par mesure de sécurité. Attention donc aux tartares et aux carpaccios ! Et même pour la viande rouge.

En mangeant, la vache arrache une touffe d'herbe et absorbe donc de la terre, avec tout ce qu'elle contient : outre vers, clous, cavaliers de clôture, parmi divers objets, pourquoi pas des seringues si le pâturage a servi pour une rave party ? Pour collecter les objets, on donne à avaler à la vache un gros aimant, qui se retrouve à la découpe en abattoir ! Aux États-Unis, 60 % de la viande est ionisée.

CHAPITRE 5

Trop de précautions : le vrai danger

Le poids accordé à une démarche non rationnelle rompt le lien entre la connaissance et la décision, ce qui pourrait encourager des mesures sans base logique, simplement parce qu'elles sont préconisées par des groupes de pression.

Maurice TUBIANA

Risque et danger : ne pas confondre !

Le danger et le risque : une bonne partie des dérives et des duperies évoquées dans tout cet ouvrage repose sur une confusion entre ces deux mots. On affirme doctement que le risque est inacceptable pour la santé humaine. Or il n'a pas été calculé, parfois il n'est même pas réellement connu ! Mais comment se définit le risque par rapport au danger ? Prenons deux exemples. Le danger : un crocodile qui est dans une piscine, capable de vous manger. Le risque, quant à lui, est de tomber dans la piscine. Mieux ? Deux dangers : le crocodile et la chute dans la piscine ; le risque est alors que le crocodile ait faim. Autre comparaison. Le danger : un trou dans une route. Le risque est nul s'il n'y a aucun trafic, il devient gigantesque s'il passe mille voitures à l'heure !

Le saviez-vous ?
Par définition, le danger menace ou compromet la sûreté, l'existence de quelqu'un ou de quelque chose ; le risque, quant à lui, représente la probabilité de le subir.

Courir un risque expose par définition à encourir un danger. L'assurance couvre le risque d'incendie, sans supprimer pour autant tous les départs de feu ! Éviter le risque de subir un danger constitue fréquemment une posture plus simple que de chercher à annihiler le danger lui-même, opération le plus souvent impossible. Pensez aux amanites phalloïdes : il est relativement aisé d'apprendre aux enfants à ne pas les ramasser, alors que chercher à éradiquer la Terre de leur présence est inimaginable ! Qui plus est, le danger ne crée pas obligatoirement le risque.

Malheureusement, tout n'est pas aussi simple en alimentation. Par exemple, le danger serait représenté par les sodas, alors que le risque pour la santé est d'en consommer de manière abusive. Mais le soda n'a rien d'un crocodile ! Dans le même esprit, mais en plus complexe, affirmer que le danger réside dans les graisses et que le risque serait d'en consommer constitue une simplification abusive, fréquente mais potentiellement mortelle ! Car certaines graisses appelées vitamine F sont absolument indispensables à la vie. Le poisson médicalement prescrit pour réduire le danger de l'infarctus se transforme en poisson dangereux, en poison donc, s'il est nourri avec des graisses saturées. Pour ajouter un peu à la complexité des notions de danger et de risque, il faut se souvenir que, de plus, tout est bon, tout est poison ; *c'est la dose qui fait le poison*. Le danger réside alors dans le simple excès. On le sait depuis plus de cinq siècles, grâce à Paracelse, alchimiste bâlois qui entrevit la chimie. Le consommateur accepte délibérément de courir des risques choisis en utilisant à profusion des substances dangereuses (fumer tue), mais refuse qu'on lui impose le moindre danger (une trace de cadmium dans les aliments, alors qu'il y en a force dans la cigarette).

Le mot « risque » est issu du bas latin *resclare*, devenu *resecare*, qui signifie « enlever en coupant ». Le mot écueil a été forgé à partir de la même racine, car il fait courir des incertitudes aux marchandises en mer. Prendre un risque, c'est affronter un danger, en bateau le long de la côte, pour obtenir un bénéfice, parvenir au port sain et sauf. Cela implique une forme de hasard : perdre ou gagner. Mais « risque » et « danger » ne sont pas synonymes : *le danger constitue une menace palpable, objective, alors que la notion de risque conjugue nécessairement la prise en compte simultanée d'un danger et d'une espérance de gain.* C'est tout le contraire de la recherche du risque zéro. Notion délicate, le progrès scientifique et technique rend facilement quantifiables des risques qui seraient totalement passés inaperçus il y a quelques années. Le progrès des connaissances dévoile des dangers, celui des techniques en crée. « Dans le doute, abstiens-toi », dit un précepte célèbre mais particulièrement délétère, source de catastrophes. À la limite, la prudence excessive ou injustifiée peut engendrer des risques plus importants, ou plus graves, que ceux que l'on souhaite éviter. Le principe de précaution risque ainsi d'entraver la démarche rationnelle, scientifique et médicale : le feuilleton de la « vache folle » et des farines animales a illustré la pertinence de cet argument !

D'autant que l'évaluation du risque représente un travail très différent de la gestion du risque. La première est scientifique, alors que la seconde est administrative, voire politique. Il ne faut pas confondre ces deux étapes successives ; elles correspondent à des tâches qui ne devraient pas être dévolues aux mêmes personnes. Deux écueils surgissent alors. L'un est de nier le risque, au prétexte qu'il n'est pas certain. L'autre est d'attendre que le risque soit indéniable pour agir (c'est-à-dire que le nombre de morts soit assez grand !). Entre les deux, la marge est grande. L'amiante, la vache dite « folle » et la grippe aviaire en sont de bons exemples.

Comme toujours dans la vie, il est indispensable de définir des priorités. Il convient donc de hiérarchiser les risques ; mais aussi de s'accorder sur leur échelle ; encore faudrait-il préalablement l'établir. Où situer l'acte de manger sur l'échelle des risques ? Danger dans la bactérie, le toxique, la cuisson, le noyau de la prune ? Est-il préférable de catégoriser les risques, c'est-à-dire de les mettre en paquets, selon leurs utilisations et leurs implications (sociales, individuelles, médicales, environnementales et… alimentaires, entre autres) ? Est-il légitime d'occulter le risque du toxique dans l'aliment au prétexte que le tabac ou l'alcool sont autrement plus dangereux pour la santé ? Faut-il faire la distinction entre le danger encouru lucidement (conduire trop vite une automobile, abuser du tabac) et le danger subi, car souvent négligé, par ignorance ou parce qu'il est caché ? Ou bien encore distinguer la pharmacie (le danger du médicament) et l'agroalimentaire (le danger de l'additif) ? Or le médicament et l'additif sont, tous deux, des substances chimiques, se substituant à des molécules naturelles moins efficaces, voire toxiques. Faudrait-il faire allégeance à ceux qui prônent une sorte de dichotomie entre le danger potentiel lié à un médicament à usage humain (pour lequel le bénéfice thérapeutique peut justifier la prise de risque) et le danger potentiel lié à l'emploi d'une substance dans la nourriture animale et l'agriculture, ou d'un additif dans un aliment manufacturé ?

Le saviez-vous ?

Sans conservateurs, les deux tiers des récoltes seraient immangeables, parce que pourries, voire toxiques par pollution.

Puisque les villes ne sont pas à la campagne, il est obligatoire de transporter l'aliment depuis son lieu de culture ou d'élevage, jusqu'à celui de sa consommation. Pour éviter les famines et les intoxications, le conservateur est un petit mal (et encore !) pour un immense bienfait.

Les dangers et les risques récents et anciens sont en permanence évalués. Des critères « modernes » apparaissent, ils reposent sur des supports scientifiques totalement nouveaux. Ainsi, actuellement, on s'intéresse avec insistance à l'exposition fœtale à divers toxiques, capables d'altérer le fonctionnement hormonal et donc la sexualité, ou bien susceptibles d'engendrer jusqu'à l'obésité et au diabète du senior.

La vie est risquée, car elle est cernée de menaces : il faut donc analyser les dangers et les risques, afin de la supporter. Par peur, étouffés sous le nuage du principe de précaution, nous sommes devenus des assistés : la disparition des risques est exigée, imposant aux instances étatiques de tout valider, en particulier la sécurité des aliments. Pour ce qui est du risque toxicologique, cela se conçoit légitimement. En revanche, pour ce qui touche à la valeur nutritionnelle de nombre de produits alimentaires, notamment abusivement qualifiés de festifs, les choses sont discutables : le gouvernement est-il responsable de l'insouciance du consommateur qui absorberait frénétiquement des aliments sucrés-salés-gras dont il connaît parfaitement la nocivité pour sa santé, en se laissant berner par des publicités elliptiques et des messages trompeurs ? Croire que les oméga-3 vont nous éviter de broyer du noir et nous faire voir la vie en rose ou que la poudre de perlimpinpin évitera le cancer ne devrait relever que du folklore, ancestral et moyenâgeux, pour l'esprit le moins averti !

Les dangers du risque zéro

Le refus total du moindre péril induit l'exigence du « risque zéro », censé être obtenu par la seule application du principe de précaution. Malheureusement, pour beaucoup, le danger s'identifierait au progrès technique et technologique. Paradoxalement, pour éviter tout risque, il faudrait retourner à l'âge des cavernes, où l'espérance de vie n'était pourtant que d'une trentaine d'années. En suivant les zélateurs du zéro progrès, ces impuissants pessimistes, incapables de dominer la vie, ni d'en profiter. Nul doute qu'on y serait encore, car certains de nos frileux auraient condamné l'inventeur du feu, lapidé le découvreur de la flèche, qui a pourtant facilité l'accès à la nourriture. Lors du premier voyage en train, de doctes scientifiques avaient prévu la mort des voyageurs, qui ne devaient pas résister à la vitesse : 25 km/h, pensez donc ! L'inventeur des antibiotiques fut un grand expérimentateur criminel tueur d'animaux innocents, celui du moteur à explosion, l'assassin créateur des voitures tueuses, celui des centrales atomiques le fossoyeur des centrales thermiques et des chauffages à charbon, délicieux producteurs d'effet de serre… et de dioxine. Or le charbon assassine des millions d'hommes, non pas à cause des coups de grisou, mais de la silicose qui détruit les poumons ! Au fait, qui accepterait aujourd'hui de monter dans un avion datant du début du XXe siècle ?

Le risque zéro n'existe pas. Point qui devrait être final. Dès lors, comment et pourquoi autoriser tel aliment, tel procédé, tel produit ? Qui doit prendre la décision ? Les élus (qui le sont pour décider) vont-ils botter en touche ? Le respect du principe de précaution ressemble au parapluie que l'on ouvre, en attente d'un bouc émissaire, jusqu'à ce que l'actualité permette de passer à autre chose. Il n'y a pas de problème qui ne se résolve tout seul : telle était la doctrine d'un homme politique. En réalité, *le succès fou du principe de précaution n'a d'égal que le flou qui l'auréole ; et c'est d'autant plus vrai que chacun lui donne le sens qu'il en espère, ou mieux, celui qui l'arrange*. Tout un programme d'irresponsabilité. Il existe de subtils arrangements avec le démon ou le ciel (au choix).

Si le risque zéro n'existe pas, la certitude est tout aussi incertaine, inexistante. Bien que l'on sache que 5 % des personnes seront touchées par une carence alimentaire dans l'année, il reste impossible d'identifier *a priori* les victimes, même au sein des populations qualifiées de « à risque ». S'il est vrai que 20 % des femmes n'ont pas de stock en fer, on ignore lesquelles seront anémiées (sauf au prix de dosages biologiques systématiques), car certaines peuvent se contenter de peu et rester en forme. La statistique, établie sur un ensemble, ne permet donc pas de désigner les individus concernés. À l'extrême, comme disait Mark Twain : « Il y a trois sortes de mensonge : le mensonge, le gros mensonge et les statistiques. »

La seule chose dont il convient d'avoir éminemment peur est la peur elle-même. Afin de gérer le risque, le principe de précaution – initialement une sorte d'adaptation moderne de la nécessaire prudence, au sens aristotélicien – a rapidement été exploité pour échapper tant aux risques qu'aux dangers les plus infimes, voire comme alibi pour ne rien faire. C'est en ce sens qu'on l'a totalement détourné de son sens. Cette réelle lâcheté est la traduction d'un état ou d'un sentiment omniprésent et envahissant : la peur ! Concernant l'environnement et les aliments qu'il engendre, elle devient très agressive pour dissimuler la honte qu'elle suscite ; sa référence universelle est l'amour de la nature et de l'humanité, en fait dévoyé. En alimentation : peur de la vache folle et de la viande rouge, de la pêche comme des poissons d'élevage, du non-bio, de la grippe aviaire, des OGM, des nanotechnologies depuis peu ; mais aussi dans tous les domaines : peur de la perte d'emploi, de la pollution, des sectes, de l'Europe et même de son ombre…

Dans un tel contexte, rester cohérent, rationnel et intelligent se révèle difficile. Comme si le monde était saisi d'une sorte d'unanimisme aveugle ! En effet, il existe un handicap paradoxal : l'intelligence peut s'avérer inhibitrice, en permettant d'appréhender la complexité des choses ; le résultat peut alors effrayer et paralyser. Ainsi, on a vu de grands cerveaux, parvenus aux manettes politiques, ne rien décider, car ils discernaient toujours le danger tapi au fin fond du dossier. D'où la tentation de se calfeutrer dans un confort douillet, en fait très précaire. À l'opposé, fort heureusement, l'intelligence sous-tend la prise de décision, le plus souvent. Pour en donner une illustration extrême, il est connu que, pour leur premier saut en parachute, les polytechniciens renâclent moins que les personnes de moindre niveau scolaire. En effet, ils savent que leur « chance » (c'est-à-dire leur probabilité individuelle) de s'écraser est de 1/1 000 000 ; vu la faiblesse du chiffre, ils surmontent leur appréhension. Alors que celui qui ignore le calcul statistique s'en remet à son *feeling*, en l'occurrence à sa peur. L'intelligence comprend, le courage ose et décide. Contrairement à l'exemple précédent, une petite dose d'inconscience s'avère fréquemment utile pour tout simplement oser ! « Qui ose gagne » n'est-elle pas une devise militaire ? Car il n'est pas possible de disposer de toutes les données avant de décider, sans le moindre danger et tout risque écarté. Toute décision comporte sa part d'aléatoire.

Problème majeur, le principe de précaution a rapidement débordé de son lit d'origine, qui était l'écologie, pour submerger tous les secteurs de la vie. Avec une prédilection pour tout ce qui touche à l'alimentation, la santé. Il touche la médecine en particulier, car elle cumule deux dangers : celui de la maladie et celui de l'intervention pour la guérir. L'enfer à tous les étages, donc.

Même s'il ne concerne que l'environnement, le principe de précaution est désormais inscrit dans la Constitution. En effet, l'article 5 de la Charte de l'environnement, incluse dans la Constitution, stipule : « Lorsque la réalisation d'un dommage, bien qu'incertaine en l'état des connaissances scientifiques, pourrait affecter de manière grave et irréversible l'environnement, les autorités publiques veillent, par application du principe de précaution et dans leurs domaines d'attributions, à la mise en œuvre de procédures d'évaluation des risques et à l'adoption de mesures provisoires et proportionnées afin de parer à la réalisation du dommage. » Cette rédaction est pour le moins obscure, à croire que les deux chambres réunies n'ont pas lu le texte, avant de le voter : comment prendre des mesures équilibrées face à un dommage incertain, sinon indéterminé ? Un changement de temps est annoncé : faut-il prévoir une brise, un coup de vent ou un cyclone ? Les prévisionnistes ne facilitent pas la tâche. Souvenez-vous de l'histoire de la « vache folle » : le nombre de morts indiscutablement présagé se situait dans une large fourchette. Laquelle ? De 8 (deux fois quatre, mais pas 9) à 500 000 morts ! Les chiffres ultérieurs, revus et corrigés par l'Agence française de sécurité sanitaire des produits de santé (Afssaps), n'ont pas été pris en considération, car pas assez terrorisants, sans doute : la fourchette n'était plus que de 6 à 300 personnes. À ce jour, le triste bilan est de 9 « seulement ». Un défi au pays de Descartes. Un homme politique, humoriste à ses heures, a bien reconnu qu'il est décidément très difficile de faire des prévisions, surtout quand elles concernent l'avenir. « Le danger est dans la peur », explique Guy Vallancien.

Le « risque » est que ce principe se mue en précepte existentiel, doctrine régissant tous les aspects de la vie. Car toute action crée quelque part un danger, et donc le risque de le subir. La précaution pourrait finalement arrêter tout geste ! Or, par précaution, l'électricité aurait été interdite car source d'électrocution, Internet mis au pilori car la proie des pédophiles, l'énergie prohibée, le charbon et surtout le nucléaire ne pouvant être que tchernobylien, l'eau de Javel, ce redoutable toxique, interdite, alors qu'elle a sauvé de la mort des millions d'êtres humains, en leur permettant de boire de l'eau, entre autres, car c'est un puissant bactéricide. Imaginons la grave discussion des inventeurs du feu autour de leur trouvaille, capable de brûler non seulement les doigts, mais aussi, éventuellement, les abris, puis les forêts ! Toute innovation est obligatoirement accompagnée d'une part d'incertitude – le danger couve –, qui représente un risque à assumer, et non pas à enterrer avec le courage de l'autruche. Toute invention humaine comporte sa part de danger, d'inutile, de ridicule et d'indispensable ; sachons faire la part des choses, et gardons raison. En évitant les deux postures extrêmes : tout refuser en bloc, tout accepter sans discernement.

Il existe un abîme, plus exactement une dissymétrie, entre l'innovation et son absence. Dans le premier cas, les conséquences négatives seront systématiquement attribuées sans autre forme de procès au chercheur, à l'industriel, au décideur politique. Dans le second, le manque à gagner (qui peut être considérable) sera occulté. Du moins un temps. Un avatar de « levez le doigt, les absents ». Si Nicolas Appert n'avait pas inventé la conserve, des millions d'êtres humains seraient morts de faim. Si Pasteur n'avait eu l'éclair de génie d'inoculer le virus de la rage à un petit enfant (acte inconcevable actuellement !), des centaines de millions d'êtres humains seraient morts prématurément, faute de vaccins. Un grand absent dans le théâtre de la précaution : une évaluation comparative du risque et des conséquences potentielles de l'inaction.

La généralisation du principe de précaution ne bloque pas forcément l'innovation, car il peut inciter à davantage mener des recherches. Malheureusement, elles nécessitent des années pour aboutir, voire des décennies. Exiger un effort de recherche systématique et exhaustif consiste donc à transmettre la patate chaude dans les mains de la génération suivante. S'il faut attendre le résultat des recherches poussées dans tous les domaines, alors il faut accepter la paralysie pendant des décennics, et même à perpétuité, car toute découverte ouvre plus de portes qu'elle n'en ferme et pose plus de questions qu'elle n'en résout. Rêve incohérent : la science devrait tout savoir ! Cette illusion est largement répandue, d'aucuns demandant d'attendre qu'elle y parvienne ; car elle devrait bien y parvenir tout de même, à tout savoir !

Dans le monde de la nutrition et de l'alimentation, l'impuissance est la règle, car les connaissances scientifiques et médicales sont encore lacunaires et parcellaires. Voulez-vous quelques illustrations de ce vide abyssal ? Rappelez-vous que notre alimentation se doit d'apporter une quarantaine de substances indispensables (vitamines, minéraux, oligo-éléments, acides aminés indispensables, oméga-6 et oméga-3). Or, une par une, on ignore comment elles fonctionnent ; donc deux par deux, le vide et grand ; il devient sidéral quand il faut combiner les quarante. Autre exemple : sur les étiquettes des produits alimentaires, il est fait référence aux AJR, acronyme d'apports journaliers recommandés. Ils sont définis dans un texte publié en décembre 1993, qui ne concerne que les hommes de 70 kg. Femmes, enfants, jeunes et vieux, en bonne ou en mauvaise santé, vous n'existez pas pour le législateur, au moins dans ce cas. Pour remédier à cette injustice, les apports nutritionnels conseillés (ANC) ont été édités en 2000 par l'Afssa, mais on ne les a pas encore traduits sous forme de texte législatif ; huit ans après, au prétexte que le document est perfectible et même qu'il sera réactualisé.

Bien pire, les comités scientifiques, ou supposés tels, chargés d'émettre un avis sur les risques de telle ou telle innovation (présumée dangereuse) ont tendance à justifier leur existence en multipliant les motifs d'interdiction ; effet, il est vrai, contrebalancé par une autre fraction de la communauté scientifique, celle-là même qui recherche et étudie pour élaborer ces innovations. Mais comme la terreur se vend infiniment mieux que le bonheur, les premiers accaparent l'espace dans les médias, qui sont pratiquement les seuls à avoir la capacité d'influencer les consommateurs ; et, par voie de conséquence, les décideurs.

Pour compliquer encore les choses, selon les pays (et parfois même selon les structures socio-économiques d'une même nation), les critères d'évaluation peuvent être différents à propos d'un même problème. L'interdiction du bœuf aux hormones l'illustre bien, source de conflit entre l'Europe et les États-Unis. Chacun y va de sa méthode de calcul et de sa vision, à raison ou à tort, au choix. Si on compare le Canada et les États-Unis, la dose limite de dioxine tolérable est 1 600 fois plus importante dans l'un de ces pays. La robustesse des humains serait-elle à ce point différente de chaque côté de la frontière ?

Les laboratoires d'analyse poussent naturellement à la roue pour faire du business, les chimistes font la loi, indépendamment des connaissances biologiques et physiologiques. Le toxicologue et le médecin disparaissent du paysage. Or ils sont les seuls à maîtriser tous les paramètres, de la chimie à la médecine, en passant par la physiologie. Il s'agit là d'un véritable problème de société : quel autre maillon, dans la chaîne d'experts professionnels, détient l'information pertinente pour proposer une décision ? Et seulement proposer, car le décideur est une autre personne encore, politique en général.

Si on pousse le raisonnement, le principe de précaution est une forme d'intolérance à l'erreur. Laquelle est pourtant intrinsèquement humaine. N'est-ce pas intolérable à ce titre-là ? En bref, la précaution conduit à envisager toutes sortes de virtualités lourdes de charge émotionnelle. Quoi que l'on veuille faire, on demande d'être en mesure de prévenir un événement qui n'est pas prévisible mais dont on ne peut certifier qu'il n'aura jamais lieu. Quand on ne sait à peu près rien, on prévoit à peu près tout ; on ne fait donc rien. Paralysé par la terreur de bouger le petit doigt. Arrêtez donc de respirer ! Les dérives liées à l'irruption du principe de précaution sont des facteurs d'immobilisme redoutable dans un monde en perpétuelle évolution. L'accumulation de mesures de précaution (ou de sécurités incohérentes et redondantes) engendre donc à son tour de nouveaux dangers, parfois redoutables.

La précaution obnubile, à bon compte : c'est l'arbre qui cache la forêt. Elle entraîne, mécaniquement, des erreurs d'appréciation. Notamment avec la généralisation d'un dangereux paradoxe : ce qui est banal est négligé, alors que son importance sociale est considérable. Un train qui déraille et ses quelques blessés font la une des médias, car l'incident est rare ; alors que des milliers de morts sur les routes sont vécus comme la simple conséquence des vicissitudes de l'existence moderne. Or ce n'est pas la fréquence qui crée la normalité. Chaque année, en France, des dizaines de milliers de morts prématurées, conséquence du déséquilibre alimentaire, laissent indifférent (encore que récemment le gouvernement français ait créé le programme national Nutrition-Santé, le PNNS), alors que la moindre intoxication provoque un tsunami de discours indignés. Pour ce qui concerne le cancer, hélas, dans 60 % des cas, la science et la médecine ne savent encore strictement rien, laissant cours aux hypothèses, qui par définition sont amenées à évoluer, quand elles ne s'avèrent pas fausses. Gouffre qui permet à toutes sortes de gourous d'affirmer qu'ils détiennent la cause exclusive de la totalité de ces 60 %. L'environnement avec ses insecticides, pesticides et engrais pour les uns. Alors que d'autres incriminent l'absence de dégustation exclusive, obstinée et incantatoire de graines ou la négligence du broutage obsessionnel de végétaux, ils exigent d'éliminer le lait et les céréales, pensez donc ; quand il ne s'agit pas de mettre les pommes de terre à l'index. Leur succès est certain au pays de la baguette, de Parmentier et des fromages. Un hebdomadaire courageux en a fait sa couverture, avec un qualificatif : « Les imposteurs. » Malheureusement, gigantesque est l'influence de ces alter nigauds dont l'ego démesuré est à l'aune de leur redoutable incompétence. Leur éthique oscille entre Marx (Brothers) et (Karl) Marx.

Prévention et précaution

La distinction fondamentale entre la prévention et la précaution, fondée sur le degré de connaissance du risque identifié, est superbement ignorée. Car tout risque impose en effet de s'abstenir, si les conséquences d'une action sont inconnues, mais peuvent être potentiellement négatives. En son temps, la quarantaine constituait une véritable prévention ; tout comme doit l'être la désinfection actuelle des avions contre les moustiques. En revanche, les motifs de retrait d'aliments, notamment par la distribution, sont plus flous : prévention (mais de quoi ?), précaution ou simplement image de sérieux à donner ? D'où tant d'excès masochistes dans le monde agroalimentaire : ce n'est pas toxique, mais le retrait est tout de même ordonné. S'agit-il d'un risque réel ou seulement perçu ? L'émotionnel se substitue au rationnel. Dans une ambiance coluchienne du « tous pourris, tous coupables », la mode actuelle impose de courber l'échine et d'accepter de se faire botter le postérieur, au moindre assaut. De la repentance pur jus. Dans ce contexte, innover ne peut être que coupable. Le succès ne saurait être que le fruit de la chance, jamais celui du travail bien fait !

Le saviez-vous ?

La prévention a précisément pour but d'éviter un danger et donc d'écarter le risque de le subir. Elle comporte elle-même deux incertitudes, fondamentalement différentes : l'une est représentée par l'identification du danger en tant que tel, l'autre découle de l'absence d'infaillibilité du procédé d'évitement.

Dans le cadre de la prévention, quand le risque est avéré et identifiable, on peut en évaluer la probabilité ; il est donc possible de le prévenir. En revanche, la précaution relève, dans une certaine mesure, du domaine de la prévision de l'imprévisible, ou plus exactement du très peu prévisible. De la boule de cristal, donc. La tradition a bien saisi le caractère aléatoire et insuffisant du procédé : « deux précautions valent mieux qu'une », « prudence est mère de sûreté », etc. Le principe de précaution correspond-il réellement à la volonté d'éviter des événements que l'on ne peut pas probabiliser ? Par conséquent, est-ce le meilleur moyen de s'abstenir dans le doute ? En pratique, cela se traduit par : « On ne fait rien tout de suite, ou on attend encore un peu, beaucoup ? » Le tonneau des Danaïdes ; la précaution devient une véritable Pénélope.

La précaution vise à limiter les risques encore hypothétiques ou potentiels, tandis que la prévention s'attache à contrôler les risques avérés. Les conduites à tenir sont donc radicalement différentes. Dans le premier cas, il s'agira de choix, dans le second d'application cartésienne de connaissances acquises et certaines. La précaution exacerbée, pusillanimité, prenant en compte le risque du risque du danger, aboutit à mettre sur le gril nombre de personnes (experts, scientifiques, politiques), et surtout leurs idées ; mais, fort heureusement, les courageux zélateurs du politiquement correct de la précaution ont opportunément oublié les allumettes.

L'incertitude peut relever d'une insuffisance de connaissances (situation courante en alimentation et en nutrition) ou d'une dénégation des connaissances, extrêmement fréquente étant donné l'aura médiatique que confère toute contestation. Ne peut être génial que celui qui vient de démontrer que la Terre est cubique ou, mieux, plate, comme l'affirmaient les Anciens. De telles contrevérités sont fréquemment proférées dans le domaine alimentaire, mais elles ne sont malheureusement pas décelées, par manque de connaissance du public et des médias. L'obligation, induisant bien des errements, serait alors une fois de plus le retour en arrière, sur la seule base de recommandations anciennes (alors qu'elles sont devenues obsolètes). Par précaution, tenons-nous-en à autrefois, à l'âge d'or, comme chacun feint de le croire. C'est ce que montrent quatre contestations absurdes que je voudrais maintenant détailler. La première hurle que le pain doit rester interdit aux diabétiques, la deuxième refuse que les oméga-3 soient bons pour le cœur, la troisième clame que seul le cholestérol alimentaire est mauvais, la quatrième geint que les fibres ne préviennent pas le cancer du colon. Ces illustrations montrent, en outre, que l'« affinage » des connaissances, scientifiques et médicales, donne l'illusion de contradictions entre experts et dans le temps. De quoi s'agit-il exactement, en quoi et pourquoi ces vieilles

Le saviez-vous ?

La recherche a montré que la distinction doit être faite entre les glucides complexes (dits « lents », car ils se distribuent lentement dans l'organisme) et les autres, qualifiés de simples (décrits comme « rapides »). Cette nouvelle classification autorise les diabétiques à manger du pain et des pâtes.

affirmations sont-elles devenues fausses et pourquoi continuent-elles cependant de faire foi en termes de précaution alimentaire ?

Il y a trente ans, il était logique de demander aux diabétiques de réduire au maximum, dans leur alimentation, tous les glucides (dénommés aussi sucres ou hydrates de carbone, les trois dénominations sont synonymes). Tous étaient alors perçus comme équivalents, du pain au morceau de sucre.

Depuis la découverte de l'influence des protéines et des graisses sur la rapidité de la vidange gastrique, il leur est même devenu possible de manger un gâteau en fin de repas, de temps en temps, car il relève alors des glucides lents, dans ces strictes conditions alimentaires. Et même du chocolat, car son sucre « rapide » devient « lent » lui aussi grâce à la présence de beurre de cacao.

Comme les diabétiques, les cardiaques ont été victimes d'autres simplifications abusives, exaltées par le principe de précaution. Ils continuent d'en souffrir, avec la saga du CHOLESTÉROL. Comment cela ? Il y a plusieurs décennies, constatant que la plaque d'athérome qui bouche les artères était massivement constituée de cholestérol, on a logiquement conseillé d'en réduire la consommation, la règle étant d'éviter les aliments qui en contiennent le plus, les œufs et les abats (dont la cervelle).

Le saviez-vous ?

L'expérimentation animale ainsi que l'observation sur l'homme ont montré que les trois quarts du cholestérol qui s'accumule dans le corps, dont celui qui bouche les artères, sont fabriqués par l'organisme lui-même, sans aucune provenance alimentaire. Par conséquent, l'ennemi numéro 1 n'est pas le cholestérol contenu dans les aliments, mais plutôt le déséquilibre alimentaire, notamment la surcharge en graisses saturées et en sucres simples.

Toutefois, par facilité et méconnaissance des résultats scientifiques et médicaux, on continue obstinément à porter l'anathème envers les œufs, la cervelle ayant disparu des assiettes à cause de la « vache folle ». Le foie et les rognons se sont évanouis pour d'autres raisons et ne persistent héroïquement que dans le paysage de la grande gastronomie.

Le saviez-vous ?

Les fruits de mer ont la capacité d'accumuler des phytostérols puisés dans leur alimentation végétale. Ces substances présentent le grand avantage de s'opposer au captage du cholestérol au niveau des intestins de l'homme qui les déguste, en encombrant littéralement les transporteurs ; c'est pourquoi, du reste, les margarines et les yaourts aux phytostérols ont un tel succès, en attendant d'autres produits. Voilà quelques décennies, compte tenu de l'exiguïté des connaissances, de l'imprécision et de la faible sélectivité des méthodes de dosage, il était parfaitement logique de conseiller de faire attention aux fruits de mer (riches en stérols) ; actuellement, ce devrait être exactement l'inverse (en raison des phytostérols).

Plus fort encore dans le refus de prendre en compte les avancées de la science : tout simplement l'ignorance de l'efficacité des dosages. Il s'agit de la prescription, encore actuellement rabâchée, de réduire la consommation de fruits de mer, par précaution, du fait de leur prétendu contenu en cholestérol ! L'histoire est amusante, elle mérite d'être relatée. On ne savait naguère doser que les « stérols », terme général et générique dont on a su ultérieurement (ce qui remonte tout de même à de très nombreuses années) qu'il recouvre à la fois des molécules exclusivement animales (le cholestérol) et d'autres qui relèvent strictement du monde végétal (les phytostérols).

Le saviez-vous ?

Il n'existe pas deux cholestérols, l'un angélique et l'autre satanique ; il s'agit d'une seule et même molécule. Qui plus est, le cholestérol constitue le précurseur d'hormones et de vitamine D, il participe activement de l'architecture des membranes biologiques des cellules, en particulier de celles du cerveau ; il lui arrive donc d'être extrêmement sympathique !

Le danger imaginé à une époque révolue s'est mué en quasi-prescription médicale. Cette contradiction n'est pas une volonté de rupture, mais simplement l'aboutissement d'une démarche scientifique qui a permis d'affiner les connaissances en distinguant cholestérol et phytostérol.

Il faut absolument souligner que *ce n'est pas le cholestérol qui est dangereux, mais son accumulation.* Celle-ci induit des risques d'infarctus, d'autant plus grands que les quantités de cholestérol dans les artères sont plus sévères. Nul besoin de prendre des précautions, il faut prévenir la maladie. À l'aide d'une alimentation équilibrée.

De combien d'observations, pourtant parfaitement bien documentées, la précaution impose-t-elle absurdement la remise en question ?

Malgré un amoncellement de résultats concernant les OMÉGA-3, certains farfelus contestent cette certitude, au prix de succès planétaires déraisonnables. Pour contrecarrer ces clameurs, le médecin est alors obligé de prouver à nouveau ce qui a déjà été amplement démontré. Par exemple, rappelez-vous l'observation, vieille maintenant de trente ans, qui portait sur les bienfaits cardiaques de la consommation de produits de la mer. Elle concernait les Esquimaux du Groenland. Ces populations ignoraient le cardiologue, car elles ne faisaient presque jamais d'infarctus, en raison de leur consommation boulimique de poisson gras riche en oméga-3. Or, pour convaincre les plus sceptiques, il a fallu réitérer l'observation avec le même succès sur les Inuits du Canada et même sur les peuplades du nord de la Sibérie. Puis tout recommencer récemment, pour vérifier la vérification, car il semblait indispensable de redémontrer que les Inuits du XXIe siècle se portent cardiologiquement comme des charmes, eux qui consomment du poisson, bien qu'ils uti-

Le saviez-vous ?

Consommer du poisson, avec ses oméga-3, constitue une bénédiction cardio-vasculaire. Des centaines de publications scientifiques et médicales montrent en effet que manger du poisson deux fois par semaine (dont au moins une fois du poisson gras) divise par deux le risque d'infarctus.

lisent la motoneige au lieu du traîneau, le GPS remplaçant le doigt mouillé ou le nez au vent.

Le quatrième volet de la contestation de connaissances scientifiques par précaution est illustré par le yo-yo de l'appréciation des effets des FIBRES sur le cancer du côlon (qui reste actuellement la deuxième cause de mortalité par cancer). Ce va-et-vient noircit les colonnes des médias, avec d'autant plus de prédilection que la contradiction apparente est régulièrement au rendez-vous. Chronologiquement, la première observation a donné à penser que manger des fibres protège de cette redoutable maladie. Ultérieurement, une deuxième trouvaille a été mise en exergue : ce sont les graisses des viandes qui sont les seules coupables. Avant que les épidémiologistes, en disséquant les résultats, ne réalisent que les gros mangeurs de viandes grasses étaient presque toujours de faibles consommateurs de fibres. *In fine*, ce n'était pas la surconsommation de graisses qui était dangereuse, mais bien la restriction alimentaire en fibres. Les graisses ont donc été, un temps, totalement innocentées. Or elles viennent d'être à nouveau incriminées récemment, le danger relevant non plus de leurs quantités, mais plutôt de leurs qualités. Selon qu'elles sont saturées, mono-insaturées, ou poly-insaturées. Celles des poissons gras protègent, alors que celles des viandes, rouges notamment, sont moins recommandables, car saturées. Un manichéisme bien ancré dans les cervelles est entré dans la danse. Avec ses deux postulats pervers. Le premier : animal = mauvais ; le second : végétal = bon. La précaution universelle étant de refuser le premier et d'abuser de l'autre. Cette simplification absurde est contredite à la lecture de n'importe quelle table de composition des aliments. Elle montre que certaines huiles végétales, ou corps gras végétaux, ont des profils nutritionnels moins bons que le beurre, c'est-à-dire nettement inférieurs au saindoux. Où est le temps des jeunes années, époque des belles tranches de pain généreusement tartinées avec une délicieuse graisse de porc ? Une graisse animale spécifique se trouve même particulièrement recommandée : l'huile de chair de poisson, remboursée par la Sécurité sociale ! La précaution, clamée haut et fort, de réduire les graisses animales, a pour objet de ressentiment principal : les charcuteries. Ce qui est actuellement largement injustifié. Tout d'abord parce que les rillettes sont emblématiques de la richesse en graisse, alors qu'elles ne sont, hélas, que fort peu consommées ; ensuite, pour la simple raison que la moitié, ou presque, de la consommation de charcuteries est représentée par le jambon cuit, qui ne contient que… 2 % de graisses ! Par précaution, pour éviter de grossir, pour rentrer dans son maillot de bain avant l'été, pour écarter le risque cardio-vasculaire, la *vox populi* recommande cependant d'éviter les charcuteries ; pour se contenter de biscuits, snacks et autres aliments apportant en réalité infiniment plus de graisses, très cachées celles-là. Preuve de l'ineptie d'une telle assertion.

Le saviez-vous ?

Il a été calculé que supprimer les viandes, voire les charcuteries, ne réduirait que de 2 à 3 % notre consommation de graisses.

Elles sont donc bien cachées ailleurs, ces graisses. Mais pas en masse dans le lait, consommé pour 95 % sous forme demi-écrémée (le seul allégé qui ait connu un immense succès !). Ne cherchez donc plus l'erreur.

Pour compliquer encore, l'insuffisance de connaissances (qui n'est pas exactement la méconnaissance) est un monde – ou plutôt un vide – particulièrement disparate. Outre la connaissance partielle (lacunaire) ou nulle (absente), sans oublier celle qui est contestée, il y a pire encore. Car il faut fondamentalement distinguer deux situations. La première : on sait que l'on ne sait pas, ignorance somme toute banale. La seconde : on ne sait pas qu'on ignore, sorte de double ignorance. C'est ainsi que, autrefois, certains états physiologiques et de nombreuses maladies ne pouvaient être ni nommés, ni traités, ni prévenus. Par exemple, médicalement, la ménopause n'a pas existé avant le XIXe siècle. En effet, la durée de vie était courte ; les pauvres femmes qui dépassaient la quarantaine étant percluses de maladies, la perte des règles ne représentait alors qu'un très modeste inconvénient. L'âge canonique était de 40 ans, celui, minimum requis, de la bonne du curé. S'il fautait, au moins les suites malencontreuses étaient-elles évitées. Il en est de même pour la maladie d'Alzheimer : à l'époque des pharaons et même au Moyen Âge, les centenaires étaient très exceptionnels ; de ce fait les rares vieux qui développaient cette maladie n'étaient que de vulgaires gâteux. Il y a trente ans seulement, l'asthme n'était qu'une insuffisance respiratoire, sans aucun lien avec l'allergie !

Dans le domaine de la prévision, cet écueil consistant à ignorer que l'on ignore est redoutable. C'est ainsi que tout a été prévu par les plus grands organismes chargés d'analyser le futur, sauf les découvertes inimaginables et véritablement révolutionnaires : la télévision et l'ordinateur, innovations sorties du néant. Léonard de Vinci, tout comme les plus grands prévisionnistes pour ne pas dire visionnaires depuis Jules Verne, ne les avait pas pressenties. Ce qui n'enlève rien à leurs intuitions géniales, imaginant des innovations à partir de l'inspection des technologies existantes et de l'examen de la nature ; l'hélicoptère n'a pas fait exception, avec l'observation de la graine d'érable, qui descend et remonte au gré du vent, orientant le génie de l'hôte du Clos-Lucé. Le Français Alfred Kastler s'est vu décerner le prix Nobel en 1966, plusieurs années après sa découverte fondamentale, la pompe optique, car il a fallu ce temps pour inventer son application : le rayon laser. Entre-temps, personne n'a imaginé faire de science-fiction, ni de prévision. Les progrès de l'automobile, eux, ont été pressentis. Clemenceau, dans sa gestion de la guerre, ne pouvait évidemment pas pester contre le manque de moyens informatiques ni de communications électroniques, parce que inconcevables. En revanche, il était légitime qu'il se montre colérique devant le manque de puissance, de fiabilité, l'encombrement des moteurs, y compris ceux des avions.

La transparence est-elle la solution ?

Par méconnaissance de la signification du mot « prévention », le principe de précaution trouve son complice dans un *alter ego* : le principe de transparence. Il est lui aussi glorifié, porté aux nues, au point de devenir une sorte de sacrement, pour ne pas dire d'obnubilation relevant de la psychiatrie. D'autant que la transparence, comme son principe, est particulièrement floue. Leurs définitions sont pour le moins subjectives, fluctuantes selon les personnes, les idées, les idéologies et les impérities. Peut-on parler de la transparence du prestidigitateur ? Non, car toute transparence doit être définie. En effet, par ignorance du système de référence, il est possible d'occulter un élément essentiel, jugé hors sujet par méconnaissance, négligence, incompétence ou duperie. Un hold-up en plein jour, sans masque, n'en reste-t-il pas pour autant une agression ? D'une manière générale, à quoi bon être transparent, c'est-à-dire n'occulter aucun fait ni argument, si celui qui les regarde ne comprend pas ? *Pour que la transparence soit utile, sinon pertinente, il faudrait que le consommateur soit suffisamment éduqué, pour être capable de la décoder. Malheureusement nos écoles n'apprennent pas à manger : l'existence, le nom et le goût des aliments, les plaisirs que les absorber procure.* Surtout, le jugement n'est pas formé à discerner les succédanés, distillés insidieusement par des vendeurs de bretelles, de produits qui usurpent le nom d'aliment et qui se bouffent mais ne se mangent pas, pour inverser le titre d'une célèbre émission de Jean-Pierre Coffe. Il reste illusoire de laisser croire que l'on pourrait éviter l'intégralité des dangers et guérir l'ensemble des maux grâce à cette transparence incolore et sans saveur. D'autant que toute vérité n'est pas bonne à dire. En effet, personne ne peut tout comprendre, ni tout entendre, encore moins tout supporter, donc tout ne peut pas être exposé au vu et au su de quiconque. La réalité est toujours complexe, à chacun de ses échelons doit correspondre un niveau de compétence, donc un échelon de connaissance, qui implique un degré de vérité. La complexité oblige à une forme de secret, touchant le domaine privé comme les affaires publiques. Il peut s'avérer infiniment plus protecteur que la transparence : le secret médical en constitue la plus belle démonstration, comme le secret diplomatique, économique, bancaire (parfois discutable, il est vrai). La discrétion constitue un élément fondamental du savoir-vivre, et ce depuis la nuit des temps. Car, *a contrario*, on vit mal sans elle. En pratique, n'est vraiment transparent que ce qui est vide !

L'exemple le plus spectaculaire réside dans l'étiquetage, qui se veut un témoignage minimal de la transparence du produit alimentaire. Il doit exister, sinon le consommateur nourrit des doutes. Mais dans 60 % des cas, il reconnaît ne jamais le lire, ni même le consulter, car il sait – et reconnaît – n'y rien comprendre. Parmi les autres, seulement 20 % le lisent en connaissance de cause. Que faudrait-il faire ? La transparence exige, à juste titre, que la valeur nutritionnelle soit affichée, mais qui comprend les informations et les chiffres ? Dans ces conditions, que porter sur les emballages ? Jusqu'où tout anticiper, par précaution ? L'étiquetage ne doit pas aller jusqu'à prévoir dans le détail des indications destinées à prévenir des fantaisistes inconscients. Tout un programme ! L'information doit être donnée à un consommateur raisonnablement avisé et attentif. Telle est la jurisprudence.

L'alcool est dangereux pour les femmes enceintes : qui peut encore sérieusement l'ignorer ? L'annoncer sur les bouteilles relève peut-être d'un marketing ministériel en manque d'idées. Il est évidemment scandaleux que 7 000 enfants naissent encore chaque année en France atteints dans leur corps, leur cerveau et leur intelligence par les conséquences de ce qui s'appelle l'alcoolisme fœtal. Mais le logo ne changera rien, pas plus que le buraliste n'a cessé de vendre de cigarettes depuis qu'elles affichent sans interruption « Fumer tue ». Incidemment, savez-vous que l'alcoolisme coûte annuellement en moyenne 600 euros à chaque Français, du nouveau-né au vieillard cacochyme ?

Faut-il obligatoirement ajouter du calcium dans le lait de soja ? La question se pose sérieusement, car ces aliments sont situés à proximité des yaourts dans les mêmes linéaires de la distribution, sans partager la moindre communauté nutritionnelle. Pour parer aux conséquences, douteuses pour la santé, d'une telle proximité, faut-il exiger – par précaution et transparence – l'ajout de calcium, afin de prévenir le risque d'ostéoporose par la consommation de ces « yaourts », de ces « boissons lactées » qui n'en sont pas ? Pour en faire une sorte de lait ? Les margarines aux phystostérols devraient-elles être contraintes d'indiquer que ces produits sont interdits aux cytostérolémiques ? C'est-à-dire à de rares personnes pour lesquelles ces substances sont toxiques, de manière héréditaire. Certes elles sont rares, mais quand même !

Les allergies préoccupent beaucoup. Or, paradoxalement, le principal danger pour la santé réside dans l'éviction d'aliments à ce prétexte. Par souci de transparence, les étiquettes devront bientôt se dérouler, tant longue sera la liste, car chacun de nous est obligatoirement allergique à quelque chose. Les cacahuètes ont été évincées par les compagnies aériennes et exclues de nombreux produits. Des chocolats – par précaution – affichent l'éventualité d'en contenir des traces, du fait qu'ils ont été fabriqués dans une usine qui a pu servir à produire d'autres chocolats contenant des cacahuètes.

Dans un domaine proche, pour l'industriel comme pour le consommateur, l'étiquetage diffère de la traçabilité : dans le premier cas il s'agit d'une information ponctuelle et limitée dans le temps, dans le deuxième, il s'agit de l'histoire d'un produit. Il ne faut pas confondre les deux ; d'autant que le consommateur considère la traçabilité comme un droit.

Prévenir un danger est honorable, pour ne pas dire souhaitable, voire obligatoire. Notamment pour un industriel. Mais, retournement de situation, communication oblige, il est alors impératif de le faire savoir, donc de décrire minutieusement le danger sous son angle le plus redoutable ; et donner l'assurance que vous ne le rencontrerez plus jamais de son fait. Car le rappel de son évitement sera ensuite systématique. Grâce à la fameuse transparence !

Finalement, le principe de transparence, avatar du principe de précaution, devient une sorte de ruse marketing qui permet toutes les reculades, en sous-traitant la décision aux prurits « sondagiers », aux eczémas médiatiques, aux humeurs des masses, aux zigzags de la blogomanie. Une sorte de démocratie participative, qui au final n'offre que peu de démocratie et encore moins de participation. La précaution, la transparence, le respect morbide des réglementations : n'est-ce pas insidieusement la source de grands dangers ? L'équation est-elle envisageable : principe de précaution + principe de transparence = catastrophes ?

Avantage affiché, la transparence prétend créer la confiance. Toutefois, choc en retour, l'excès de confiance endort le consommateur, qui reste béat, inerte, sans jugement critique, anesthésié, évacuant tout raisonnement, et toute interrogation. Passif, il pense que la réglementation protège de tout. Comme si tout pouvait être prévu et donc avait été évalué. Or ce n'est pas parce que les décrets et autres lois sont muets sur un domaine que le danger ne menace pas. Alors que beaucoup pensent que ce serait interdit, si c'était dangereux. Certains industriels ont affirmé qu'il n'y avait pas de risques, parce que pas de réglementation ! Ils ont ainsi vendu des galettes polluées avec une bactérie qui n'entre pas dans le cadre de la réglementation, du fait qu'elle est détruite par la chaleur ! Fort heureusement, le distributeur les a refusées, ce qui lui a tout de même valu un bon procès. Autorisé, car pas réglementé, donc *a fortiori*, pas interdit !

Dans ce monde pusillanime, derrière l'affichage de la transparence, on en arrive à presque oublier les duperies ! Avec, au pire, la fraude et la falsification, qui sont des délits volontaires.

La volonté de ne pas savoir

Un monde fécondé par la science et vérolé par les superstitions.

Georges CHARPAK et Henri BROCH,
Devenez sorciers, devenez savants

Quand tout est connu, ou presque, on ne peut pas invoquer le principe de précaution. Il s'agit de faire un choix : le danger est-il réel, le risque de le subir possible ? Quelques exemples récents de confusion entre la précaution et la prévention sont démonstratifs, avec, pêle-mêle, l'acrylamide, l'aspartame, les nitrites, les antioxydants et le DDT. Les arguments qui défendent ou condamnent certains sont minces, fondés sur des raisonnements sans rigueur, étayés par des méthodes inadéquates et reposant sur des citations sélectives d'un ensemble très limité d'études. Fermez le ban.

➤ *L'acrylamide*

L'application du principe de précaution à l'acrylamide a été une véritable supercherie. À l'origine, tout simplement peut-être, un laboratoire suédois qui cherchait à faire le malin avec les performances de ses techniques. Les médias ont amplifié la nouvelle sans retenue, l'ont transformée en terreur, menaçant la santé publique d'un danger quasi apocalyptique. Cette « précaution » antiacrylamide coûte énormément à la collectivité, qui finance des dosages aussi multiples qu'inutiles, qui paie pour la recherche de nouvelles espèces de pomme de terre, au prix de sélections onéreuses en temps et en argent. En fait, le plus rapide a été de la fabriquer OGM. Car il fallait que le tubercule de Parmentier contienne moins d'asparagine, la molécule rapidement incriminée dans la formation d'acrylamide. L'objectif est atteint, certes ; mais, pied de nez à cette histoire, il reste illusoire. Car on sait maintenant que d'autres mécanismes chimiques sont capables de produire la substance incriminée. Pour ne pas perdre de temps dans la recherche de l'inutile, sont développés des procédés induisant une moindre formation de produits de Maillard, qui sont par ailleurs responsables de bien des goûts lors de la cuisson, fréquemment succulents. Car la plus simple préparation culinaire génère, par l'intermédiaire de ces réactions, une multitude de nouvelles molécules. On en connaît environ 3 500 différentes, dont on est loin de connaître la toxicité. Si elle existe aux doses absorbées !

Le lobbying de l'anticancéro tous azimuts veut rendre emblématique l'acrylamide, pour promouvoir la doctrine de l'absence d'effet de seuil. Selon cette dernière, toute dose serait toxique. Prétexte à ouvrir un débat de spécialistes, sur un sujet non résolu, non consensuel. Cette théorie est souvent contraire à nombre de lois biologiques, car il existe véritablement le plus souvent un effet de seuil : en dessous d'une certaine quantité le produit est réputé n'être pas toxique. Prenons un exemple pratique : un poids de 1 kg fait très mal en tombant sur votre orteil chaussé. En revanche, laissez chuter un poids de 1 g, 1 000 fois de suite, l'opération restera insensible ! Essayez avec des pesons de 10, de 20, de 50 g : vous pourrez déterminer la dose « toxique ». Alors que toutes les connaissances montrent qu'il existe un seuil pour l'acrylamide, en particulier dans les neuropathies qui ont défrayé la chronique à l'époque où cette substance était utilisée par les tunneliers pour assurer l'étanchéité des ouvrages routiers. Ils le déchargeaient du camion à la pelle, sans protections d'aucune nature, dans une atmosphère souterraine confinée. Infiniment plus que dans la patate !

En fait, actuellement, une source importante d'acrylamide, pour tout un chacun, se trouve dans la cigarette ! Le consommateur choisit alors librement de s'intoxiquer. La cigarette tue lentement ? Je m'en moque, car je ne suis pas pressé, répond-il ! Incidemment, cette herbe à Nicot, largement traitée pour devenir fumable, véritable concentré de poisons, dont la diversité n'a d'égale que la toxicité, recèle par dizaines les toxiques que le fumeur exècre dans ses aliments : plomb, cadmium, mercure, des dioxines, hydrocarbures cancérigènes, etc.

➤ *L'aspartame*

L'aspartame, deuxième exemple, brille toujours sous les feux de la rampe. L'interrogation existe : la substance n'est pas totalement innocente. Quelques travaux jettent le doute, mais rien n'est réellement convaincant, ni cohérent ; tout du moins pour le moment. Certains l'accusent néanmoins systématiquement et *a priori*, prenant prétexte de la moindre étude négative à son encontre pour le rejeter, par simple précaution, soi-disant évidente. Or les conclusions présentées sont inexactes, sinon fausses. Un tel extrémisme n'améliore malheureusement pas la cause des « anti » et n'incite certainement pas à l'embrasser. Disséquons le dernier avatar : il y a quelques mois, des publications affirmaient que l'aspartame augmenterait le risque de cancer du sang chez le rat. Publiées ? Oui, mais l'une d'entre elles, dans une revue éditée par le centre de recherche auquel appartiennent les signataires. Interrogation certes, mais pas encore suspicion. Un doute sérieux s'installe néanmoins avec la constatation que ce travail comporte de nombreuses et grossières insuffisances, jugées rédhibitoires pour tout scientifique qui se respecte. Premièrement, la moelle osseuse des animaux, qui élabore les cellules du sang, n'a pas été étudiée ; alors que son examen par une technique appropriée (et d'ailleurs utilisée en routine) constitue d'évidence le meilleur critère diagnostique ; car c'est là que se produit la multiplication cellulaire anarchique de ce cancer. Deuxièmement, l'étude a porté sur la vie entière des animaux. Mais, dans ces conditions, comment éliminer les risques incombant au vieillissement ? Une troisième lacune se révèle dans le flou rédactionnel du compte rendu des travaux expérimentaux : il ne précise pas si les animaux ont reçu de l'aspartame pendant toute leur vie, ou seulement pendant les cent et quelques jours de l'expérience. Enfin, la quatrième erreur d'appréciation porte sur un résultat qui aurait dû alerter les expérimentateurs, ainsi que les rédacteurs du journal scientifique ayant accepté de publier ce travail : seules les femelles ont été atteintes ; or, le groupe témoin présente beaucoup moins de ce type de cancer que les femelles élevées habituellement dans leurs propres élevages, et donc moins que dans les élevages des autres laboratoires. Ce ne sont pas les femelles ingurgitant de l'aspartame qui mouraient en plus grand nombre, mais les témoins qui survivaient anormalement, véritable illusion d'optique. En cinquième lieu, l'explication mécanistique proposée par les auteurs est hautement contestable : elle suppose que l'aspartame soit transformé à son tour en méthanol, substance convertie en formaldéhyde, qui est lui-même cancérigène (ce qui est vrai). Toutefois, les infimes quantités produites sont incompatibles avec le risque de toxicité.

Le battage médiatique a été à la hauteur du manque de socle scientifique engendré par ces travaux. Le principe de précaution a alors été appelé à la rescousse : il faut interdire l'aspartame ! Il n'y a pas de fumée sans feu ! Socialement, cette annonce, non étayée, fut même scandaleuse. Car elle a alarmé, voire culpabilisé, nombre de personnes, et continue de le faire. Par exemple, que peuvent redouter les parents dont l'enfant déclare une leucémie, alors qu'ils lui donnaient force boissons *light* ? Que va imaginer la femme dont l'enfant, gravement diabétique, respecte l'indication médicale de ne consommer que des aliments sucrés à l'aspartame ? Ils sont des dizaines de millions dans le monde ! Étant donné leur nombre, statistiquement, certains n'échappent pas au cancer comme les autres, malheureusement !

➤ *Le cyclamate*

Pour ce qui concerne un édulcorant d'un type différent, le cyclamate, sa dose journalière acceptable a été énormément abaissée. Au titre de la précaution. Non pas du fait de la mise en évidence d'une nouvelle toxicité, ou de l'abaissement autoritaire de la norme. Mais simplement parce qu'il a été détecté une seule personne qui le métabolise dix fois plus que ses congénères humains les plus actifs, pris précédemment en référence ; or le produit de transformation est le cyclohexilamide, toxique pour les testicules. Autant interdire de marcher, non pas pour évier les entorses, mais les hémorragies cérébrales conséquences exceptionnelles de rares chutes sur la tête ! Refuser tous les poissons, qui contiennent de redoutables arêtes ! Ouvrir des huîtres n'est-il pas un exercice nécessitant un diplôme spécifique, l'écailleur doit-il souscrire une assurance au coût exorbitant ?

➤ *Les nitrites*

Que penser des nitrites ? Pour presque tout le monde, du mal, vraisemblablement. Mais ils n'en restent pas moins indispensables. L'alternative serait-elle donc la suivante : s'intoxiquer peut-être avec les nitrates (desquels dérivent les nitrites, puissants conservateurs, évitant le danger de prolifération microbienne de la plus redoutable toxine existante, la toxine botulinique) ou bien mourir d'empoisonnement, avec une quasi-certitude. Mais existe-t-il des recours technologiques ? Tout d'abord, pour légitimement les condamner, il conviendrait de s'abstenir strictement de fumer. Car le tabac, à la limite, en produit plus que les charcuteries n'en contiennent. Se nourrir avec plaisir ou se tuer par intoxication délibérée, le choix est vite fait.

Ces nitrates et nitrites peuvent avancer subrepticement, masqués. Les plantes stockent les nitrates, plus ou moins ; le céleri l'accumule beaucoup. Un grand malin a donc décidé de remplacer les nitrites dans ses charcuteries par un extrait de céleris, traité spécialement. Tout naturel, sauf qu'il s'agissait tout de même de nitrites, masqués ! Nous en avons parlé en détail, il y a quelques pages. Autre question, celle des légumineuses. Elles constituent l'une des familles les plus peuplées parmi les plantes, comptant 18 000 espèces réparties sur tous les continents, incluant même nombre d'arbres (par exemple le robinier, légumineuse papilionacée, faux acacias). Certaines présentent un grand intérêt agronomique, et donc économique : le soja, l'arachide, le pois, le trèfle et la luzerne. Car elles s'associent avec des bactéries du sol, dénommées *Rhizobium*, capables d'assimiler l'azote de l'air en utilisant l'énergie d'origine photosynthétique que les légumineuses leur fournissent. Une réelle association que l'on pourrait qualifier de gagnant-gagnant, à bénéfice mutuel, dénommée symbiose par les biologistes, se réalise donc dans les nodosités induites sur les racines des légumineuses. L'azote de l'air s'y transforme en ammoniac sous l'action d'une enzyme, dénommée nitrogénase. La plante fournit une niche protectrice et de l'énergie aux bactéries ; celles-ci, en retour, synthétisent de l'ammoniac pour leur hôte. À l'échelle de la planète, chaque année, cette symbiose fournit une quantité d'azote équivalente à celle synthétisée, par voie chimique, par l'industrie des engrais (nitrates). Son rôle écologique est donc déterminant, son intérêt économique s'en trouve considérable.

La culture des légumineuses exigeant, du moins en théorie, de plus faibles quantités d'engrais chimiques (nitrates, en l'occurrence), minimise d'autant la pollution des nappes phréatiques. Pour aller plus loin, il est recommandé de varier les cultures selon les années, de mettre en pratique les fameux assolements biennaux, triennaux, connus depuis des temps immémoriaux, afin de préserver la fertilité des sols. L'idéal serait donc de cultiver une légumineuse une année sur deux, pour « engraisser » les sols de manière naturelle, par précaution écologique élémentaire. Il y a plusieurs siècles, le célèbre naturaliste Olivier de Serres dans son *Théâtre d'agriculture et mesnage des champs*, à l'époque d'Henri IV, avait déjà discerné l'intérêt de cultiver des légumineuses, plutôt que de laisser les sols en jachère, pour reconstituer leur fertilité. Idyllique et idéal ? Pas tout à fait, car tout n'est pas aussi simple que cela ! En effet, lors de la récolte des légumineuses, puis des labours ou hersages, leurs racines libèrent leur contenu en nitrates, dans un sol qui n'en a pas encore besoin, puisque la culture ne se fera que l'année suivante ! Privés d'utilité, ils risquent d'être entraînés vers les eaux souterraines.

Depuis plusieurs années, voire des décennies, les chercheurs s'efforcent sans succès d'identifier la nature, la structure et les fonctions des gènes et des protéines impliqués dans ce phénomène, afin d'élucider les mécanismes de la fixation de l'azote. L'espoir immense est, un jour, de conférer aux céréales (et à d'autres végétaux) cette aptitude à fixer l'azote de l'air, ce qui permettrait de faire l'économie considérable des engrais azotés, pour le plus grand bien des finances et de l'environnement. Cet OGM ne marche pas encore.

Vous avez cru comprendre que les nitrates sont toxiques ? Alors que penser de cette étude, parmi d'autres, publiée voilà quelques semaines, dans la revue *Hypertension*, du meilleur niveau mondial, montrant que le jus de betterave améliore la tension, en l'abaissant ; et ce, deux heures et demie après la prise de la boisson, sachant que l'eau n'intervient pas. Pourquoi ? Grâce à son contenu en nitrates (vous avez bien lu, en NO_3), que l'organisme transforme en NO_2 actif, molécule agissant sur la pression artérielle, l'activation des plaquettes et les fonctions endothéliales (les cellules qui tapissent les vaisseaux). Les auteurs spécifient que les légumes verts sont intéressants, car ils contiennent peu ou prou des nitrates. Mais ils demandent de faire attention à la cuisson, qui risque de faire perdre ces précieux nitrates. Vous n'hallucinez pas !

➤ *Les antioxydants*

L'oxygène, indispensable à la vie, n'en est pas moins dangereux. Il oxyde, il « rouille » les aliments, leur faisant perdre une bonne partie de leur valeur nutritionnelle, quand il ne les rend pas toxiques. Pour éviter ces effets, il existe des antioxydants. Certains sont d'origine naturelle, mais ils sont d'activités modestes, et généralement onéreux. La chimie a donc été appelée à la rescousse, pour produire des molécules dont l'innocuité n'est pas la qualité principale. Mais elles sont le prix à payer pour éviter les aliments pollués, dangereux. Les villes n'étant pas à la campagne, il faut des conservateurs pour pouvoir transporter les aliments de leurs lieux de production à ceux de consommation. Sinon, les trois quarts des récoltes seraient perdus, comme je l'ai déjà souligné ! Par exemple, peut-on se priver du BHT ou du BHA, antioxydants anciens et classiques, mais qui se sont révélés, à l'usage, moins anodins que prévu ? Oui, mais cela coûte plus cher. Par exemple, il est impossible de faire de la purée, sauf à la vendre noirâtre ; le BHT, le BHA, voire d'autres antioxydants sont donc indispensables (y compris les extraits de romarin). Une alternative serait de mettre au point une chaîne industrielle travaillant exclusivement sous gaz inerte, l'azote en l'occurrence. Mais le prix serait alors prohibitif. Incidemment, le T de BHT signifie toluène, générant des traces de benzène dans les sodas, molécule apocalyptique dans un autre domaine, celui de la médecine du travail.

➤ *Le DDT*

Avec cet insecticide, tentons de nous faire un instant l'avocat du diable. Reste-t-il pertinent d'interdire cette substance aux pauvres, par précaution ; cela au risque de les faire tuer par autre chose, la malaria principalement ? Sa prohibition ancienne illustre-t-elle, avant la lettre, la logique contestable du principe de précaution ? Rappelons d'abord que sa découverte valut à son inventeur, Paul Müller, le prix Nobel en 1948, tant fut considérable son intérêt, elle qui sauva des dizaines de millions d'êtres vivants, notamment les victimes du paludisme, alias la malaria. Ronsard en fut atteint. Dès

1945, l'éradication de cette maladie semblait constituer un objectif sérieux. Jusqu'en 1970, le DDT fut utilisé avec un immense succès en Europe, en Australie, en Amérique du Nord, en Asie et en Afrique, donc à peu près partout. Seulement voilà, d'après Rachel Carlson, auteur d'un livre best-seller, *Silent Spring*, le DDT était toxique pour certains oiseaux. Catastrophe écologique annoncée, majeure évidemment. Devant ce risque de perte de biodiversité, présenté comme exorbitant, le DDT fut interdit aux États-Unis dès 1972. Sous la pression d'organisations écologistes, qui participaient activement à la diabolisation du DDT, il devint de plus en plus difficile pour les pays en développement de s'en procurer. C'est ainsi que dans un rapport officiel de l'OMS, on peut lire que « certains pays ont arrêté la production du DTT et certains États membres rencontrent des difficultés à obtenir les approvisionnements nécessaires ».

Actuellement, l'épidémie mondiale de malaria compte de 400 à 600 millions de malades. Elle tue chaque année 1 à 2,5 millions d'Africains. Par précaution, sans doute, l'OMS recommande donc encore l'utilisation du DDT. Le problème, avec ce produit, est qu'il fut répandu sans retenue, partout, et en quantités beaucoup trop grandes. Or, véritable catastrophe, n'étant que très peu biodégradable, il s'accumule dans la nature et la pollue pour longtemps. Alors que son utilisation en intérieur était à privilégier, il fut généreusement largué en extérieur, contaminant la flore et la faune. À des doses toxiques. Il est vrai que l'alternative à la tuerie des moustiques est de traiter les humains. Mais la prise de médicaments adaptés induit tout de même des effets indésirables, qui affectent « mécaniquement » une multitude de malades, étant donné le nombre considérable de personnes qui doivent être traitées, et cela coûte finalement plus cher. L'histoire de la découverte du médicament est amusante. La poudre de la Comtesse fut de la poudre d'écorce de quinquina, à partir de laquelle fut élaborée la quinine. Un dérivé chimique beaucoup plus actif permit à l'armée américaine de vaincre les troupes impériales japonaises, qui, isolées dans les îles du Pacifique, ne pouvaient plus se procurer le précieux médicament. Les Japonais ont tenté une manœuvre de diversion, en répandant l'idée que cet efficace médicament avait un effet caché par les autorités : celui de rendre impuissant ! Les GI fléchissant dans leur thérapie (et donc dans leur efficacité guerrière), leurs services secrets lancèrent une victorieuse contre-attaque sur le même terrain : les Japonais mentent, en vérité, il rend encore plus puissant.

Responsable et coupable, à condition de savoir

> *Il avait soin de tenir toujours le milieu de la chaussée, excellente mesure de précaution qui vous permet de voir venir le danger, et surtout d'éviter ce qui, le soir, dans les rues de Tarascon, tombe quelquefois des fenêtres.*
>
> Alphonse DAUDET, *Aventures prodigieuses de Tartarin de Tarascon*

Faut-il le rappeler ? À l'opposé de la précaution qui repose sur du flou, la prévention est fondée sur un danger, prouvé, mesurable et donc évitable. Le risque de subir un danger donné s'exprime en % *a minima*, car les probabilités entrent dans la danse. Plus simplement, tout en restant exact, le risque créé par un événement se chiffre par la probabilité qu'il se produise au cours d'un intervalle de temps donné. Il est de 1 sur 2 de tomber sur l'une des faces pour une pièce lancée en l'air. Il est de 1 % de mourir dans l'année pour un

Français, car il meurt 600 000 personnes tous les 365 jours, sur 60 millions d'habitants ; calcul cependant superficiel, car le risque réel est fort différent à 10 ans et à 80 ans. La notion de risque n'implique pas celle de désagrément, de gravité ; il s'agit de chance, ou de malchance. Le risque de grossesse est une chance, si elle est désirée. Plus généralement, le risque est constitué de tout facteur auquel est liée l'apparition d'un événement. Par exemple, le taux de mortalité dépend de l'âge, l'âge constitue donc un facteur de risque. Il est hélas absolument imparable, quant à lui.

Attention cependant aux interprétations statistiques, qui peuvent fausser l'échelle du risque. Par exemple, selon certains, la probabilité d'attraper un cancer – en plus de la possibilité normale, hélas fort fréquente – en vivant sous une ligne à haute tension est la même que celle d'être emporté par un raz de marée qui submergerait toute la France ; ou bien de recevoir quatre météorites sur la tête au même moment ! Faut-il construire des digues tout autour de la France, faut-il vivre pour autant dans un blockhaus ?

Le hasard n'est pas le risque : la malchance de recevoir un pot de fleurs sur la tête en se promenant dans la rue, ne procède d'aucun calcul simple. En revanche, en traversant la même rue, le risque de se faire renverser par une voiture peut être parfaitement évalué. En prenant la route, celui d'accident est encore plus grand ; être hospitalisé n'exclut pas le risque iatrogène (tout médicament peut présenter un danger), ni celui des maladies nosocomiales (mourir d'autre chose que ce pourquoi on est venu). Toutefois, la distinction entre le hasard et l'ignorance a souvent été déniée, car le hasard ne pourrait être que l'expression de notre ignorance. Un enfant a beaucoup plus de probabilités (une malchance) de s'étrangler avec le noyau d'un fruit que de s'intoxiquer avec les pesticides. Si le fruit n'est pas mûr, la diarrhée est au rendez-vous, beaucoup plus sûrement qu'en raison des conservateurs. Dérive grotesque, si le hasard n'est que l'acceptation de la volonté des autres, il constitue alors un alibi, une justification de faiblesse plus ou moins consciente.

Un examen simple et cartésien, source de bon sens juridique, doit faire apparaître trois situations. Pour la première, le danger est connu, identifiable et appréciable au moment de la prise de décision. Toute décision de prendre le risque de subir un danger nécessite une concertation pour définir le rapport entre le bénéfice et le coût ; ces deux mots n'étant pas compris dans leur seul sens financier. Si le solde est positif, l'humanité progresse. Si un événement indésirable se produit, le responsable, celui qui a décidé, devient coupable. Pour la deuxième situation, les facteurs ne sont devenus identifiables qu'ultérieurement, ils étaient donc inconnus au moment de la prise de décision. La situation est délicate, car on ne peut faire reproche d'ignorance dans ce cas de prise du risque. Le responsable n'est alors pas coupable, il n'est donc pas condamnable ; car il n'y a pas de rétroactivité. Enfin, troisième situation, les facteurs sont non identifiables ; dans ce cas rien ne peut être reproché au décideur ; si un incident survient, il est identifié à un hasard malencontreux. Cette troisième situation a fait progresser l'humanité à pas de géant.

Fort heureusement, il existe des garde-fous, qui relèvent fréquemment du plus élémentaire bon sens. Celui qui décide d'affronter un danger doit se donner les moyens, tous les moyens, de le réduire ; ou d'écarter le risque de le subir. Le responsable ne sera pas coupable s'il prouve qu'il a pris toutes les mesures, compte tenu des possibilités techniques et des connaissances du moment. Installer des extincteurs ne garantit pas qu'il n'y aura pas d'incendie, mais leur présence constitue le signe élémentaire que des moyens de lutte sont mis en place. La présence de gilets de sauvetage n'annihile pas le risque de naufrage. Les industries agroalimentaires (siglées sous la forme de IAA) doivent, dans cette optique, s'assurer de toutes les protections nécessaires, compte tenu des connaissances scientifiques. Mais comme le risque zéro n'existe pas, l'accident peut survenir. Le tout est d'y être préparé. Et de savoir rapidement l'expliquer, en un mot de bien communiquer, le transformer en simple incident ; car, entretenues par le flou, les dérives médiatiques sont catastrophiques.

Tout progrès engendre de nouveaux risques, tôt ou tard. Les avancées de la science et des technologies permettent de débusquer des problèmes à des échelles de plus en plus réduites, avec une finesse de plus en plus grande ; ce qui génère des exigences de plus en plus fortes, et des explorations de plus en plus minutieuses. Si aujourd'hui les pouvoirs publics avaient à décider de la mise sur le marché de l'aspirine ou de la colchicine, ils les refuseraient immédiatement, sans hésiter ! Quelle perte incroyable pour l'humanité. Et pour traiter les malades qui n'ont pas, encore actuellement, d'autres médicaments à leur disposition. C'est ainsi que le risque est de moins en moins grand de mourir (de plus en plus) jeune, car nos prédécesseurs ont pris des risques majeurs, notamment pour nous nourrir et nous soigner : imaginons le nombre de nos ancêtres empoisonnés pour avoir absorbé une plante vénéneuse, engrangeant les connaissances à leurs dépens.

Corrélation ou causalité ?

La science en laquelle j'avais cru, cette science qui partout dans le monde avait triomphé des cultes et de l'occulte.

Didier VAN CAUWELAERT, *L'Apparition*

Pour affronter un danger, le plus difficile est de sélectionner les réels facteurs de risque. Et de prouver la relation véritable entre le risque et sa cause supposée. Il est toujours délicat de définir une cause, surtout dans le domaine de l'incertain ; prouver l'existence d'une relation entre cause et effet relève parfois de l'exploit. Or, bien souvent, la simple corrélation est transformée en causalité ; deux événements qui se produisent successivement sont présentés comme étant liés. Cela crée, artificiellement, une prolificité des précautions inutiles. Plutôt que d'énumérer un catalogue rébarbatif, rappelons quelques plaisanteries. Le lit est l'endroit le plus dangereux au monde, car 99 % des gens meurent dans un lit ; la précaution serait donc d'interdire le lit. Le pays qui déplore le plus de cirrhose est la France, celui qui possède le plus de Renault, c'est encore la France ; conséquence : c'est Renault qui cause les cirrhoses ! Si l'alcool tue 5 % des personnes qui en abusent, les 95 % restants, qui en boivent peu ou pas, ne peuvent alors qu'être assassinés par l'eau ! Deux imbécillités ne font pas une vérité intelligente ; une fausse erreur ne fait pas une vérité vraie. Même les statistiques peuvent faire mentir : bien évidemment, les enfants ne naissent pas dans les choux, car… ils sont en réalité apportés par les cigognes. L'affirmation est pourtant statistiquement « démontrée ». En effet, il a été découvert en Alsace que le nombre de naissances augmente avec celui de ces splendides volatiles. Le biais est que pour faire des enfants, il faut des couples, qui habitent dans des maisons, ayant des cheminées accueillantes pour les cigognes.

Causes et conséquences, ou association sans relations de causalité ? Les mondes de la médecine et de la nutrition n'ont pas échappé à ces raisonnements douteux. Comme le montrent trois prototypes d'argumentations biaisées, dont certaines relient, par une relation de cause à effet, deux événements qui se succèdent, mais ne sont qu'artificiellement mis en relation. Ainsi, à l'époque de la marine à voile, des observateurs supposés avisés (y compris quelques membres de la docte Académie de Londres) proposaient un traitement du scorbut : le changement d'air. En effet, ils n'avaient pas manqué de remarquer une très forte relation entre le temps passé en mer par les marins et le risque d'attraper la maladie, d'où la conclusion apparemment logique que l'air marin était tout à fait mauvais ! Tout scorbutique, en puissance ou avéré, était vigoureusement éloigné des côtes maritimes. Peu après, d'autres corrélations se sont avérées plus perspicaces : les aliments frais évitent cette maladie chez les navigateurs, ceux qui mangent du citron résistent encore mieux, d'où le sobriquet de *lime* attribué aux marins britanniques. Se portant mieux que leurs ennemis français, grâce au citron, ils leur ont infligé quelques déroutes mémorables.

L'observation initiale est due à James Lind, qui, en 1747, étudia sur un navire de Sa Très Gracieuse Majesté les effets du jus de *lime*, en fait le citron vert. Précurseur des études statistiques, il décida, par tirage au sort, de ceux qui en prendraient : ce furent les tribordais, alors que les bâbordais n'y avaient pas droit. Seuls les premiers furent préservés de la maladie. Incidemment cette expérience révéla un progrès gigantesque dans un autre domaine : la prise en considération d'une substance, qui n'était ni un aliment, ni un médicament. L'huile de foie de morue connut le même succès mérité. Pour une autre vitamine, B1, au début du XXe siècle, l'observation de l'effet de l'enveloppe du riz (qui, grâce à la vitamine B1 protégeait contre la névrite) fut confirmée chez des prisonniers mangeant du riz décortiqué. L'habitude était de donner du riz décortiqué à tout le monde, surtout dans les camps de prisonniers. Lui substituer une ration à base de riz entier leur évita cette maladie, qui ravageait des camps.

Dans le même esprit, autrefois, dans les campagnes, on affirmait que la tuberculose était une maladie héréditaire qui sautait une génération… jusqu'à ce que l'on observe que les grands-parents avaient coutume de coucher dans le même lit que leurs petits-enfants !

Plus subtil encore, mais pas moins fréquent dans le monde de la santé : deux causalités réelles mises bout à bout ne font pas pour autant une troisième causalité. Ainsi, on affirme que l'abus d'alcool engendre le risque de cancer du poumon. C'est faux ! Il faut prendre en compte le tabagisme, qui va souvent de pair. En fait, il existe deux relations distinctes. L'une touche à la relation entre le tabagisme et ce type de cancer, l'autre allie le tabagisme à l'alcoolisme ; il y a un chaînon manquant entre l'alcoolisme et le cancer du poumon, puisque ceux qui boivent ont une mauvaise hygiène de vie, et fument souvent beaucoup. Soit dit en passant, pour reprendre la légende d'un splendide dessin de Jacques Faisant : « Un État qui prélève des milliards de taxes sur un produit dangereux qu'il prétend interdire, n'est rien qu'un proxénète qui file, en public, une trempe à sa gagneuse, pour se faire une réputation de vertu. »

À un degré plus grave, la corrélation est mise au service d'une supercherie ; le qualificatif est charitable. Ainsi, on affirme que le sucre ne fait pas grossir. Pourquoi ? Parce que des études sérieuses ont montré que les obèses consomment moins de sucres que ceux qui sont moins enveloppés. En oubliant, avec ignorance, incompétence ou mauvaise foi, que pour devenir obèse, il a bien fallu manger quelque chose. Pour traiter le surpoids, les prescripteurs déconseillent évidemment l'abus de sucre sous toutes ses formes. On occulte donc ce que les obèses ont mangé avant, pour ne retenir que ce qu'ils absorbent actuellement. Voilà une conception bien édulcorée de la physiologie !

L'illusion d'une physiologie mal comprise ajoute à la confusion. Ainsi, il est affirmé que ce n'est pas le sucre qui fait grossir, mais les graisses : mangez donc du sucre pour maigrir, par précaution ! Raccourcis saisissants, erreurs de taille, qui font prendre du poids. En effet, il est exact que le sucre présent dans les aliments est utilisé par l'organisme pour produire de l'énergie, alors que les lipides sont plutôt stockés. Mais cela n'est vrai qu'en situation normale, dans un environnement d'équilibre alimentaire adapté aux dépenses énergétiques. En revanche, trop manger, ou ingurgiter déséquilibré, ne peut qu'entraîner le stockage du surplus énergétique (quel qu'il soit, provenant des lipides ou des glucides) sous forme de graisse, dès que sont remplies les modestes réserves en glycogène, pour ce qui concerne les glucides. Le glycogène est une sorte d'amidon animal ; le sucre complexe de stockage d'énergie se dénomme amidon dans le monde végétal, et glycogène dans le secteur animal ; les deux types de molécules se ressemblent, mais ne sont absolument pas identiques. Le sucre, s'il n'est pas dépensé – physiologiquement brûlé – par une activité physique, ne se transforme ni en chaleur ni en lumière par l'effet d'un Saint-Esprit bienveillant, notamment pour les cultivateurs américains (du nord et du sud du continent) de maïs – d'ailleurs souvent OGM –, qui en font du sirop de glucose trouvé dans nombre de boissons et d'aliments.

La corrélation ayant fait la preuve qu'il s'agit bien d'une causalité, pour la mettre en valeur, il subsiste une difficulté qui relève de la psychologie : corrélations positives ou négatives ? Faut-il voir la bouteille à moitié vide ou bien à moitié pleine ? Plutôt que de rechercher les corrélations positives, source d'interdiction (manger plus de gras saturés entraîne plus de maladies cardio-vasculaires, donc mangez moins), peut-être vaut-il mieux parfois se fonder sur celles qui sont négatives, c'est-à-dire prescrire un aliment dont on sait que la consommation accrue réduit une pathologie. C'est ainsi que l'une des premières études épidémiologiques qui ait été réalisée a montré que manger plus de soupe allait de pair avec une réduction des cancers. Le très modeste succès médiatique de la soupe a malheureusement fait rapidement sombrer dans l'oubli ce résultat spectaculaire. De même, au verre de vin rouge est associé moins de maladies cardio-vasculaires ; plus d'acides gras poly-insaturés va dans le même sens et restreint les maladies cardio-vasculaires ainsi que les affections de la peau ; plus de lait et de calcium, plus de poissons ou de fruits de mer et donc de vitamine D, réduit l'ostéoporose ; plus de fer diminue l'anémie, stimule l'intelligence (vive le boudin, certains coquillages et poissons, ainsi que les viandes bien rouges !) ; plus de fluor réduit les caries ; plus d'iode fait disparaître le goitre, le crétinisme sinon l'idiotie ; plus d'acide folique diminue les malformations nerveuses et permet de garder l'esprit vif tout au long de la vie. Autant de plus qui s'associent au fonctionnement harmonieux du corps, de son cerveau et de son intelligence.

C'est ainsi que mes livres n'ont pas pour objectif de prouver que manger mieux rend plus obligatoirement intelligent, mais que cette agréable prescription évite d'être moins futé, ou de le devenir…

Évidence ou preuve ?

À une confiance illimitée succédèrent les précautions de la défiance.

Honoré DE BALZAC, *Les Marana*

Pour argumenter ou convaincre, sur une palette qui va de la preuve jusqu'à l'opinion, il existe d'innombrables intermédiaires ; incluant la conviction, bien évidemment intime, comme il se doit de le clamer. Or chacun n'est pas doté de la même valeur scientifique et médicale ; en revanche, ils ont tous, généralement, la prétention d'apporter la preuve absoluc, en coupant court à toute discussion, induisant le principe de précaution. « Cela est prouvé. » Affirmation péremptoire qui permet de laisser croire que la chose est vraie, sans rien ajouter. Elle devient d'ailleurs « c'est avéré » quand une teinte scientifique est revendiquée. Devant le déferlement de fantaisistes qui abusent de ces imprécations, il a fallu revenir aux fondamentaux. Y compris en médecine. Pour combattre le charlatanisme, des preuves scientifiques sont maintenant exigées. *Evidence based medicine*. Voilà le nouveau mot d'ordre. La traduction du mot anglais *evidence*, relativement complexe dans sa signification, voudrait être « preuve » en français ; ce qui est trop restrictif, et pourrait prêter à confusion avec tout ce qui touche au monde juridique. Preuve devrait être remplacé par « meilleures données acquises de la science ». Mais c'est trop long.

La médecine des évidences ! Redécouvrir le fil à couper le beurre, parfois. En effet, la démarche scientifique a fait la… preuve de son excellence dans la démonstration de l'efficacité de médicaments lors de leurs mises sur le marché, par exemple. Avec des essais randomisés (on tire au sort les patients traités ou non, c'est-à-dire recevant soit la substance, soit un placebo), en double aveugle (le prescripteur et le patient ignorent si la médication donnée et reçue est active ou non). Pour être certain. Mais, ici encore, la règle, érigée par précaution en dogme absolu, ne doit pas paralyser certaines disciplines. Elle n'est pas transposable à tout, ni à toutes les situations. Que penser d'essais randomisés pour les actes chirurgicaux ? Ils exigeraient que le même chirurgien reproduise exactement les divers gestes opératoires mis en comparaison, et utilise les divers traitements proposés, pour que la démonstration soit reconnue. Ce qui est à peu près impossible, par définition. Car il n'existe pas deux malades identiques, devant subir exactement la même ablation, ou réparation. De plus, l'habileté du chirurgien entre directement en ligne de compte : une étude réalisée à New York montre que le risque de mort après opération du cancer du pancréas varie de 80 % à 5 % selon le nombre d'interventions réalisées par le chirurgien dans ce domaine. Annuellement, il faut considérer que moins de 7 opérations d'un type donné est rédhibitoire ; même si beaucoup d'autres interventions sont réalisées sur plusieurs organes. Ce n'est pas la quantité totale d'actes qui compte, mais le nombre d'opérations effectuées dans un domaine bien précis. Une grande dextérité dans la pose de prothèse de hanche ne garantit pas le succès de l'exérèse d'une tumeur du poumon ; encore moins du cerveau. Voilà qui ne va pas dans le sens du maintien des petits services dans les hôpitaux isolés, exigus : ils peuvent s'avérer véritablement dangereux.

Que penser du mot « méta-analyse » ? Il est totalement galvaudé par des incompétents, qui se contentent de réaliser de simples revues bibliographiques. En pratique, la méta-analyse est à la science ce que le consensus est à la démocratie : le plus petit dénominateur commun. C'est peut-être déjà suffisant. Mais pas toujours, loin s'en faut. Une telle référence peut s'avérer inhibitrice. Car, en d'autres termes, s'il y a un doute ou si l'un des experts n'est pas d'accord, rien ne peut être fait. C'est la dictature de l'unanimité, tout à fait paralysante. Mais cela impressionne dans le landerneau. La méta-analyse ne peut être accomplie que par un mégacompétent. Voltaire n'a-t-il pas créé un personnage célèbre : Micromégas ? En médecine comme en nutrition, ce genre de travail est extrêmement difficile, car il suppose de réunir toutes les études pertinentes dans un domaine, pour obtenir une masse critique permettant de dégager des informations utiles, après avoir rétabli une sorte de « moyenne ». Mais cela suppose que tous les travaux aient été menés dans des conditions identiques, avec les mêmes objectifs, des dosages similaires (aliments ou médicaments), pris pendant des durées voisines par des personnes physiologiquement comparables, vivant dans des environnements proches. Ce qui n'est évidemment que rarement le cas. Donc, de nombreuses synthèses s'autoproclament méta-analyse, alors qu'elles ne sont que des fantaisies. Au mieux. Pour en rajouter, elles sont fréquemment exécutées par des statisticiens, qui ignorent nombre de données biologiques, physiologies et médicales, ce qui est bien entendu tout à fait normal de leur part, mais limite considérablement la portée de leur travail. En effet, ils sont obligés de faire une notation des divers travaux sélectionnés dans le cadre de leur méta-analyse, leurs méthodologies imposent de n'en sélectionner que certains, et d'en éliminer d'autres. Sur des critères qui relèvent de leur spécialité, mais pas de la biologie ni de la médecine. Démonstration peut parfois ainsi être faite que le fémur se situe dans l'avant-bras.

Voici un exemple, pour revenir un instant dans le monde des oméga-3, des poissons, et des maladies cardiovasculaires. Récemment, une publication périodique sérieuse présentait une prétendue revue systématique – méta-analyse –, d'un Anglais, à ne pas nommer, par charité. Elle jetait le doute sur l'efficacité des oméga-3 dans le cadre de la prévention des maladies cardio-vasculaires ischémiques (l'infarctus, pour faire bref), et de la mort subite d'origine cardio-vasculaire. En contradiction avec une multitude d'études antérieures, qu'elles soient expérimentales ou cliniques, d'observation (épidémiologiques ou écologiques) ; toutes réalisées à partir, notamment, de la mesure de la consommation de poisson, mais aussi à l'occasion d'interventions thérapeutiques avec des huiles de poisson, c'est-à-dire de leur prescription chez des volontaires. Ce travail a d'ailleurs immédiatement été réfuté par un grand nombre d'autorités, y compris dans le journal même qui avait publié cette analyse contestable.

Premier biais inadmissible : il mélange les torchons et les serviettes, c'est-à-dire les oméga-3 d'origine végétale et ceux qui sont d'origine animale ; qui ne sont pas les mêmes. Les premiers concernent l'acide alpha-linolénique (ALA, essentiellement trouvé dans quelques végétaux), les autres, ceux basés sur les autres oméga-3 (EPA et DHA, des poissons et fruits de mer, principalement ; consultez mon nanodictionnaire pour connaître la signification de ces acronymes). Au-delà, les effets spécifiques de l'EPA n'ont pas été pris en considération (anti-inflammatoires, entre autres). Facteur aggravant, les cas mortels et ceux qui ne l'étaient pas ont été « poolés ». Pire, aucune classification n'a été faite entre les patients : âge, sexe, traitements, antécédents médicaux ! Ignorance médicale consternante des auteurs : il n'existe pas de distinction entre la prévention primaire (qui s'adresse aux personnes n'ayant jamais fait d'accident cardiaque) et la prévention secondaire (concernant les patients qui ont déjà souffert d'infarctus). Enfin, sont exclues 108 cohortes, au prétexte que la consommation de poisson n'est pas mise en relation avec les quantités d'oméga-3 ! Le rapport oméga-6/oméga-3 n'est pas pris en considération ; pas plus que ne l'est, par exemple, le tabagisme. Les études retenues sont donc très hétérogènes (conseils diététiques, suppléments d'huiles de poisson, consommation de poisson), les travaux mesurant la concentration sanguine en oméga-3 ont été exclus (alors qu'elle constitue le témoin direct et fidèle de la qualité de l'alimentation), seuls ceux mesurant les niveaux d'absorption alimentaire ont été retenus. En se limitant à une sorte de moyenne d'études éparses, les choix des auteurs ne peuvent aboutir qu'à une absence de résultat ! D'ailleurs, une seule étude fait pencher la balance de « bénéfice évident » vers l'« absence de bénéfice » privilégié par ces auteurs : celle dite DART2. Or elle souffre de nombreuses lacunes méthodologiques : utilisation d'un extrait d'huile de poisson riche en EPA, aucune prescription en aveugle, etc. Le succès médiatique de cette publication est donc en proportion de sa piètre crédibilité et de son caractère provocant et contradictoire, hélas non étayé. Mais les précautionneux l'ont largement mise en exergue.

Incidemment, sachez qu'aux États-Unis, il n'existe officiellement dans les publications que cinq catégories de produits de la mer : le thon, le thon en boîte, les poissons bleus, les poisons blancs et les crabes. De cette approximation abusive, on déduit les quantités d'oméga-3 réputées absorbées par les consommateurs.

La faute à Rousseau ?

Je donne le nom de peste à la corruption de l'intelligence, bien plus sûrement qu'à la corruption de l'air qui nous entoure.

MARC AURÈLE

Ces dérives, sémantiques et intellectuelles, ont plusieurs origines. Parmi les pères fondateurs, Jean-Jacques Rousseau règne en maître, à une très bonne place. Rousseau, ou les méfaits d'une idole déraisonnable, au travers d'approximations érigées en dogmes. Qui l'eût cru ? Il est trop souvent le faire-valoir et la caution de marchés de dupes reposant sur des corrélations abusives et des précautions insensées.

Exemple de relation culinaire transformée en causalité : le goût des gens et leurs caractères nationaux supposés. En effet, les goûts culinaires, comme ceux qui touchent à la musique, à la littérature ou bien encore aux arts visuels et plastiques, sont pour une bonne partie socialement déterminés. Depuis des millénaires, outre la géographie, les principales forces à l'œuvre sont les religions, les classes sociales et les nations. Le rapprochement entre la nourriture et le comportement humain a contribué à renforcer les idées reçues sur des nations entières. Rousseau est tombé dans le piège, avec fracas. En effet, entre diverses inepties, il a affirmé dans *La Nouvelle Héloïse* : « Je pense qu'on pourrait souvent trouver quelque indice du caractère des gens dans le choix des aliments qu'ils préfèrent. Les Italiens, qui sucent beaucoup d'herbages, sont efféminés, et vous autres Anglais, grands mangeurs de viande avez dans vos inflexibles vertus quelque chose de dur et qui tient de la barbarie. Le Suisse, naturellement froid, paisible et simple, mais violent et emporté dans sa colère, avec à la fois l'un et l'autre aliment et le goût du laitage, et du vin de Français, souple et changeant, vit de tous les mets et se plie à tous les caractères, comme quand la nourriture, comme le vin, monte à la tête. » Vaste observation ethnologique ! Les Goncourt, dans leur journal, écrivaient, mais avec humour quant à eux : « Je croyais le cerveau d'un Anglais plus concentré sur une seule chose, tandis qu'il y avait dans la cervelle française beaucoup d'école buissonnière. » Ailleurs, ils écrivaient aussi : « Messieurs les Français, vous aimez avec le cerveau, mais très peu avec le cœur ! »

Apprendre à manger ? Concession à la grandeur de l'homme, Rousseau marque clairement la différence entre l'animal et l'homme. Pour ce qui touche à la nutrition, il reconnaît que « l'un choisit ou rejette par l'instinct, et l'autre par un acte de liberté ». Éducateur peu ordinaire, il enseigne qu'« il faut mener les enfants par leur bouche », avec des gâteaux il fait courir les enfants indolents. Mieux, pour développer l'odorat d'Émile, il propose de lui faire rechercher son dîner « comme le chien évente le gibier ». Il demande même de l'égarer en forêt à l'heure des repas, pour qu'il apprenne sûrement à s'orienter ! Pédagogie pour le moins ahurissante !

Il a pour lui-même une conception époustouflante de la manière dont il convient de sucrer le café. Chaque jour il sucre un peu plus, pour augmenter son plaisir. Et de temps en temps il recommence à zéro, observant qu'« il n'y a que ce premier jour qu'il en coûte ». Pourquoi ne se tapait-il pas la tête contre les murs, en observant que c'était si bon quand il arrêtait !

Avocat lyrique de la consubstantialité, Rousseau assume mal son parti pris végétarien et le fait reposer sur des arguments extravagants. Pour lui, le lait est… un suc végétal ; qui se putréfie quand les nourrices mangent trop de viande ! « Les femmes mangent du pain, des légumes, du laitage. Les femelles des chiens et des chats en mangent aussi ; les louves même paissent. Voilà des sucs végétaux pour leur lait. » Hallucinant : Jean-Jacques a transmué la louve, carnivore, en paisible herbivore. Qui a vu une louve brouter ? Mesdames, faites attention, « le laitage et le sucre sont un des goûts naturels du sexe et comme le symbole de l'innocence et de la douceur qui font son plus aimable ornement ». La théorie végétarienne de Jean-Jacques Rousseau n'est que celle du renoncement et du mépris du corps, que partagent quelques diététiciens fanatiques de tous les hypo- (hypocholestérol, hypolipide, hyposucre), voulant régenter l'anorexie plutôt que de promouvoir une gastronomie légère, agréable et efficace.

Aimer ? N'affirmait-il pas qu'il vaut mieux se masturber, car on n'est jamais déçu ? Pour lui, l'onanisme est un moyen de « disposer du sexe » à moindre frais, en évitant d'« empirer » son état, par l'« habitation » de la femme. Quel amoureux transi ! Le preux chevalier du « taste rien », maître du dégoût ! Il est vrai que son pauvre organe était racorni, paraît-il.

Soigner ? « J'ai souvent pensé en regardant de près les champs et les vergers, les bois et leurs nombreux habitants que le règne végétal était un magasin d'aliments donnés par la nature à l'homme et aux animaux. Mais jamais il ne m'est venu à l'esprit d'y rechercher des drogues et des remèdes. » Pour lui, la plante vénéneuse est un scandale de la nature. Heureusement, pour nous, que les pharmaciens l'ont superbement transgressé !

S'il y a du bon chez Rousseau, le pire ne manque pas. Évidemment il ne pouvait écrire que « la lecture est le fléau de l'enfance » ! Fort heureusement, la charité oblige à se remémorer une sentence célèbre : « Faites ce que je dis, et non pas ce que je fais. » « Jean-Jacques n'a pas détruit la conscience, il l'a corrompue. Il l'a dressée au mensonge et à la falsification... Aucun homme n'a peut-être poussé plus loin la corruption du sens intérieur », dit François Mauriac. Il fut donc un vrai désillusionniste.

Malgré Rousseau, l'enfant n'est ni ange ni bête... Le droit de l'enfant à être lui-même, celui de s'épanouir, ne peut exister que par l'obligation des éducateurs à lui imposer l'acquisition de connaissances. Cela est incontestablement identique en alimentation ! Il y a plus de liberté dans le choix que dans son absence. Celui qui ne connaît que quelques aliments est moins libre que celui qui a appris à en connaître de nombreux. De plus, sa santé sera meilleure !

Dérive d'un « rousseauisme » exacerbé : installer des self-services dans les cantines des écoles maternelles. Vaste foutaise – au mieux, pour ne pas être plus grossier – sur le plan de la neurophysiologie spécifiquement humaine, comme je l'ai expliqué dans mes livres précédents. Rappelez-vous pourquoi. Il convient d'être initié aux lettres pour faire des mots, aux mots pour composer des phrases, à la grammaire pour écrire une page de texte ou un discours. Dans le même esprit, il est obligatoire de connaître les aliments, avant de construire un repas ; pour être ensuite capable d'élaborer un équilibre alimentaire qui se conjugue sur plusieurs jours, en mangeant de tout, un peu (plus ou moins). Car, *spécificité de l'être humain, de même qu'il faut apprendre à marcher, à lire et à écrire, il faut impérativement apprendre à manger.* C'est-à-dire connaître l'existence des lettres (les nutriments, mot qui désigne les substances présentes dans les aliments qui sont captées par les intestins et utilisées par le corps) pour former des mots (les aliments), et créer des phrases (les repas) ; sans oublier les règles élémentaires de la grammaire : le plat de résistance doit être servi après les entrées, mais avant les fromages et le dessert, pour des raisons physiologiques et chronobiologiques, et non pas uniquement culturelles. Enfilez donc les perles culinaires. Car ces apprentissages organisent les circuits de neurones dans la structure cérébrale. Tel est le secret pour être bien dans sa tête, moins gros dans son physique, bien dans sa peau ajustée à son corps.

Conclusion

> *Être prudent, analyser les risques pour tenter de les éviter, constituent de sages conseils ; mais avoir fait de la précaution un principe est un drame : il ne s'agit plus de tenter d'analyser des évolutions vraisemblables, compte tenu des informations possibles, mais d'imaginer l'irréel, l'impensable, sous prétexte que des dommages causés pourraient être importants.*
>
> Jean de KERVASDOUÉ,
> *Les Prêcheurs de l'Apocalypse*

Comme on l'a vu tout au long de ce livre, c'est la dose qui fait le poison. *A contrario*, il est impossible de démontrer que telle substance ne sera jamais toxique. Les dangers sont donc partout présents. Face à cette situation, que faire ? S'abstenir de tout ou bien trouver les moyens de les identifier, de les maîtriser ou mieux de savoir éviter le risque de les subir ? Pour ce faire, il convient de peser les risques redoutés au regard des bénéfices escomptés. C'est fondamental. Car le risque zéro n'existe pas. Mais quel risque prendre ? Une dérive consisterait, en particulier pour le décideur, à privilégier celui dont la conscience échappe à l'opinion publique et qui n'intéresse pas (encore ?) les lobbies. L'irrationnel fausse alors la décision et encourage à prendre des mesures dépourvues de socle logique, simplement parce qu'elles sont préconisées par des activistes. L'émotionnel prend ainsi le pas sur le rationnel. Exemple récent : la vaccination contre l'hépatite B. Au titre de la précaution, le secrétariat d'État à la Santé a pris la décision déraisonnable d'interrompre les campagnes de vaccination scolaires. Or cette décision va à l'encontre de toutes les données (scientifiques, médicales, épidémiologiques) prouvant les avantages de la vaccination, qui contrebalancent très largement les risques de complications neurologiques, lesquels sont hypothétiques en l'état actuel des connaissances. L'OMS a rapidement exigé l'annulation de cette décision, mais hélas sans en effacer les conséquences désastreuses sur l'opinion publique, qui garde en tête le danger et oublie les bénéfices. Voilà que cela flambe à nouveau, en raison de procès auxquels les médias confèrent un retentissement démesuré.

Il convient de rester modeste, en se rappelant que le recours à la science connaît des échecs : elle est encore impuissante à apporter des réponses certaines à nombre de questions, faute de connaissances suffisantes, situation souvent transitoire. Toutefois, cette lacune ne doit pas faire le lit de la précaution. Car l'une des caractéristiques de la science, comme elle n'obtient pas toujours les résultats escomptés, est d'échouer un temps, de ne pas atteindre tous ses objectifs, de ne pas confirmer toutes ses hypothèses. En contrepartie, il advient qu'un bénéfice immense survienne grâce à une découverte inopinée, qui s'avère révolutionnaire. Même les échecs permettent d'accumuler des connaissances et contribuent indirectement au progrès du bien-être humain. Ce qui semble imprévisible quand on scrute l'avenir paraît déterminé quand on se retourne ; à condition de savoir attendre.

Comme il vaut mieux avancer que reculer, l'inconnu est plus souvent au rendez-vous que le confort de la certitude.

Certains arguent qu'aucune innovation n'est possible si on doit au préalable démontrer qu'elle ne comporte aucun risque ; ils ont raison, notamment à cause du mot « préalable ». Car, si le danger et le risque sont identifiables, ils peuvent être maîtrisés avant que ne soit mise sur le marché l'innovation en question. Bouclons la boucle : le fait d'imposer le principe de précaution implique obligatoirement la notion de risque incertain, lequel peut précisément interdire la découverte de solutions à nombre de problèmes, parfois très graves, sinon catastrophiques. Or ils auraient précisément pu être évités grâce à des découvertes qui ont été étouffées dans l'œuf par l'application du principe lui-même. Si le principe de précaution, tel que nous le connaissons, avait existé au XIXe siècle, nous n'aurions connu ni l'électricité (à cause du risque d'électrocution), ni les vaccins, ni bien d'autres progrès déterminants sans lesquels nous n'imaginons plus la vie possible… Le principe n'accorde en fait que peu de valeur à la découverte et à l'apprentissage. Y compris celui de l'enfant dans l'initiation aux gestes les plus élémentaires, alimentation incluse. Comme tous les habitants de la planète, les Français ont besoin de science et de scientifiques. Et non pas de piètres gourous. Sinon, des ressources considérables sont mobilisées dans le seul but de se prémunir contre des risques finalement négligeables, au détriment d'autres risques mieux connus et beaucoup plus graves, qui se trouvent privés d'attention suffisante, comme de crédits d'études, au regard et à hauteur de l'impact humain, social et économique qu'ils engendrent. Le principe de précaution est fréquemment présenté comme un principe de recherche, destiné à gérer et non pas à empêcher. Il reste toutefois pour le moins délicat de gérer du risque dans l'ignorance des dangers. Plus préoccupant, une telle recherche sera un assemblage de poupées russes, chaque résultat demandant d'autres investigations, au point de perdurer une éternité. Décourageant toute initiative et inabordable pour une économie digne de ce nom.

De simples aléas de la vie pour nos parents sont désormais considérés comme d'intolérables dangers. Ignorons donc ceux qui regrettent le zoo préhominien, qui rêvent de nous y ramener, espérant nous faire retrouver la sérénité fabuleuse de la vache philosophale, en regardant passer non pas les trains (beaucoup trop dangereux et infiniment polluants), ni les hommes armés d'arbalètes (qui ont déréglé les climats, encore plus gravement avec l'invention de l'arquebuse, comme chacun le sait bien, puisque « c'est prouvé »), mais une Lucy édentée et maladive, appuyée sur son gourdin en bois, ayant perdu presque tous ses enfants peu après leur naissance… Ces pessimistes sont incapables de beurrer une tartine car ils hésitent en permanence sur le côté le plus favorable ; ils sont paralysés par la certitude que cette tartine tombera toujours du côté beurré. Pour eux, un paradis ne peut être que perdu. Et la vie, une maladie sexuellement transmissible toujours mortelle. Avec ou sans principe de précaution, il est impossible d'abolir le risque. La vie est un risque ; la précaution est de ne pas naître.

La pseudo-découverte autoproclamée, d'autant plus fracassante qu'elle est creuse, le « Seveso » quotidien dans nos assiettes, constitue un véritable fonds de commerce, dans tous les sens du mot. En alimentation plus qu'ailleurs, le passage du risque inconnu au risque surmédiatisé est tout aussi difficile à gérer qu'à digérer. Le monde n'est pas devenu plus dangereux (sur le plan alimentaire s'entend), mais il est beaucoup plus frileux. Il faut reprendre confiance : en achetant notre baguette ou notre poisson, regardons le boulanger ou le mareyeur, plutôt que les étiquettes ! Il faut reconstruire le discours sur la nutrition, la nourriture, les aliments. Manger, ce n'est pas avoir la trouille au ventre, c'est un élan du cœur et de l'esprit. Et savourer, c'est savoir. Il faut apprendre à manger, tout comme il est obligatoire de s'initier au plaisir. L'une des formes les plus élaborées du bien-vivre est à la fois l'expression et la conséquence du bien-manger, simultanément ! Les traditions alimentaires sont les réformes qui ont réussi, elles correspondent à une identité culturelle, à un art de vire, qui est étranger à la laborieuse et usante obligation d'imaginer du bizarre pour faire croire à l'original et à la nouveauté.

Pour son emphase, mais peut-être néanmoins avec une sagesse inconsciente, le consommateur et les médias ont choisi le mot juste : psychose alimentaire, et non pas névrose. Quelle est la différence ? Celle qui distingue l'hallucination de l'illusion. L'hallucination est une perception sans objet, pure invention d'un cerveau délirant, alors que l'illusion est une déformation de la réalité. La distinction est importante. Il est véritablement surprenant de relever toutes les pures élucubrations répandues au sujet des risques alimentaires, bien au-delà d'une réalité déformée, même de manière outrancière. Cette psychose, il faut la traiter, avec des remèdes de cheval.

L'alimentation devient le refuge universel de tous les problèmes sociétaux. En effet, comme il faut bien manger, tous les dangers sont ramenés à un problème alimentaire pour l'homme ; afin que tout un chacun se sente obligatoirement concerné. Par exemple les OGM, la dégradation de l'environnement, les maladies strictement animales, sans oublier les risques économiques, qui ne sont pas forcément des risques pour la santé humaine, mais sont présentés comme tels ; ils sont tous artificiellement mêlés à l'alimentation. Ainsi, la maladie de la langue bleue, inoculée par un moustique à un animal, dont la viande n'intoxique pas l'homme, mais décime les troupeaux. Les gigantesques mesures prises pour stopper son extension visent à limiter des pertes économiques (les animaux ne sont-ils pas qualifiés de « rente » ?), tout en laissant croire au consommateur que sa santé est menacée. Incidemment, quoique prétendent certains discours rassurants, ce moustique ne se déplace que de quelques centaines de mètres autour de son habitat, mais il peut être porté par le vent sur des dizaines de kilomètres.

Déifier le principe de précaution ne peut conduire qu'à l'obscurantisme. C'est en comprenant mieux les propriétés et les modes d'action des nouveautés (OGM, nanotechnologies) que les chercheurs pourront fournir des avis argumentés, permettant aux politiques de prendre des décisions objectives en toute connaissance de cause, au moins sur ce plan-là. Alors que l'innovation provoque des terreurs sacrées, identiques à celles induites par les religions archaïques, polythéistes, païennes, riches de tabous. Mais les tabous ne sont-ils pas faits pour être transgressés ?

Informer, former et éduquer ! Le consommateur n'est pas un expert, entend-on partout, ce qui, soit dit en passant, l'infantilise. Est-il un savant quand il choisit le bon carburant dans une station-service pour remplir le réservoir de son véhicule ? Bien qu'ignorant le plus souvent ce que signifie le mot « octane ». Sans confondre diesel, essences diverses, eau, air et gaz. De la même façon, pourquoi ne serait-il pas capable d'alimenter son « corps machine », en comprenant ce que les étiquettes veulent dire : lipides, protéines, graisses, vitamines, oligoéléments ? L'Éducation nationale a du pain sur la planche. Une étude, réalisée en France, en 2007 dans un grand hôpital parisien, a porté sur la compréhension des documents remis aux malades (pour les informer, comme la loi oblige, avant toute intervention chirurgicale). Elle a montré un résultat consternant : la plupart des malades les comprennent à peine. Pour 80 % d'entre eux, le niveau de vocabulaire et de grammaire est celui de la classe de cinquième, au mieux ! Alors que la majorité est titulaire du baccalauréat. De ce fait, il est très sérieusement envisagé de faire relire les formulaires par des professeurs des écoles, des instituteurs, pour les adapter.

Timorée chez nous, la précaution se mue en danger chez d'autres, quand elle est exportée. Ainsi, l'anathème porté contre les insecticides, a rendu au paludisme sa place de premier fléau de l'humanité. Les aspirations des pauvres ne sont pas très loin des réalités des riches ; qui veulent s'en affranchir au nom du principe de précaution ! L'observation de la société laisse penser qu'il y aurait trois échelles de risque. Elles correspondent à des réalités complémentaires. L'une, cartésienne, décrit les risques tels qu'ils sont ; l'autre, cornélienne, les décrit tels qu'ils devraient être ; la troisième, romantique, tels qu'il serait souhaitable qu'ils soient (nombreux sont ceux qui voient ce qu'ils croient, et non pas l'inverse)... Avec, à l'arrivée, Ubu et Kafka, simultanément. Il faut revenir à Socrate, qui demandait d'abord de définir de quoi on parle. On préfère refaire le monde pour savoir qui a raison ! Ne serait-ce que pour définir les mots : prévention plutôt que précaution, entre autres.

Pour paraphraser Ambroise Paré, qui confiait : « Je le pansay, Dieu le guérit », clamons : « Je me nourris bien, Dieu me garde en bonne santé. » Pour chacun d'entre nous, il ne peut se concevoir de développement durable sans priorité pour la santé, donc l'alimentation. Un grand « responsable-coupable » du déséquilibre alimentaire est la recherche permanente du prix le plus bas possible : le discount, le super-discount, obtenir toujours moins cher que son voisin. Mettre un terme à la course au prix le plus faible permettra de résoudre une bonne partie de la crise alimentaire et de l'enrayer sur le plan du risque toxicologique.

Vous pouvez oublier le contenu de ce livre, s'il vous a convaincu que la terreur alimentaire, fonds de commerce florissant, repose sur des arguments misérables et des intérêts économiques contestables. Il ne vous restera plus alors qu'à réaliser l'essentiel : manger de tout, sans excès, toujours avec plaisir, en bonne compagnie. Tel n'est pas le « scoop », mais la règle. Retenez que la biodiversité – du vivant – ne s'étend pas seulement sur l'immense palette qui débute avec les micro-organismes pour se terminer aux espèces supérieures, dont l'homme en point d'orgue ; en passant par les paysages dans leurs écrins de biogéographie. Car depuis Rio et son protocole, la culture et la civilisation font également partie intégrante de la biodiversité. Puisqu'il s'agit de préserver la vie, elles reposent, fondamentalement, sur les aliments et leurs cuisines, indissociables ; comme le sont les notes de la partition, socle de la symphonie. Jeter la partition au prétexte que l'on connaîtrait les notes serait évidemment inconséquent ; l'inverse le serait tout autant : point de notes, point de musique. La cuisson transmutant le naturel en culturel – et prosaïquement, en mangeable –, notre santé durable exige la survie de ces deux espèces tout à fait particulières : nos traditions culinaires et leurs aliments. Elles ne sont pas encore trop en péril. Mais pour combien de temps ?

La bonne chère est bien loin de nuire à la santé, et, toutes choses égales, les gourmands vivent plus longtemps que les autres.

BRILLAT-SAVARIN.

Fait à Bugeat et à Paris,
2007-2008

Quelques chiffres

1. Quels sont les principaux facteurs de risque pour la santé ? (Enquête grand public)

	%
Alimentation	63
Tabac	48
Mode de vie, état psychoaffectif	39
Alcool	38
Sédentarité	27

2. Le sel

Consommation de sel
natriurèse de 24 h
Languedoc-Roussillon

Quintiles Apports sodés	**Hommes (568)**	**Femmes (379)**
I	1,5-5,9	1-4,8
II	5,9-7,9	4,8-6,2
III	8-9,8	6,2-7,5
IV	10-12,5	7,5-9,6
V	12,5-24,2	9,6-18,1

> 10 g/jour :
hommes : 40 %
femmes : 20 %

> 12 g/jour :
hommes : 23 %
femmes : 12 %

Source : Afssa 2002, Mimran et coll., *J. Hum. Hypertension.*

D'où vient le sel ?
en %

Naturellement présent dans les aliments	14,3
Ajouté aux préparations industrielles	62,4
Ajouté à la cuisine	6,0
De la salière	9,0
Provenant des additifs	7,7
Provenant de l'eau	0,6

Glutamate monosodique
Lactate de sodium
Benzoate de sodium
Diphosphate de sodium

Consommation moyenne en Angleterre : 9 g/jour

Apports en sodium par portion usuelle

Sel, 1 g	400 mg
10 olives (30 g)	600-900 mg
1 part de quiche lorraine (130 g)	650 mg
1 tranche de jambon fumé (40 g)	640 mg
1 tranche de jambon de Bayonne (40 g)	550 mg
30 g de céréales, 1 pain au chocolat de 80 g	350-400 mg
1 part de carré de l'Est (30 g)	300 mg
1 part de roquefort (15 g)	240 mg
1 tranche de saumon fumé (20 g)	240 mg
1 tranche de pain blanc de 30 g	150 mg
1/2 litre de lait	220 mg

3. Alimentation et énergie

Vos dépenses énergétiques,
dites dépenses dans un ménage (%)

Chauffage	72
Cuisine	6
Électricité ménagère	11
Eau chaude	11

Ce n'est pas en mangeant froid que vous économiserez beaucoup d'énergie. En revanche, en vous chauffant à 19 °C au lieu de 21 °C, l'opération sera très rentable.

Répartition moyenne des postes énergétiques pour un aliment (%)

Réfrigération, préparation	32
Production agricole	21
Transport	14
Transformation	16

Le poste transport est formidablement variable, cette moyenne cache des différences phénoménales.

4. Les risques pour l'enfant

Les dangers d'ingérer des corps étrangers selon les âges

Âges	%
0 à 1	11
1 à 2	20
2 à 3	24
3 à 5	25
5 à 7	13
7 à 10	5
10 à 18	2

Les objets qui bouchent le tube digestif

Objets	%
Pièces	27
Objets pointus	16
Piles	13
Jouets	12
Os, arêtes	12
Aliments (sur sténose)	12
Bijoux	6

5. Les oméga

Acide oléique dans sept variétés d'huile d'olive (%)

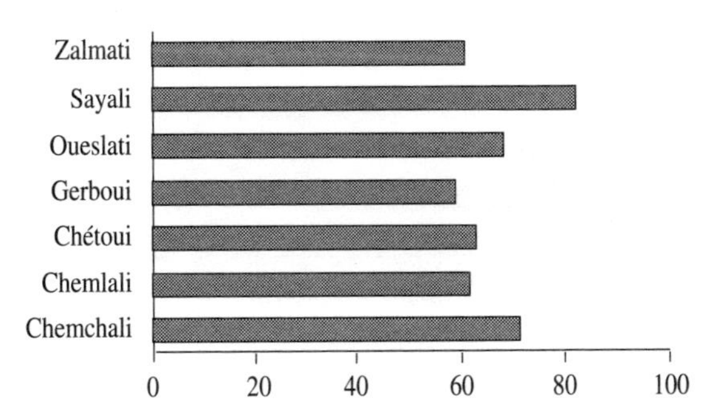

D'après Abaza, 2002, l'acide oléique est un acide gras mono-insaturé, constituant majeur de l'huile d'olive, qui lui a donné son nom. Il est de la famille oméga-9.

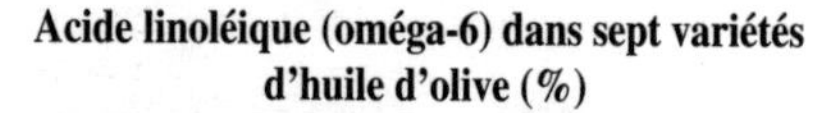

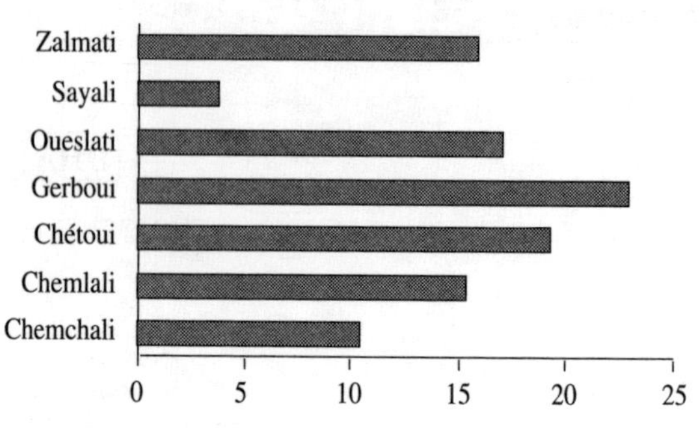

D'après Abaza, 2002. L'acide linoléique (LA) est le chef de la famille oméga-6.

ALA (acide alpha-linolénique dans sept variétés d'huile d'olive (%)

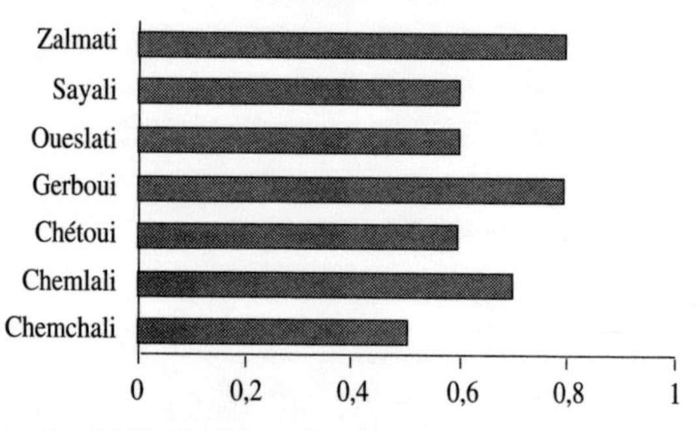

D'après Abaza, 2002. L'acide alpha-linolénique (ALA) est le chef de la famille oméga-3.

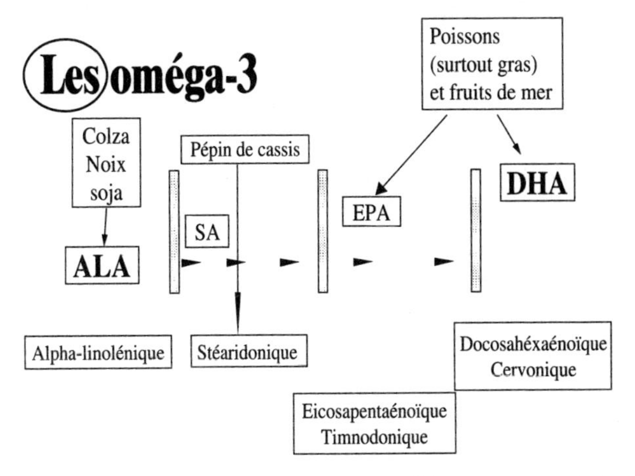

Parmi ces oméga-3, seuls l'ALA et le DHA bénéficient de recommandations nutritionnelles quantitatives (ANC : apports nutritionnels conseillés), en France tout au moins.

Premier composant de la « vitamine F » : l'acide linoléique (LA)

Grammes d'aliment fournissant 50 % ANC de LA (soit 5 g/jour)	*LA*	**Grammes de LA dans 100 grammes d'aliment**
	HUILES :	
7	***Pépin de raisin***	*70*
7,5	***Tournesol***	*65*
8	***Noix, maïs***	***60***
9	***Soja***	***53***
14 *23*	***Arachide :*** ***américaine*** ***africaine***	***36*** ***22***
25	***Colza***	***20***
50	***Olive***	***10***
60	Palme	8
	DIVERS	
20	***Noix***	***26***
36	Beurre	14
12-40	Margarine	15-40
	GRAISSE	
25	De dinde, de poulet	20
50	D'oie, de canard	18
60	De cheval, de porc	8
100 250	Suif : mouton bœuf	5 2
1 000-2 500	Fromages	0,2-0,5

En italique et gras : les aliments réellement utiles, compte tenu des portions usuelles et de la nature des autres acides gras présents dans chacun des corps gras. D'après INRA-Cneva-Ciqual (Institut national de la recherche agronomique ; Centre national d'études vétérinaires et alimentaires ; Centre informatique sur la qualité des aliments). Aliments crus, chiffres arrondis. Il n'y a pas d'AJR pour l'acide linoléique au *JO* du 26/11/93. Seuls les ANC (apports nutritionnels conseillés) peuvent donc être pris en compte : 10 grammes par jour. Pour un enfant, il faut à peu près la moitié de la ration d'un adulte. D'après Bourre, *Diététique du cerveau, la nouvelle donne.*

Deuxième composant de la « vitamine F » :
l'acide alpha-linolénique (ALA)

Grammes d'aliment fournissant 50 % ANC d'ALA (soit 1 g/jour)	*ALA*	**Grammes d'ALA dans 100 grammes d'aliment**
	HUILES :	
11	***Colza***	***9***
12	***Noix***	***8***
14	***Soja***	*7*
100	Maïs	1
125	Olive	0,8
350	Pépin de raisin	0,3
500	Tournesol, palme	0,2
1 000	Arachide	0,1
	DIVERS	
30	***Noix***	***3,5***
200	Haricot, amande	1
500	Olive, framboise, groseille	0,4
600	Brocoli, salade, épinard	0,3
1 000	Lait entier	0,2
800	Salade, pain complet, cassis	0,25
3 000	Concombre	0,06

En italique et gras, les acides gras présents dans chacun des corps gras.
D'après INRA-Cneva-Ciqual. Aliments crus ; chiffres arrondis. Il n'y a pas d'AJR pour l'acide alpha-linolénique au *JO* du 26/11/93. Seuls les ANC (apports nutritionnels conseillés) peuvent donc être pris en compte : 2 g par jour. Pour un enfant, il faut à peu près la moitié de la ration d'un adulte.
L'huile de lin contient environ 50 g/100 g d'ALA, mais elle n'est autorisée en France qu'en combinaison avec d'autres huiles D'après Bourre, *Diététique du cerveau, la nouvelle donne.*

Rapport quantitatif dans les aliments : oméga-6/oméga-3

- Esquimaux : 1/3
- Japonais : 3
- Hommes de Cro-Magnon : 5
- Hommes occidentaux actuels : 15 à 50

Valeur conseillée : 5

DHA/ARA :

1/0,7 :	carpe et sébaste
1/15 :	maquereau
1/20 à 1/30 :	hareng, lieu, colin, sprat
1/95 :	sardine

Le DHA a déjà été rencontré. L'ARA (acronyme d'acide arachidonique) est en quelque sorte son équivalent, mais de la famille oméga-6.

Facteur de multiplication de la valeur nutritionnelle des produits animaux en nourrissant les animaux avec de l'*ALA* (graines de lin ou de colza) : quelques exemples

	ALA	DHA + EPA
Faux-filet de porc	3 à 6	0,9
Faux-filet de bœuf	1 à 2	1
Cuisse de poulet	9	3
Œuf	10 à 40	2 à 5

D'après Bourre, 2003, *Diététique du cerveau, la nouvelle donne.*

Facteur de multiplication en nourrissant avec des *huiles de poisson*

	ALA	DHA + EPA
Longe de bœuf	1,3	1 à 2
Cuisse de poulet	1	2 à 7
Saumon	-	5 à 20
Œuf	4 à 8	2 à 6

D'après Bourre, 2003, *Diététique du cerveau, la nouvelle donne.*

6. *Les œufs*

Œuf Benefic

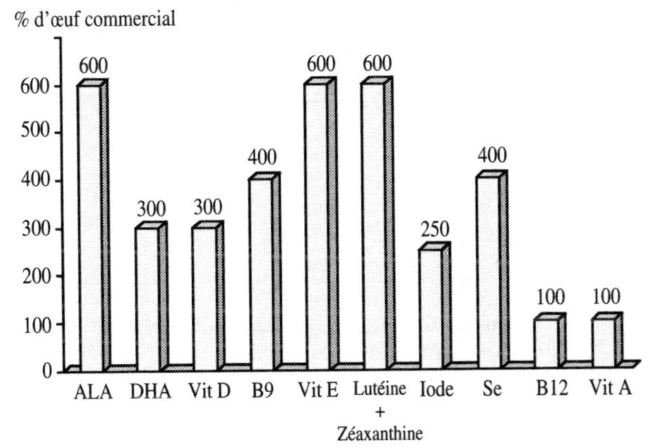

ALA et DHA sont les deux oméga-3 d'intérêt alimentaire. ANC : apports nutritionnels conseillés. Par définition, les teneurs s'expriment pour 100 g d'aliment, ce qui représente un bon œuf et demi (l'œuf standard moyen pèse environ 65 g). D'après Bourre, 2005.

Sachez que l'œuf « S » est de petit poids (inférieur à 53 g), quand il est moyen « M » il pèse de 53 g à moins de 63 g, s'il est gros « L » son poids va de 63 g à moins de 73 g, et « XL », très gros, de poids égal ou supérieur à 73 g. « Extrafrais » signifie 9 jours après la ponte, au plus. Si vous cherchez ce que veulent dire les chiffres, « 0 » signifie bio, « 1 » en plein air, « 2 » au sol, à l'intérieur, « 3 » en cages. Jusqu'en 2012, la surface de cage autorisée par poule est de 550 cm^2 ; après cette date, il faudra qu'elle soit portée à 750 cm^2, et soit munie de nid, de litière permettant grattage et picorage, de perchoirs.

7. Lutéine et zéaxanthine dans quelques aliments

Aliments	**Contenu (mg/100 g)**
Choux-fleurs	15,8
Épinards crus	11,9
Épinards cuits	7,1
Laitue	2,6
Brocolis cuits	2,2
Maïs doux cuit	1,8
Petits pois cuits	1,4
Choux de Bruxelles cuits	1,3
Choux verts	0,3
Jaune d'œuf	0,3

D'après Johnson, 2002.

8. *Poissons et viandes*

**Le poisson le plus gras n'est pas plus maigre que la viande la plus maigre !
(g/100 g)**

Baudroie	0,6
Cabillaud	0,7
Raie	0,8
Sole	1,1
Colin, *escalope de dinde*	1,2
Bifteck	2,2
Jambon cuit	2,5
Turbot	3,1
Truite, *filet de porc*	3,3
Flétan	3,6
Rouget	3,8
Rosbif de bœuf	4,7
Foie de veau	5
Carpe	5,2
Faux-filet (bœuf), lapin	5,5
Roussette	7
Jambon sec	8,7
Sardine, *cuisse de dinde, jambon sec*	9
Saumon sauvage	10,1
Omelette	12,5
Hareng, *épaule d'agneau, cuisse de poulet*	14,5
Entrecôte de bœuf, gigot	14,7
Saumon d'élevage, Côtelette d'agneau ou de porc	15
Andouillette	18
Maquereau	18,1
Camembert 40 % MG, boudin blanc	19
Chèvre demi-sec, boudin noir	28

Source : INRA-Cneva-Ciqual.

Dans chaque animal, il y a des morceaux maigres et des morceaux gras

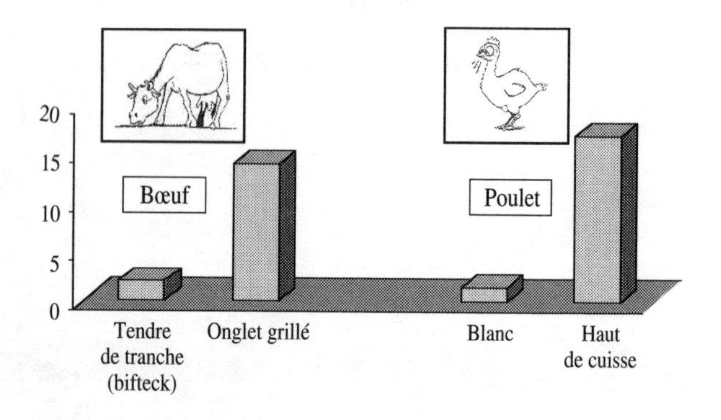

Grillé n'est pas joué **Quel pot-au feu ?**

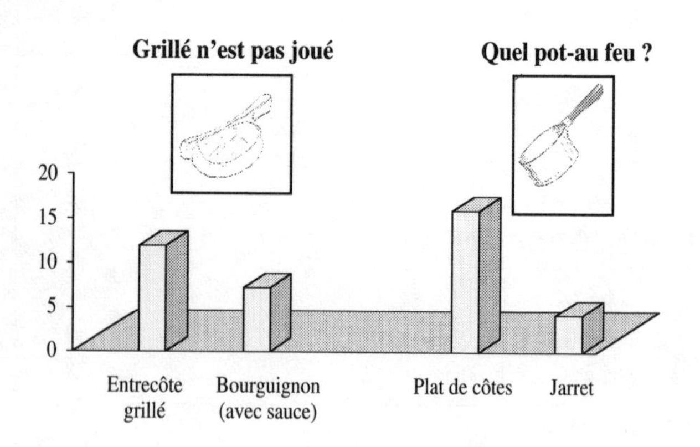

Teneur en graisses de quelques poissons : effets de préparations

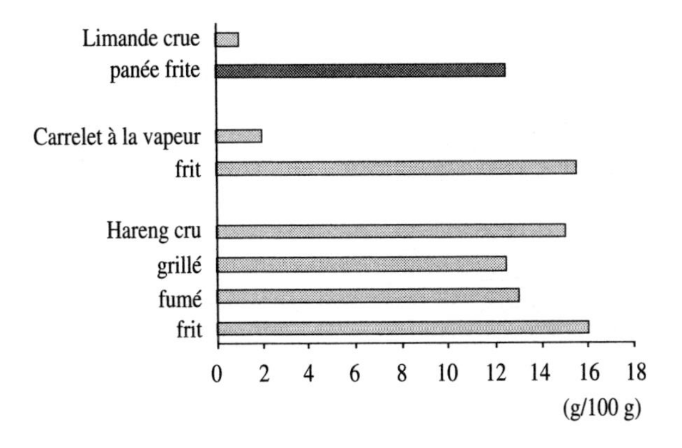

9. Les vitamines

La fragilité des vitamines

	Chaleur	Lumière	Oxydants	Réducteurs	Humidité	Acides	Base
A	gris	noir	noir			gris	
D	gris	noir	noir			gris	gris
E	gris	gris	gris				gris
K		noir	gris				noir
B1	noir	gris		gris	gris		noir
B2		noir		gris			noir
PP				gris			
B5	gris				gris	noir	noir
B6		gris				gris	gris
B8		gris				gris	gris
B9		gris	noir	noir		gris	gris
B12		gris		noir	gris	noir	noir
C	gris	gris	noir		gris	gris	noir

D'après Le Grusse et Watier. Noir : très sensible, gris : modérément sensible.

Lentilles

Teneur pour 100 g	**Crues**	**Cuites**
Énergie (kcal)	315	89
Eau (g)	10	70
Protéines (g)	24	8
Fibres (g)	11	8
Magnésium (mg)	100	32
Potassium (mg)	700	276
Fer (mg)	8	3
Acide folique (µg)	200	60

D'après INRA-Cneva-Ciqual.

Abréviations, acronymes et nanodictionnaire

Afssa : Agence française de sécurité sanitaire des aliments. Consultez son site Internet : afssa.fr.

AJR : apports journaliers recommandés, arrêté du 3 décembre 1993, publié au *JO* le 26 décembre 1993.

ALA : acide alpha-linolénique, chef de la famille oméga-3, dont tous les autres éléments sont dérivés.

ANC : apports nutritionnels conseillés (décembre 2000, éditions Tech et Doc Lavoisier, document élaboré par le Cnerna, puis publié par l'Afssa).

Biodisponible : nutriment présent dans un aliment et capté par les intestins, c'est-à-dire non masqué par une autre substance. Les phytates des céréales emprisonnent une partie des oligoéléments, empêchant leur capture intestinale, ils diminuent leur biodisponibilité.

DHA : acide cervonique, de la famille oméga-3, d'importance considérable dans le cerveau, comme son nom l'indique puisqu'il y a été découvert (acronyme de : acide docosahexaénoïque).

Indispensable : caractéristique d'un nutriment. L'organisme humain ne sait pas le synthétiser, alors qu'il en a absolument besoin ; son origine est donc obligatoirement alimentaire. Son déficit de consommation se traduit par une altération fonctionnelle, puis une maladie ; enfin par la mort, s'il se prolonge. Les nutriments indispensables sont 8 à 10 acides aminés (selon les âges de la vie), 2 à 4 acides (oméga-3 et oméga-6), 13 vitamines et une quinzaine de minéraux et oligoéléments.

Nutriment : substance alimentaire captée par nos intestins lors de la digestion, transférée dans le sang, et utilisée par nos organes.

PNNS : programme national Nutrition-Santé. Initié en 1999, son deuxième volet a été lancé fin 2007 : le PNNS-2.

Suvimax : supplémentation en vitamines et minéraux antioxydants. Vaste étude épidémiologique de suivi d'une population française, avec intervention. Elle donne une photo très précise de son état sanitaire, situé par rapport à son alimentation. En janvier 2008 a été lancé Suvimax-2, le but étant précisément le suivi des personnes âgées.

Bibliographie

Hélas, à quoy tant de précaution !
Cyrano DE BERGERAC, *Les Lettres*

ABAZA, L., *et coll.*, « Caractérisation des huiles de sept variétés d'oliviers tunisiens », *OCL,* 2002, 9, p. 174-179.

ADRIAN, Jean, *La Science alimentaire de A à Z*, Tec et Doc Lavoisier, 2006.

ALLÈGRE, Claude, *Ma vérité sur la planète*, Plon, 2007.

APFELBAUM, Marian, *Risques et peurs alimentaires*, Odile Jacob, 1998.

BARNIER, Michel, *Chacun pour tous*, Stock, 1990.

BARNIER, Michel, *Atlas pour un monde durable*, Acropole, 2007.

BOURRE, Jean-Marie, « Where to find omega-3 fatty acids and how feeding animals with diet enriched in omega-3 fatty acids to increase nutritional value of derived products for human : what is actually useful ? », *J. Nutr. Health Aging*, 2005, 9, p. 232-242.

BOURRE, Jean-Marie, « Enrichissement de l'alimentation des animaux avec les acides gras omega-3. Impact sur la valeur nutritionnelle de leurs produits pour l'homme », *Médecine Sciences*, 2005, 21, p. 773-779.

BOURRE, Jean-Marie, « L'œuf naturel multi-enrichi : des apports élevés en nutriments, notamment acides gras oméga-3, en vitamines, minéraux et caroténoïdes », *Médecine et Nutrition*, 2005, 41, p. 116-134.

BOURRE, Jean-Marie, « Enrichissement de l'alimentation des animaux avec les acides gras omega-3. Impact sur la valeur nutritionnelle de leurs produits pour l'homme », *Médecine Sciences*, 2005, 21, p. 773-779.

BOURRE, Jean-Marie, OALAND, Oyvind, BERG TRYGVE, Lea, « Les teneurs en acides gras oméga-3 des saumons Atlantiques sauvages (d'Écosse, Irlande et Norvège) comme références pour ceux d'élevage », *Médecine et Nutrition*, 2006, 42, p. 36-49.

BOURRE, Jean-Marie, GALÉA, F., « Un aliment à forte densité nutritionnelle pour les personnes âgées : l'œuf multi-enrichi naturel, contenant d'importantes quantités d'acides gras oméga-3 (ALA et DHA), de vitamines (B9, D12, D, E), d'éléments traces (iode et sélénium) et de caroténoïdes », *Âge et Nutrition*, 2006, 17, p. 60-69.

BOURRE, Jean-Marie, GALÉA, F., « An important source of omega-3 fatty acids, vitamins D and E, carotenoids, iodine and selenium : natural multi-enriched eggs », *J. Nutr. Health Aging*, 2006, 10, p. 371-376.

BOURRE, Jean-Marie, « Effects of nutrients (in food) on the structure and function of nervous system : update on dietary requirements for brain. Part 1 : micronutrients », *J. Nutr. Health Aging*, 2006, 10, p. 377-385.

BOURRE, Jean-Marie, « Effects of nutrients (in food) on the structure and function of nervous system : update on dietary requirements for brain. Part 2 : macronutrients », *J. Nutr. Health Aging*, 2006, 10, p. 386-399.

BOURRE, Jean-Marie, PAQUOTTE, Philippe, « Contribution de chaque produit de la pêche ou de l'aquaculture aux apports alimentaires en DHA, iode, sélénium, vitamines D et B12 », *Médecine et Nutrition*, 2006, 42, p. 113-127.

BOURRE, Jean-Marie, PAQUOTTE, Philippe, « Apports en DHA (acide gras oméga-3) par les poissons et les fruits de mer consommés en France », *OCL*, 2007, 14, p. 44-50.

BOURRE, Jean-Marie, PAQUOTTE, Philippe, « Seafood (wild and farmed) for the elderly : contribution to the dietary intakes of iodine, selenium, DHA and vitamins B12 and D », *J. Nutr. Health Anging*, sous presse.

BRAMOULLÉ, Gérard, *La Peste verte*, Les Belles Lettres, 1991.

BRAND-MILLER, Jenny, FOSTER-POWELL, Kaye, COLAGUIRI, Stephen, SLAMA, Gérard, *L'Index glycémique, un allié pour mieux manger*, Marabout, 2006.

BROCHIER, Jean-Jacques, *Danger : secte verte*, Discordance, 2002.

BURGELIN, Jean-François, « La médecine saisie par le principe de précaution », *Bull. Acad. Natle. Med*, 1998, 182, p. 128-129.

CHANTRAINE, Pol, *La Dernière Queue de morue*, L'Étincelle Éditeur-Éditons Pluralisme, 1992.

CHARPAK, Georges, GARWIN, Richard, *Feux follets et champignons nucléaires*, Odile Jacob, 1997.

CHARPAK, Georges, BROCH, Henri, *Devenez sorciers, devenez savants*, Odile Jacob, 2002.

CHOW CHING Kuang, *Fatty Acids in Food and their Health Implications*, CRC Press, Taylor and Francis Group, 2007, 3e édition.

COFFE, Jean-Pierre, *De la vache folle en général et de notre survie en particulier*, Plon, 1997.

CORBEAU, Jean-Pierre, POULAIN, Jean-Pierre, *Penser l'alimentation : entre imaginaire et rationalité*, Privat, 2002.

DAVID, Georges, « La médecine saisie par le principe de précaution », *Bull. Acad. Natle. Med.*, 1998, 182, p. 1219-1228.

DELAVEAU, P., *Les Épices*, Albin Michel, 1987.

FEILLET, Pierre, *La Nourriture des Français. De la maîtrise du feu... aux années 2030*, Quae, 2007.

FERRY, Luc, *Le Nouvel Ordre écologique. L'homme, l'animal et l'arbre*, Grasset, 1992.

FISCHLER, Claude, *L'Homnivore*, Odile Jacob, 1990.

FOURNIER, Étienne, *Le vert est dans le fruit*, Éditions ESKA, 2001.

GÉRONDEAU, Christian, *Écologie, la grande arnaque*, Albin Michel, 2007.

GODET, Michel, *Le Courage du bon sens*, Odile Jacob, 2008.

GORE, Al, *Urgence planète Terre*, Éditons Alphée-Jean-Paul Bertrand, 2007.

GOT, Claude, *Risquer sa peau,* Bayard, 2001.

HIRSCH, Martin, *Ces peurs qui nous gouvernent*, Albin Michel, 2002.

HULOT, Nicolas, *Pour un pacte écologique*, Calmann-Lévy, 2006.

JAILLETTE, Jean-Claude, THUILLIER, Jean-Louis, *Le procès de la vache folle n'aura pas lieu*, Hachette Littératures, 2003.

JOLY, Pierre, « Le principe de précaution, recherche et médicament », *Bull. Acad. Natle. Med.*, 2000, 184, p. 931-936.

KERVASDOUÉ, Jean de, *Les Prêcheurs de l'Apocalypse*, Plon, 2007.

KOHN, Alexander, *Par hasard ou par erreur ?*, ESHEL, 1990.

KOURILSKY, Philippe, VINEY Geneviève, *Le Principe de précaution*, Odile Jacob, 2000.

LAURENT, Éric, *Le Grand Mensonge. Le dossier noir de la vache folle*, Plon, 2001.

LEVY, Élisabeth, *Les Maîtres Censeurs*, J.-C. Lattès, 2002.

LEWIS, R., *Pourquoi j'ai mangé mon père*, Actes Sud, 2004.

L'HIRONDEL, Jean, L'HIRONDEL, Jean-Louis, *Les Nitrates et l'Homme : toxiques, inoffensifs ou bénéfiques ?,* Institut scientifique et technique de l'environnement, 2006.

MICHEL, François-Bernard, BERNARD, Jean, *Médecine hier, médecine aujourd'hui*, PUF, 2003.

NUGON-BAUDON, Lionel, *Maisons toxiques*, Flammarion, 1999.

PIGAILLEM, Henri, *Le Docteur Guillotin*, Pygmalion, 2004.

PILET, Charles, avec Nicole PRIOLLAUD, *L'Animal Médecin*, Actes Sud, 2005.

POSTEL-VINAY, Nicolas, CORVOL, Pierre, *Le Retour du docteur Knock*, Odile Jacob, 1999.

POULAIN, Jean-Pierre, *Sociologie de l'alimentation : les mangeurs et l'espace social alimentaire*, PUF, 2005.

POULIQUEN, Yves, *Le Geste et l'Esprit*, Odile Jacob, 2006.

PUISAIS, Jacques, PIERRE, Catherine, *Le Goût juste*, Flammarion, 1997.

QUENEAU, P., *Médecine thermale. Faits et preuves*, Masson, 2000.

RAUDE, Jocelyn, *Sociologie d'une crise alimentaire. Les consommateurs à l'épreuve de la vache folle*, Lavoisier, 2008.

ROSA, Jean, « Génétique et principe de précaution », *Bull. Acad. Natle. Med.*, 2000, 184, p. 951-956.

SALDMANN, Frédéric, *On s'en lave les mains*, Flammarion, 2007.

SCHWARTZ, Maxime, *Comment les vaches sont devenues folles*, Odile Jacob, 2001.

SIMOPOULOS, A.P., SALEM, N., « N-3 fatty acids in eggs from range-fed greek chickens », *The New England Journal of Medicine*, 1989, 16, p. 1412.

SIMOPOULOS, A.P., SALEM, N., « Egg yolk as a source of long-chain polyunsaturated fatty acids in infant feeding », *Am. J. Clin. Nutr.,* 1992, 55, p. 411-414.

SOKAL, Alan, BRICMONT, Jean, *Impostures intellectuelles*, Odile Jacob, 1997.

SUREAU, C., « Journée thématique principe de précaution, santé et décision médicale », *Bull. Acad. Natle. Med.*, 2000, 184, p. 869-871.

SUREAU, Claude, *Alice au pays des clones*, Stock, 1999.

SUREAU, Claude, CASSUTO, Thomas, *La Santé publique en procès*, PUF, 2008.

THOMAS, Bernard, *Lettre ouverte aux écolos qui nous pompent l'air*, Albin Michel, 1992.

TUBIANA, Maurice, *L'Éducation et la Vie*, Odile Jacob, 1999.

TUBIANA, Maurice, « Le principe de précaution : ses avantages et ses risques », *Bull. Acad. Natle. Med.*, 2000, 184, p. 969-994.

TUBIANA, Maurice, *N'oublions pas demain*, Éditions de Fallois, 2007.

VALLENCIEN, Guy, *La santé n'est pas un droit*, Bourin, 2007.

VINCENT, Jean-Didier, *Voyage extraordinaire au centre du cerveau*, Odile Jacob, 2007.

WEILL, Pierre, *Tous gros demain ?*, Plon, 2007.

Table des matières

Chapitre 2
POUR NE PAS SE LAISSER TROMPER

Chapitre 3
LA VRAIE QUESTION :
COMMENT ÉLEVER LES PLANTES ET NOURRIR LES ANIMAUX

Chapitre 4
POLLUTIONS ET INFECTIONS

Chapitre 5
TROP DE PRÉCAUTIONS : LE VRAI DANGER

Dans la collection « Poches Odile Jacob »

N° 1 : Aldo Naouri, *Les Filles et leurs mères*
N° 2 : Boris Cyrulnik, *Les Nourritures affectives*
N° 3 : Jean-Didier Vincent, *La Chair et le Diable*
N° 4 : Jean François Deniau, *Le Bureau des secrets perdus*
N° 5 : Stephen Hawking, *Trous noirs et Bébés univers*
N° 6 : Claude Hagège, *Le Souffle de la langue*
N° 7 : Claude Olievenstein, *Naissance de la vieillesse*
N° 8 : Édouard Zarifian, *Les Jardiniers de la folie*
N° 9 : Caroline Eliacheff, *À corps et à cris*
N° 10 : François Lelord, Christophe André, *Comment gérer les personnalités difficiles*
N° 11 : Jean-Pierre Changeux, Alain Connes, *Matière à pensée*
N° 12 : Yves Coppens, *Le Genou de Lucy*
N° 13 : Jacques Ruffié, *Le Sexe et la Mort*
N° 14 : François Roustang, *Comment faire rire un paranoïaque ?*
N° 15 : Jean-Claude Duplessy, Pierre Morel, *Gros Temps sur la planète*
N° 16 : François Jacob, *La Souris, la Mouche et l'Homme*
N° 17 : Marie-Frédérique Bacqué, *Le Deuil à vivre*
N° 18 : Gerald M. Edelman, *Biologie de la conscience*
N° 19 : Samuel P. Huntington, *Le Choc des civilisations*
N° 20 : Dan Kiley, *Le Syndrome de Peter Pan*
N° 21 : Willy Pasini, *À quoi sert le couple ?*
N° 22 : Françoise Héritier, Boris Cyrulnik, Aldo Naouri, *De l'inceste*
N° 23 : Tobie Nathan, *Psychanalyse païenne*
N° 24 : Raymond Aubrac, *Où la mémoire s'attarde*
N° 25 : Georges Charpak, Richard L. Garwin, *Feux follets et Champignons nucléaires*
N° 26 : Henry de Lumley, *L'Homme premier*
N° 27 : Alain Ehrenberg, *La Fatigue d'être soi*
N° 28 : Jean-Pierre Changeux, Paul Ricœur, *Ce qui nous fait penser*
N° 29 : André Brahic, *Enfants du Soleil*
N° 30 : David Ruelle, *Hasard et Chaos*
N° 31 : Claude Olievenstein, *Le Non-dit des émotions*
N° 32 : Édouard Zarifian, *Des paradis plein la tête*
N° 33 : Michel Jouvet, *Le Sommeil et le Rêve*
N° 34 : Jean-Baptiste de Foucauld, Denis Piveteau, *Une société en quête de sens*
N° 35 : Jean-Marie Bourre, *La Diététique du cerveau*
N° 36 : François Lelord, *Les Contes d'un psychiatre ordinaire*

N° 37 : Alain Braconnier, *Le Sexe des émotions*
N° 38 : Temple Grandin, *Ma vie d'autiste*
N° 39 : Philippe Taquet, *L'Empreinte des dinosaures*
N° 40 : Antonio R. Damasio, *L'Erreur de Descartes*
N° 41 : Édouard Zarifian, *La Force de guérir*
N° 42 : Yves Coppens, *Pré-ambules*
N° 43 : Claude Fischler, *L'Homnivore*
N° 44 : Brigitte Thévenot, Aldo Naouri, *Questions d'enfants*
N° 45 : Geneviève Delaisi de Parseval, Suzanne Lallemand, *L'Art d'accommoder les bébés*
N° 46 : François Mitterrand, Elie Wiesel, *Mémoire à deux voix*
N° 47 : François Mitterrand, *Mémoires interrompus*
N° 48 : François Mitterrand, *De l'Allemagne, de la France*
N° 49 : Caroline Eliacheff, *Vies privées*
N° 50 : Tobie Nathan, *L'Influence qui guérit*
N° 51 : Éric Albert, Alain Braconnier, *Tout est dans la tête*
N° 52 : Judith Rapoport, *Le garçon qui n'arrêtait pas de se laver*
N° 53 : Michel Cassé, *Du vide et de la création*
N° 54 : Ilya Prigogine, *La Fin des certitudes*
N° 55 : Ginette Raimbault, Caroline Eliacheff, *Les Indomptables*
N° 56 : Marc Abélès, *Un ethnologue à l'Assemblée*
N° 57 : Alicia Lieberman, *La Vie émotionnelle du tout-petit*
N° 58 : Robert Dantzer, *L'Illusion psychosomatique*
N° 59 : Marie-Jo Bonnet, *Les Relations amoureuses entre les femmes*
N° 60 : Irène Théry, *Le Démariage*
N° 61 : Claude Lévi-Strauss, Didier Éribon, *De près et de loin*
N° 62 : François Roustang, *La Fin de la plainte*
N° 63 : Luc Ferry, Jean-Didier Vincent, *Qu'est-ce que l'homme ?*
N° 64 : Aldo Naouri, *Parier sur l'enfant*
N° 65 : Robert Rochefort, *La Société des consommateurs*
N° 66 : John Cleese, Robin Skynner, *Comment être un névrosé heureux*
N° 67 : Boris Cyrulnik, *L'Ensorcellement du monde*
N° 68 : Darian Leader, *À quoi penses-tu ?*
N° 69 : Georges Duby, *L'Histoire continue*
N° 70 : David Lepoutre, *Cœur de banlieue*
N° 71 : Université de tous les savoirs 1, *La Géographie et la Démographie*
N° 72 : Université de tous les savoirs 2, *L'Histoire, la Sociologie et l'Anthropologie*
N° 73 : Université de tous les savoirs 3, *L'Économie, le Travail, l'Entreprise*

N° 74 : Christophe André, François Lelord, *L'Estime de soi*
N° 75 : Université de tous les savoirs 4, *La Vie*
N° 76 : Université de tous les savoirs 5, *Le Cerveau, le Langage, le Sens*
N° 77 : Université de tous les savoirs 6, *La Nature et les Risques*
N° 78 : Boris Cyrulnik, *Un merveilleux malheur*
N° 79 : Université de tous les savoirs 7, *Les Technologies*
N° 80 : Université de tous les savoirs 8, *L'Individu dans la société d'aujourd'hui*
N° 81 : Université de tous les savoirs 9, *Le Pouvoir, L'État, la Politique*
N° 82 : Jean-Didier Vincent, *Biologie des passions*
N° 83 : Université de tous les savoirs 10, *Les Maladies et la Médecine*
N° 84 : Université de tous les savoirs 11, *La Philosophie et l'Éthique*
N° 85 : Université de tous les savoirs 12, *La Société et les Relations sociales*
N° 86 : Roger-Pol Droit, *La Compagnie des philosophes*
N° 87 : Université de tous les savoirs 13, *Les Mathématiques*
N° 88 : Université de tous les savoirs 14, *L'Univers*
N° 89 : Université de tous les savoirs 15, *Le Globe*
N° 90 : Jean-Pierre Changeux, *Raison et Plaisir*
N° 91 : Antonio R. Damasio, *Le Sentiment même de soi*
N° 92 : Université de tous les savoirs 16, *La Physique et les Éléments*
N° 93 : Université de tous les savoirs 17, *Les États de la matière*
N° 94 : Université de tous les savoirs 18, *La Chimie*
N° 95 : Claude Olievenstein, *L'Homme parano*
N° 96 : Université de tous les savoirs 19, *Géopolitique et Mondialisation*
N° 97 : Université de tous les savoirs 20, *L'Art et la Culture*
N° 98 : Claude Hagège, *Halte à la mort des langues*
N° 99 : Jean-Denis Bredin, Thierry Lévy, *Convaincre*
N° 100 : Willy Pasini, *La Force du désir*
N° 101 : Jacques Fricker, *Maigrir en grande forme*
N° 102 : Nicolas Offenstadt, *Les Fusillés de la Grande Guerre*
N° 103 : Catherine Reverzy, *Femmes d'aventure*
N° 104 : Willy Pasini, *Les Casse-pieds*
N° 105 : Roger-Pol Droit, *101 Expériences de philosophie quotidienne*
N° 106 : Jean-Marie Bourre, *La Diététique de la performance*
N° 107 : Jean Cottraux, *La Répétition des scénarios de vie*
N° 108 : Christophe André, Patrice Légeron, *La Peur des autres*
N° 109 : Amartya Sen, *Un nouveau modèle économique*
N° 110 : John D. Barrow, *Pourquoi le monde est-il mathématique ?*

N° 111 : Richard Dawkins, *Le Gène égoïste*
N° 112 : Pierre Fédida, *Des bienfaits de la dépression*
N° 113 : Patrick Légeron, *Le Stress au travail*
N° 114 : François Lelord, Christophe André, *La Force des émotions*
N° 115 : Marc Ferro, *Histoire de France*
N° 116 : Stanislas Dehaene, *La Bosse des maths*
N° 117 : Willy Pasini, Donato Francescato, *Le Courage de changer*
N° 118 : François Heisbourg, *Hyperterrorisme : la nouvelle guerre*
N° 119 : Marc Ferro, *Le Choc de l'Islam*
N° 120 : Régis Debray, *Dieu, un itinéraire*
N° 121 : Georges Charpak, Henri Broch, *Devenez sorciers, devenez savants*
N° 122 : René Frydman, *Dieu, la Médecine et l'Embryon*
N° 123 : Philippe Brenot, *Inventer le couple*
N° 124 : Jean Le Camus, *Le Vrai Rôle du père*
N° 125 : Elisabeth Badinter, *XY*
N° 126 : Elisabeth Badinter, *L'Un est l'Autre*
N° 127 : Laurent Cohen-Tanugi, *L'Europe et l'Amérique au seuil du XXI*[e] *siècle*
N° 128 : Aldo Naouri, *Réponses de pédiatre*
N° 129 : Jean-Pierre Changeux, *L'Homme de vérité*
N° 130 : Nicole Jeammet, *Les Violences morales*
N° 131 : Robert Neuburger, *Nouveaux Couples*
N° 132 : Boris Cyrulnik, *Les Vilains Petits Canards*
N° 133 : Christophe André, *Vivre heureux*
N° 134 : François Lelord, *Le Voyage d'Hector*
N° 135 : Alain Braconnier, *Petit ou grand anxieux ?*
N° 136 : Juan Luis Arsuaga, *Le Collier de Néandertal*
N° 137 : Daniel Sibony, *Don de soi ou partage de soi*
N° 138 : Claude Hagège, *L'Enfant aux deux langues*
N° 139 : Roger-Pol Droit, *Dernières Nouvelles des choses*
N° 140 : Willy Pasini, *Être sûr de soi*
N° 141 : Massimo Piattelli Palmarini, *Le Goût des études ou comment l'acquérir*
N° 142 : Michel Godet, *Le Choc de 2006*
N° 143 : Gérard Chaliand, Sophie Mousset, *2 000 ans de chrétientés*
N° 145 : Christian De Duve, *À l'écoute du vivant*
N° 146 : Aldo Naouri, *Le Couple et l'Enfant*

N° 147 : Robert Rochefort, *Vive le papy-boom*
N° 148 : Dominique Desanti, Jean-Toussaint Desanti, *La liberté nous aime encore*
N° 149 : François Roustang, *Il suffit d'un geste*
N° 150 : Howard Buten, *Il y a quelqu'un là-dedans*
N° 151 : Catherine Clément, Tobie Nathan, *Le Divan et le Grigri*
N° 152 : Antonio R. Damasio, *Spinoza avait raison*
N° 153 : Bénédicte de Boysson-Bardies, *Comment la parole vient aux enfants*
N° 154 : Michel Schneider, *Big Mother*
N° 155 : Willy Pasini, *Le Temps d'aimer*
N° 156 : Jean-François Amadieu, *Le Poids des apparences*
N° 157 : Jean Cottraux, *Les Ennemis intérieurs*
N° 158 : Bill Clinton, *Ma Vie*
N° 159 : Marc Jeannerod, *Le Cerveau intime*
N° 160 : David Khayat, *Les Chemins de l'espoir*
N° 161 : Jean Daniel, *La Prison juive*
N° 162 : Marie-Christine Hardy-Baylé, Patrick Hardy, *Maniaco-dépressif*
N° 163 : Boris Cyrulnik, *Le Murmure des fantômes*
N° 164 : Georges Charpak, Roland Omnès, *Soyez savants, devenez prophètes*
N° 165 : Aldo Naouri, *Les Pères et les Mères*
N° 166 : Christophe André, *Psychologie de la peur*
N° 167 : Alain Peyrefitte, *La Société de confiance*
N° 168 : François Ladame, *Les Éternels Adolescents*
N° 169 : Didier Pleux, *De l'enfant roi à l'enfant tyran*
N° 170 : Robert Axelrod, *Comment réussir dans un monde d'égoïstes*
N° 171 : François Millet-Bartoli, *La Crise du milieu de la vie*
N° 172 : Hubert Montagner, *L'Attachement*
N° 173 : Jean-Marie Bourre, *La Nouvelle Diététique du cerveau*
N° 174 : Willy Pasini, *La Jalousie*
N° 175 : Frédéric Fanget, *Oser*
N° 176 : Lucy Vincent, *Comment devient-on amoureux ?*
N° 177 : Jacques Melher, Emmanuel Dupoux, *Naître humain*
N° 178 : Gérard Apfeldorfer, *Les Relations durables*
N° 179 : Bernard Lechevalier, *Le Cerveau de Mozart*
N° 180 : Stella Baruk, *Quelles mathématiques pour l'école ?*

N° 181 : Patrick Lemoine, *Le Mystère du placebo*
N° 182 : Boris Cyrulnik, *Parler d'amour au bord du gouffre*
N° 183 : Alain Braconnier, *Mère et Fils*
N° 184 : Jean-Claude Carrière, *Einstein, s'il vous plaît*
N° 185 : Aldo Naouri, Sylvie Angel, Philippe Gutton, *Les Mères juives*
N° 186 : Jean-Marie Bourre, *La Vérité sur les oméga-3*
N° 187 : Édouard Zarifian, *Le Goût de vivre*
N° 188 : Lucy Vincent, *Petits arrangements avec l'amour*
N° 189 : Jean-Claude Carrière, *Fragilité*
N° 190 : Luc Ferry, *Vaincre les peurs*
N° 191 : Henri Broch, *Gourous, sorciers et savants*
N° 192 : Aldo Naouri, *Adultères*
N° 193 : Violaine Guéritault, *La Fatigue émotionnelle et physique des mères*
N° 194 : Sylvie Angel et Stéphane Clerget, *La Deuxième Chance en amour*
N° 195 : Barbara Donville, *Vaincre l'autisme*
N° 196 : François Roustang, *Savoir attendre*
N° 197 : Alain Braconnier, *Les Filles et les Pères*
N° 198 : Lucy Vincent, *Où est passé l'amour ?*
N° 199 : Claude Hagège, *Combat pour le français*
N° 200 : Boris Cyrulnik, *De chair et d'âme*
N° 201 : Jeanne Siaud-Facchin, *Aider son enfant en difficulté scolaire*
N° 202 : Laurent Cohen, *L'Homme-thermomètre*
N° 203 : François Lelord, *Hector et les secrets de l'amour*
N° 204 : Willy Pasini, *Des hommes à aimer*
N° 205 : Jean-François Gayraud, *Le Monde des mafias*
N° 206 : Claude Béata, *La Psychologie du chien*
N° 207 : Denis Bertholet, *Claude Lévi-Strauss*
N° 208 : Alain Bentolila, *Le Verbe contre la barbarie*
N° 209 : François Lelord, *Le Nouveau Voyage d'Hector*
N° 210 : Pascal Picq, *Lucy et l'obscurantisme*
N° 211 : Marc Ferro, *Le Ressentiment dans l'histoire*
N° 212 : Willy Pasini, *Le Couple amoureux*
N° 213 : Christophe André, François Lelord, *L'Estime de soi*
N° 214 : Lionel Naccache, *Le Nouvel Inconscient*
N° 215 : Christophe André, *Imparfaits, libres et heureux*
N° 216 : Michel Godet, *Le Courage du bon sens*

N° 217 : Daniel Stern, Nadia Bruschweiler, *Naissance d'une mère*
N° 218 : Gérard Apfeldorfer, *Mangez en paix !*
N° 219 : Libby Purves, *Comment ne pas être une mère parfaite*
N° 220 : Gisèle George, *La Confiance en soi de votre enfant*
N° 221 : Libby Purves, *Comment ne pas élever des enfants parfaits*
N° 222 : Claudine Biland, *Psychologie du menteur*
N° 223 : Dr Hervé Grosgogeat, *La Méthode acide-base*
N° 224 : François-Xavier Poudat, *La Dépendance amoureuse*
N° 225 : Barack Obama, *Le Changement*
N° 226 : Aldo Naouri, *Éduquer ses enfants*
N° 227 : Dominique Servant, *Soigner le stress et l'anxiété par soi-même*
N° 228 : Anthony Rowley, *Une histoire mondiale de la table*
N° 229 : Jean-Didier Vincent, *Voyage extraordinaire au centre du cerveau*
N° 230 : Frédéric Fanget, *Affirmez-vous !*
N° 231 : Gisèle George, *Mon enfant s'oppose*
N° 232 : Sylvie Royant-Parola, *Comment retrouver le sommeil par soi-même*
N° 233 : Christian Zaczyck, *Comment avoir de bonnes relations avec les autres*
N° 234 : Jeanne Siaud-Facchin, *L'Enfant surdoué*
N° 235 : Bruno Koeltz, *Comment ne pas tout remettre au lendemain*
N° 236 : Henri Lôo et David Gourion, *Guérir de la dépression*
N° 237 : Henri Lumley, *La Grande Histoire des premiers hommes européens*
N° 238 : Boris Cyrulnik, *Autobiographie d'un épouvantail*
N° 239 : Monique Bydbowski, *Je rêve un enfant*
N° 240 : Willy Pasini, *Les Nouveaux Comportements sexuels*
N° 241 : Jean-Philippe Zermati, *Maigrir sans regrossir. Est-ce possible ?*
N° 242 : Patrick Pageat, *L'Homme et le Chien*
N° 243 : Philippe Brenot, *Le Sexe et l'Amour*
N° 244 : Georges Charpak, *Mémoires d'un déraciné*
N° 245 : Yves Coppens, *L'Histoire de l'Homme*
N° 246 : Boris Cyrulnik, *Je me souviens*
N° 247 : Stéphanie Hahusseau, *Petit guide de l'amour heureux à l'usage des gens (un peu) compliqués*
N° 248 : Jean-Marie Bourre, *Bien manger : vrais et faux dangers*
N° 249 : Jean-Philippe Zermati, *Maigrir sans régime*
N° 250 : François-Xavier Poudat, *Bien vivre sa sexualité*

Cet ouvrage a été transcodé et mis en pages
chez Nord Compo (Villeneuve d'Ascq)

Impression réalisée par

La Flèche (Sarthe), le 18-05-2010
N° d'impression : 58070
N° d'édition : 7381-1436-X
Dépôt légal : juin 2010

Imprimé en France